博弈论导引及其应用

Game Theory Introduction and Applications

《美国法律文库》编委会

美国法律文库

THE AMERICAN LAW LIBRARY

博弈论导引及其应用

Game Theory
Introduction and Applications

格若赫姆·罗珀　著
Graham Romp

柯华庆　闫静怡　译

中国政法大学出版社

博弈论导引及其应用

Game Theory
Introduction and Applications
by Graham Romp

本书的翻译出版由美国驻华大使馆新闻文化处资助
中文版版权属于中国政法大学出版社，2003 年

出版说明

"美国法律文库"系根据中华人民共和国主席江泽民在 1997 年 10 月访美期间与美国总统克林顿达成的"中美元首法治计划"（Presidential Rule of Law Initiative），由美国新闻署策划主办、中国政法大学出版社翻译出版的一大型法律图书翻译项目。"文库"所选书目均以能够体现美国法律教育的基本模式以及法学理论研究的最高水平为标准，计划书目约上百种，既包括经典法学教科书，也包括经典法学专著。他山之石，可以攻玉，相信"文库"的出版不仅有助于促进中美文化交流，亦将为建立和完善中国的法治体系提供重要的理论借鉴。

美国法律文库编委会

2001 年 3 月

译 者 序

法律博弈论如何可能?

柯华庆

《美国法律文库》引进一本格若赫姆·罗珀写的博弈论教材《博弈论导引及其应用》,这对于初学法律的人是一件诧异的事情。但是如果我们真正关注美国的法学研究就会释然,因为法律博弈论只不过是法律经济学的发展,我们知道法律经济学已经成为美国法律教育的核心哲学,而且已经深入到了美国的立法和司法实践中。

1994 年芝加哥大学的拜尔、皮克和格特鲁写了 *Game Theory and the Law*(《法律的博弈分析》,中文译本 1999 年由法律出版社出版),在美国著名大学法学院,如芝加哥、耶鲁、哈佛、斯坦福等都开设 *Game Theory and the Law* 这样的课程。我们发现比较著名的法律经济学教材都有博弈论的介绍,新版与旧版的区别在于增加了博弈论分析法律的内容。例如,库特和尤伦的《法与经济学》自第三版开始充满了博弈分析的特色,波斯纳的《法律的经济分析》第六版也增加了博弈论。

现在我们不用再像康德一样质问"纯粹数学是怎样可能的?"、"纯粹自然科学是怎样可能的?"这样的问题,但当我们建立一门交叉学科时其怎么可能的问题是我们回避不了的。交叉学科作为一门学科与仅仅把一些看似有联系的两个学科粘在一起或者仅仅是一门工具学科在另一学科的应用是不同的。自从 1960 年科斯定理的提出,法律与经济学就真正融合在一起了，法律经济学已经成为一门独立的学科，不再是经济方法的应用或者两张不同的皮粘在一起了，也不仅仅如波斯纳表述的"法律的经济分析"，波斯纳表述降低了法律经济学作为一门学科的地位，这也是科斯对法律经济学发展不满意的原因。[1] 从理论上说，自从有了科斯定理，法律经济学就成了法律博弈论（Legal Game Theory 或者 Law and Game Theory）。我与丁利博士取得了共识：法律经济学只有以博弈论为分析工具，才是真正达到成熟和完善的地步。如果我们仅仅着眼于博弈方法在法律中的应用，那么法律博弈论的地位很低，也很零碎。至今为止法律博弈论的理论基础尚未建立，现有的法律博弈论的专著和课程英文名为 *Game Theory and the Law*，译为中文应该是"博弈论与法律"，实际上该书以博弈论为框架，将法律作为博弈方法的阐释案例，根本没有对法律博弈论进行理论建构。美国几所著名大学法学院开设的课程都是以此框架为基础。我们应该以法律为本位，真正使得博弈论方法与法律融为一体，使其作为一个学科存在，这就要解决法律博弈论如何可能的问题。

　　法律经济学的基石是科斯定理。科斯定理分为实证的和规范的，实证的科斯定理又分为两个，用法律人易理解的形式表达为：实证科斯定理1，如果交易成本为0，那么法律对效率无用（或者说法律与效率无关）；现实中有交易成本，所以有实证科斯定理2，如果交易成本为正，那么法律对效率有用（或者说法律与效率有关）。可以说现代法律经济学是在实证科斯定理2基础上建立起来的。"法律应该怎样提高效率"涉及到规范的科斯定理。规范的科斯定理也有两个，规范科斯定理1，建构法律以消除私人协商的障碍，即润滑交易；规范科斯定理2，建构法律以最小化私人协商失败导致的损害，即纠正错误

---

[1]　Douglas G. Baird, 'The Future of Law and Economics: Looking Forward', *The University of Chicago Law Review*, 64: 1129 – 1143.

配置。[2] 这两种方法都是为了提高效率，前者符合帕累托效率，容易被人接受；后者符合卡尔多－希克斯效率标准。从效率角度看，后者比前者好，因为后一种方法可以消除交易成本，前一种方法可能仅仅降低交易成本。但是在考虑到财产权的稳定性所导致的激励以及重新配置权利的种种问题，例如，由立法者或者法官来界定权利对哪一方更加重要既有信息问题也有公正性问题。所以纠正错误配置并非经常发生，而仅仅在社会变革时期随着政治进程而发生。因此建构法律以消除私人协商的障碍变得尤为重要。私人协商的障碍就是交易成本，交易成本以何种方式存在，我们怎么降低交易成本是科斯式法律经济学分析问题的核心。那么这些交易成本又是怎样产生的呢？

庇古看问题的视角是单向的，没有交易成本问题，也不需要用博弈方法。自科斯以来的法律经济学与庇古传统的最大区别就是相互性的考虑，相互性的考虑导致我们从团体角度、国家角度考虑问题。科斯一再强调这一点，"显然，只有得大于失的行为才是人们所追求的。但是，当在各自为政进行决策的前提下，对各种社会格局进行选择时，我们必须记住，将导致某些决策的改善的现行制度的变化也会导致其他决策的恶化。而且，我们必须考虑各种社会格局的运行成本（不论它是市场机制还是政府管制），以及转成一种新制度的成本。在设计和选择社会格局时，我们应该考虑总的效果。这就是我所提倡的方法的改变。"[3] 相互性视角的转变意味着我们在立法或者司法判决时要考虑法律关系所涉及的所有主体，这些主体是理性的，他们之间的行为表现为策略行为。可以说交易成本主要来自于策略行为，如果多主体是心无旁系的一家人，交易成本就不存在或者很少。研究策略行为的学科就是博弈论。

---

〔2〕 柯华庆："科斯命题的澄清"，载《社会科学战线》2006 年第 2 期；"科斯命题的谬误"，载《思想战线》2006 年第 2 期。
〔3〕 〔美〕科斯：《生产的制度结构》，盛洪译，上海三联书店1994 年版，第 191 页。

满足下列四个基本特征的事件都是博弈论的对象：（1）群体性，只要不是鲁滨逊的世界；（2）互动性，事情的最终结果取决于所有人的行动；（3）策略性，每个人都认识到并考虑到这种相互依赖性；（4）理性，所以每个人选择行动的时候要针对对手的可能行动而选择一个最优对策。我们知道社会科学的问题基本满足这些条件，这决定了博弈论应用的广泛性。[4] 博弈论是研究人与人之间相互算计及其均衡的科学，博弈均衡是两个或多个个体相互作用且每个个体的决策取决于他对其他个体行为的预测所形成的均衡状态。博弈论是近几十年来经济学理论中发展得最为成功的一部分，诺贝尔经济学奖多次授予博弈论专家及其应用者，博弈已成为整个社会科学的方法论。有人说，如果未来社会科学还有纯理论的话，那就是博弈论。

弗里德曼说，如果这个世界只有一个人，他会面临许多问题，但其中没有一个是法律问题。如果再加入一个居民，那么就可能会产生冲突了。暴力是最显而易见的解决方法，但不是一个好方法：如果使用暴力，我们小小世界将回溯为一人世界，甚至无人世界。另外一种更好的、而且是迄今为止所有的人类社会都发现了的解决方法是：使用一套明示或默示的法律规则。也就是说，当各方愿望发生冲突时，采取合理、和平的方式来决定各方必须做什么以及如果他拒绝这样做应承担什么样的后果。[5] 也就是说，法律是涉及到多主体之间的关系的。在法律关系中，任何一方当事人的行动选择，既要受到自身因素的影响，也要受到其他当事人行为的影响。所以将法律规则下行为人之间的行为互动归结为策略行为是自然合理的。张五常定义交易成本如下：广义而言，交易成本是指那些在鲁宾逊一人世界的经济中不能想象的一切成本，在一人世界里，没有产权，也没有交易，没有任何

---

〔4〕 丁利："作为博弈规则的法律与关于法律的博弈"，载〔美〕拜尔、格特鲁和皮克：《法律的博弈分析》，严旭阳译，法律出版社 2004 年版，第 1－11 页。

〔5〕〔美〕弗里德曼：《经济学语境下的法律规则》，杨欣欣译，法律出版社 2004 年版，第 1 页。

形式的经济组织。该定义抓住了交易成本概念的核心部分：交易成本发生的前提是人们的利益分歧。从理论上说，博弈论可以用于任何多主体之间的策略行为，当所涉及的人数很多时，博弈均衡就趋近于一般均衡，博弈论是比传统微观经济学的一般均衡更普适的方法。[6] 实践上，鉴于博弈均衡的实现依赖于博弈结构要成为博弈者的共同知识，在有限理性的情况下对超过三个博弈者的博弈来说是困难的，真正有用的是分析两个主体的策略行为。法律关系所涉及的主体经常是两个，由于法律的这一特点，我们可以说博弈论天生就是用来分析法律的。

博弈论的优势使得它在法律的分析上具有更多优势，法律博弈论正在成为法律经济学的主导分析范式。[7]

首先，交易成本是法律经济学的核心，能够使交易成本最小化的法律就是最好的法律。科斯交易成本概念的外延并不确定，任何现象（特别是那些难以解释的现象）都可以笼统地归结为交易成本所致。博弈论进一步将研究重点放在策略成本和信息成本上。实际上信息不完全和对策行为是我们迄今所揭示的交易成本最主要来源，博弈论将这两种交易成本的生成源泉结合在一起，通过数学工具的运用使分析更加严密和更具可操作性，因为，在经济学中的，可操作的成本概念是机会成本。在科斯的正交易成本的世界里，不同交易方式之间的相互替代很重要，应该选择交易成本较低的交易方式。不同交易方式之间的相互替代，从个人或经济个体角度看，就是在与他人交往时对不同行为方式或不同策略的选择。利益对立的人与人之间策略问题是博弈论研究的内容，因此博弈论天生就是法律经济学的数学化方法。替代是不同交易方式之间的替代，是人的行为方式或策略之间的替代，由于不同交易方式的交易成本是不同的，法律制度在选择最低交易成

---

〔6〕 汪丁丁：《从交易费用到博弈均衡》，载《经济研究》1995 年第 9 期。
〔7〕 魏建：《理性选择理论与法经济学的发展》，载《中国社会科学》2002 年第 1 期。

本的交易方式中发挥重要作用。

其次，法律博弈论突破了市场本位。科斯尽管强调制度选择的标准是交易成本的大小，但是在基本观念上，他们依然坚持"市场本位"，认为自愿交易是实现效率的最佳途径，即使在"市场失灵"的环境下也不能就此认为政府干预就是比市场更好的选择。波斯纳的分析更是突出了"市场本位"，认为"财富最大化"是法律及其活动的主要价值追求。但是这种"市场至上"观念和以市场价格的一般均衡状态为标准来检验一切制度安排的做法受到了强烈的批评。以一种特定制度的标准来解释其他制度和作为其他制度的改革标准，显然是一种削足适履的做法。博弈论着重强调行为手段对追求目的的适应性，是一种形式理性。在博弈分析中可以没有先验的价值判断。并且博弈均衡的达成有赖于参与人的价值判断，在存在多重均衡的状态下，价值判断的不同可以导致不同的均衡。因此判断制度是否有效的标准不一定限于效率，也可以是效率之外的其他价值追求，如公平等[8] 只要制度能使参与人的行为在追求价值目标的过程中保持了内在一致的效用（或预期效用）最大化，该制度就是有效的，不必坚持市场本位。

最后，博弈论在坚持个人主义方法论的基础上，包含进了整体主义的因素。个人主义方法论和整体主义方法论一直是主流经济学和以制度学派为代表的非主流经济学的重大分歧之一。制度学派认为主流经济学的分析是形而上学，不切合实际，只分析了人类行为的工具性，没有分析其礼俗性。他们强调影响经济分析行为决策的因素是多元的，应当用整体主义的分析方法来研究人类的行为模式。制度学派的批评和主流经济学在非市场制度分析上遇到的困难，证明了整体分析的合理性。但如何协调二者始终是个难题。博弈论在坚持个人主义

---

〔8〕 柯华庆：《格式合同的经济分析》，载《比较法研究》2004 年第 5 期。

的基础上成功地引入了整体分析的因素。博弈分析是从个人主义出发的，个人效用最大化是分析的起点，并且均衡的达成也是个人最大化行为的组合。但是博弈论中参与人的最大化行为是所有参与人最大化行为的函数，个人的函数中包含了整体的影响。最终均衡结果的生成也是全体参与人共同博弈的结果，而不是单个最大化行为的结果。并且制度和风俗习惯可以作为博弈论框架构成对个体行为选择的约束。因此制度学派所强调部分地包含进博弈分析框架中，实现个人主义方法论与整体主义方法论的初步融合。

法律博弈论的分析工具是纳什均衡。纳什均衡的通俗定义是：纳什均衡是一种策略组合，给定对手的策略，每个参与人选择自己的最优策略。纳什均衡的重要性来自于其中每个博弈者的策略都是针对其他博弈者策略或策略组合的最佳对策。纳什均衡是以策略之间的相对优劣关系，而不是绝对优劣关系为基础的，这正是策略互动决策的特点。博弈者的最大目标都是实现自身的最大得益，但是在具有策略和利益相互依存性的博弈问题中，各个博弈者的得益既取决于自己选择的策略，还与其他博弈者选择的策略有关，因此博弈者在决策时必须考虑其他博弈者的存在和策略选择。通过先找出自己针对其他博弈者每种策略或策略组合（对多人博弈）的最佳对策，即自己的可选策略中与其他博弈者的策略或策略组合配合，给自己带来最大得益的策略，然后在此基础上，通过对其他博弈者策略选择的判断，包括对其他博弈者对自己策略判断的判断等，预测博弈的可能结果和确定自己的最优策略。

纳什均衡应用的广泛性在于纳什均衡的普遍性。纳什定理揭示："每一个有限博弈（有限个博弈者和每一个博弈者仅有有限个策略）都至少有一个纳什均衡（包含混合策略纳什均衡）"。尽管纳什均衡的存在性仍然限制在有限博弈，但是现实中的博弈都是可以当作有限博弈来解决。这样纳什均衡的存在就是普遍的。纳什均衡的普遍存在性是纳什均衡概念最重要的性质。其他类型博弈的核心均衡概念，如子博弈完美纳什均衡、完美贝叶斯纳什均衡和精炼贝叶斯纳什均衡本身都是纳什均衡。动态博弈中由于涉及时间性，我们要考虑可信性问题。可信性概念归结为问题"威胁或者承诺是可信的吗？"在博弈论中一个威胁或者承诺仅仅当该博弈者在适当时间将其实现时符合他自身的利益时才是可信的。假定博弈者是理性的，并且这是博弈者的共同知识，那么推断博弈者只相信可信威胁或者承诺是合理的。这意味着不可信威胁或者承诺不会对其他博弈者的行为产生影响。

纳什均衡之所以在现实中有效则是因为它与一致预测性质的等价性。纳什均衡的一致预测性在于，如果所有博弈方都预测一个特定的博弈结果会出现，那么所有的博弈方都不会利用该预测或者这种预测能力来选择与预测结果不一致的策略，即没有哪个博弈方有偏离这个预测结果的愿望，因此这个预测结果最终就真会成为博弈的结果。"一致"的意义在于各博弈方的实际行为选择与他们的预测一致。一致预测性在博弈分析中重要的原因，主要在于一个博弈方在博弈中所作预测的内容包括他自己的选择，因此博弈方有可能会利用预测改变自己的选择，而具有一致预测性质的博弈分析概念就能避免这样的矛盾，从而是稳定的和自我实施、自我强制的，相应选择也才是真正可预测的。纳什均衡是一种僵局，其他参与人的策略一定，没有任何人有积极性偏离这种均衡的局面。给定别人遵守协议的情况下，没有人有积极性偏离协议规定的自己的行为规则。

我们对纳什均衡应用的广泛性和有效性不能过分夸大，尽管纳什均衡非常重要，但不是说学到了这种分析方法你就能预测所有博弈的结果（人类社会人与人之间的关系就是博弈）。纳什均衡分析仅仅保证有个体理性的智能人的博弈结果是唯一纯策略纳什均衡时的预测。实际情况是纳什均衡分析并不能保证对所有博弈的结果都作出准确的预测。现实中的博弈可能是下面三种情况之一：（1）有许多博弈不存在纯策略纳什均衡；（2）有些博弈是多重纳什均衡；（3）博弈方可能是集体理性或有限理性。此时纳什均衡分析就不是绝对有效的。对这些问题有不同程度的解决，例如，实验经济学和行为经济学的成果为寻找有限理性时的博弈均衡提供了支持。一些新的均衡概念，譬如，帕累托上策均衡、风险上策均衡聚点均衡和相关均衡等为多重纳什均衡时的决策找到了方向[9]。

哈耶克对法律和立法作出了区分。法律（law）是内生于社会生活的普遍规则，来自个人之间合作互利逐渐演化而成，基于经验，得到普遍和自觉的认同。以法律为基础的是演进理性主义。赖以形成的是自生自发的秩序、内部秩序、内部规则。立法（Legislation）指国家机关通过深思熟虑制定的强加给社会的规则，往往用来实现某个目标，创制某种"可欲"的秩序。哈耶克认为以立法为主导的是建构理性主义，是一种"人造的秩序"、外部秩序或外部规则，不应该大量立法和修改立法。按照制度经济学的观点，法律制度是长期博弈所选择的均衡结果。埃里克森的《无需法律的秩序（邻人如何解决纠纷）》中对民间法的解释框架就是博弈论。该书的主题是"法律制定者如果对那些促进非正式合作的社会条件缺乏眼力，他们就可能造就一个法律更多但秩序更少的世界。"艾里克·波斯纳的《法律与社会规范》的观点也相近。这给法律博弈论仅仅解释法律的印象，好像法律博弈论是消极的、保守的。我国是制定法国家，立法的意义又何在呢？

青木昌彦提出"博弈内生规则"理论：制度既是博弈规则，也是博弈均衡（即博弈结果）。[10] 从避免"无穷倒退"的追问角度看，这一理论是合理的。但科学上有效的方法是把整体切割成部分后研究部分。我们认为，在立法和法律问题上，将博弈规则看成是立法者、政治家和经济学家制定的，是有意识地设计的结果。从哈耶克对法律和

---

〔9〕 谢识予：《经济博弈论》（第 2 版），复旦大学出版社 2002 年版，第 108－119 页。
〔10〕 ［日］青木昌彦：《比较制度分析》，周黎安译，远东出版社 2001 年版，第 5－22 页。

立法的区分就可以准确说：法律是博弈的结果，立法是博弈的规则。从法律经济学看，即使一个博弈开始前有一些法律规则，但如果参与人稳定的行动选择模式与这些规则不一致，那么，它们就不能被当做是一种制度。例如，即使政府通过法律明文禁止某些商品的进口，但如果通过贿赂海关官员而规避该法律的现象非常普遍，则法律形同虚设，那么，将贿赂而不是无效的法律视为一种制度或许更为合适。即有效的规则才是制度。民间法、习俗法或所谓"真正的法律"从社会学意义上强调实际效果，也就是有效性问题。民间法之所以是有效的是因为它是博弈的结果，是一种均衡状态。但是立法可能不满足均衡状态，无效的立法、或者说导致普遍有效违法的立法确实会导致"法令滋彰，盗贼多有"的局面。我们要使得立法有效就要使得该立法作为博弈规则处于均衡状态。

法律博弈论既研究实证问题也研究规范问题，实证分析涉及解释和预测。规范分析涉及研究应该如何，不仅涉及到不同的政策选择，而且还包括特定政策选择的设计。法律是一种规范体系，是一种"绝对命令"，法律作为一种规则体系，试图规范和改造人，但立法者必须知道现实中的人的行为模式，否则改造是无效的，甚至于与原初目标背道而驰。从博弈论看博弈可能有三种形态的均衡：（1）只有一种均衡，而且这种均衡是帕累托效率的，此时"存在的就是合理的"，仅仅将法律上升为立法。（2）只有一种均衡，但这种均衡是无效率的，通过立法改变这种均衡，使新的均衡是帕累托改善。立法可以改变博弈，包括当事人的选择空间，收益函数，从而改变博弈的均衡结果。（3）多重均衡，通过立法实现最有效率或最为公正的均衡。

法律博弈论真正使法律实效主义（Legal Pragmaticism）成为可能。通常我们把实用主义理解为"有用即真理"，事实上是"有效即真理"，（詹姆士用 Pragmatism 表示实用主义，皮尔士用 Pragmaticism 表示他的哲学为实效主义）因为实用主义最重要的原则是著名的"皮尔士原则"："要弄清楚一个思想的意义，我们只须断定这思想会引起什么行动。对我们来说，那行动是这思想的、惟一意义……我们思考事物时，如要把它完全弄明白，只须考虑它含有什么样可能的实际效果……我们对于这些无论是眼前的还是遥远的效果所具有的概念，就这个概念的积极意义而论，就是我们对于这一事物所具有的全部概念。""实用主义的方法……这种态度不是去看最先的事物、原则、范畴和假定是必需的东西，而是去看最后的事物、收获、效果和事实。"[11] 实效主义法学不是看善良的立法目的，而是看法律实现的后果是否符合其目的。我们不要仅仅看立法的美好愿望，而要看实施后的结果。

我们要想建立或者变更一种法律制度，我们首先要分析其所立足的现实基础，为什么要建立或者变更？其目标是什么？更重要的是立法目的和实施后的结果会不会一致？如果一个立法目标不构成纳什均衡，它就不可能自动实施，因为至少有一个人会违背该立法，不满足纳什均衡要求的立法是没有意义的，这是纳什均衡的立法意义。我们要考虑法律制度所涉及的尽可能多的利益主体，分析在新制度下的利益主体博弈的均衡，只有在此基础上才会制订出有效的法律。中国的现实情况是，大量立法被规避，立法只是正式规则，另外还有一套潜规则，真正有效的是潜规则，因为它是利益主体博弈的结果。将博弈论方法引进到法律分析中是积极的，它不仅仅在于解释法律，更重要的在立法上很有价值；立法是博弈规则，当它有效时也是博弈的结果。只有当立法达到纳什均衡，立法才是有效的，自我实施的。[12]

有了法律博弈论，我们可以通过法律有效地成就美好未来！

---

〔11〕 ［美］威廉·詹姆士：《实用主义》，陈羽纶、孙瑞禾译，商务印书馆 1979 年版，第 26－31 页。
〔12〕 柯华庆：《法律经济学的思维方式》，载《制度经济学研究》2005 年第 9 期。

前　言

　　本书主要是针对那些高年级本科生或者低年级研究生的，他们所学的课程中已经包含了博弈论的经济学应用。随着博弈论在经济学中的广泛应用，这样的课程如今在很多大学普遍开设。虽然最近几年博弈论教材大量出版，但鲜有强调博弈论的经济学应用方面的。而且这些教材经常用到高等数学，这使很多学生望而却步。本书试图克服这些缺陷。尤其是我们将展示博弈论如何用来帮助大家加深对很多经济学家感兴趣问题的理解。为了达到这一目标，我们讨论了包括宏观经济学和微观经济学在内的广泛主题。本书没有用到高等数学，只需要低年级本科生的数学知识就可以理解，书中通过用大量实例和图表进行论证来实现这一点。本书绕开了博弈论中复杂的证明，只从处理很多特定问题得出一般性结论。

　　为了进一步帮助学生学习，主要章节包含一些习题，这些习题是本书不可缺少的一部分，它们是对先前思想的发展，并且常常为后续讨论提供了基础。因此，我们特别建议读者，为了更好理解后续章节，尝试做这些练习是必要的。尽管如此，我们依然在每章末尾提供了习题解答。它们可以作为读者做完练习后参考的范例。虽然我们试图保持习题一个适当的难度，但其中一些注定比另一些复杂，这些我们已经用星号（＊）标明。最后，为了便于进一步的阅读，我们在每一章末列出经过严格挑选的相关著作和论文。

　　非常感谢我在 UCE 的同事，在写作该书时他们提供了诸多帮助与支持。我也感谢现在和过去的很多学生，他们承担了该书诸多的练习并提供了有益的建议。最后，我要感谢杰茜的耐心和爱，该书是献给她的！

中央英格兰大学（伯明翰）

格若赫姆·罗珀

/目录/

▼
▼
▼

第一章

什么是博弈论？

1

博弈论研究理性的个体在相互依存时如何作出决策。最近几年，该理论在经济学的各个分支有着广泛的应用。这种结合常常从某种意义上增进了我们对经济学问题的理解，并且引出新的重要的探究视角。在很多例子中，博弈论的应用已经改变了经济学家考虑微观经济学和宏观经济学问题的方式。这可以通过当博弈论应用到经济学的不同分支后，"新的"这一形容词的频繁使用而得到证实。例如，现在经济学家通常指称"新工业经济学"和"新国际经济学"，这两个领域在应用了博弈论以后得到了很大的发展。另一方面，尽管并非全部，但"新古典经济学"和"新凯恩斯宏观经济学"的很多领域都已经应用了博弈分析。确实，博弈论在经济学中的应用是如此广泛，以至于难以找到它未曾波及的领域。本书的目标是提供一个博弈论基本概念的介绍，并且展示博弈论在经济学问题中的广泛应用。本章第一部分我们讨论博弈论的主要特征，这些特征划定了博弈论应用于经济学的范围。在第二部分，我们简要介绍后面几章的内容。

1.1　博弈论的基本假设

如上所述，博弈论研究理性的个体在相互依存时如何作出决策。为了充分理解这个定义，我们有必要讨论个人主义、理性和相互依赖。

1.1.1　个人主义

2

我们通常将博弈论分为两个独立的领域，即合作博弈论与非合作博弈论。严格说来，前面的博弈论定义仅仅适用于非合作博弈论。在非合作博弈论中，博弈中的个体彼此是不能结成有约束力的协议的。由于这个假定，非合作博弈论本质上就是个人主义的。相反，合作博弈论分析那种可能结成有约束力的协议时的情况。因此，合作博弈论集中于群体中的个体之间怎么彼此承诺从而作出理性的决策。这个差别并不意味着非合作博弈论排除个体之间的合作。然而，这种合作仅仅发生在合作是满足他们自己的自利时。从这个角度看，个体合作不是因为他们不得不这么做，而是因为他们自愿如此做。这种个体主义方法是与新古典经济学中的主导观念是一致的。正是基于这个理由，对主流经济学产生重要影响的恰恰是非合作博弈论，所以我们在本书中讨论非合作博弈论在经济学中的应用。尽管如此，我们应该认识到，在很多案例中合作与非合作方法区分得不是很清晰。举例来说，复杂的组织，比如公司、政府和国家常常被当作是个体决策者。当然这是一种极端的简化，它忽略了决策是怎么从这些机构内部作出。如此简化的价值在于使得模型更加易于处理。像在其他领域一样，经济学家的技巧就是选择最适合问题分析的总量（aggregation）的技巧。

1.1.2 理性

博弈论的第二个特征是个体被假定具有工具理性（instrumentally rational），也就是说，个体被假定为自利地行动。这一假定预设了个体能够判定（至少是盖然性地）他们行动的结果，并且能够对这些结果进行偏好排序。关于个人主义的这个特征主导着新古典经济学，而且有多种途径试图对其正当性（justification）进行辩护。

首要的辩护是论证个体确实是理性的。然而，鉴于很多决策的复杂性和所需分析信息之繁多，完全理性似乎是不现实的。确实，从很多实验研究得到的证据表明个体不是完全理性的，而是以并非最理想的简单规则来处理复杂问题。对理性的第二个辩护是经过自然选择过程，经济系统（economy）最终会聚于充分理性的结果。从这一视角看，理性的假定与系统的长期均衡是一致的。举例来说，如果企业并非按照最理想的方式行事，那么竞争过程最终将强制企业离开这一行业。这一结果是，在长期均衡中，剩余的企业必定是按照最理想的和完全理性的方式行事。然而，这种论证有一个挑战，这种进化的过程也许与企业间竞争有关系，但其在别的环境中并不明显。例如，理性的消费者在淘汰非理性的消费者时，看起来就没有进化过程。没有如此的选择程序，经济系统并不必然会聚于（converge on）理性的结果。对理性的最后一个辩护是理性并不意味着去描述个体实际上怎么作出复杂的决策，而是假定个体行为时好像他们是完全理性的。在此，理性的假定再次被用于使得模型更加容易处理。正像弗里德曼（1953）所指出的，所有的理论必定具有一定的简化形式，没有一个理论能够包括现实的所有可能的特征。按照这种实证方法论（positive methodology），理性假设不应该仅仅因为它是不切实际的而被摈弃，这是因为所有简明的假设必定是超现实的。只有在理性的假定所产生的结果无益时我们才可拒绝这一假定。所谓无益是指理论没有产生相关的预见或者这些预见被经验证据证明为假。按照这种方法论，一个理论的价值应该基于它的有用性而不是它的现实性。从本书中读者将会发现，基于理性假定的博弈论在理解各种各样经济现象方面被证明是非常有用的。然而，这并不意味着对完全理性的偏离就不会提供有用的视角或预见，确实，本书的一大主题就是为了从博弈论得到有意义的结果，对完全理性的较小偏离经常被证明是必要的，并且对于结合这些修正的进一步研究被证明是正当的。另一个对分析完全理性偏离的模型的辩解是：我们作为经济学家不仅仅对发现有用的理论感兴趣，也对发现正确的理论感兴趣。如果这是我们的目标，那么实证方法论就是失败的。如果一个理论的假设是虚假的，那么就必须修正这些假设以便于与现实一致。在发展博弈论并将其运用于经济学的过程中，这些修正处于进行之中，本书对此给予了特别的关注。

1.1.3 相互依赖

博弈论的最后一个特征是它研究那种个体相互依赖的状态。在这种状态下，博弈中任何个体的福利至少部分取决于博弈中其他博弈者的行动。注意到这种相互依赖性，个体可能会有激励策略性地采取行动。策略性行动的个体会寻求预见他们自己的行动对其他主体行动产生的影响。在这个期望下，每个个体为了得到他们最满意的结果作出他/她的最佳选择。与个人主义和理性假定形成鲜明对比的是，相互依赖的特征在新古典经济学中并非占据重要地位。举例来说，在一般均衡理论中，所有代理人是原子状的（atomistic）。这决定了孤立状态的代理人的行动对市场结果或者其他人的福利没有影响。这点被假定对于厂商和消费者都是真的。基于此，以及其他的一些假定，能够证明竞争均衡满足帕累托效率，这意味着没有人会在不使其他人更糟的情况下变得更好的状态。相反，一旦相互依赖被引进，个体的福利依赖于其他人的行动，就存在市场失败和帕累托无效率的可能性。在这种状态下，至少存在一个个体能够在不使其他人更糟的情况下变得更好。如此无效率的可能性在许多博弈论的经济学应用中比较常见。而这种相互依赖的实例广泛存在于厂商与厂商之间、厂商与雇员之间、一国政府与它的私营部门之间以及不同政府之间。

1.2 本书概要

本书的目的是介绍非合作博弈论的主要概念，以及这些概念在经济学中的应用。这些目标反映在本书的结构中。前面两章聚焦于博弈论本身，除了例证外几乎没有经济分析。相反，从第四章到第十一章更多集中在能够用博弈论分析的经济问题上。在最后一章中，我们通过讨论几种对最近的模型的批评意见来评价博弈论目前的状态。从这些批评中，我们可以对有关博弈论未来的研究方向提供一些建议。

第二章介绍静态博弈。这些一次性博弈中博弈者是同时作出他们的决策的。以此为主线我们将介绍两种表达博弈的方法，即标准形式和扩展形式。我们也讨论用来解决静态博弈问题的各种各样的方法。博弈解符合博弈者在博弈中的预见，并且基于占优或均衡概念。我们将在那里详细介绍纳什均衡的一般求解方法，讨论怎么在纯策略和混合策略中找到纳什均衡。

第三章考察动态博弈。动态博弈与现实世界的问题更加接近，现实世界中的个体与组织的博弈是重复地相互作用的。在动态博弈中，博弈者经常能够根据先前的博弈状态采取行动，这大大扩展了博弈者的策略集。同样，我们在本章要讨论动态博弈如何能够被分析和预见，我们将介绍核心的可信性概念和纳什均衡的各种精炼，诸如子博弈完美和序贯均衡。

在第四章和第五章，我们开始将注意力更集中于讨论博弈论的经济学应用，这两个主题来自于产业经济学。第一个主题是关于寡头垄断的，考察竞争的厂商之间策略依赖产生的结果。一开始我们考虑寡头之间一次性博弈，然后讨论经典的古诺、斯塔克博格和伯特兰竞争模型。然后把来自这些一次性博弈的结果与重复相互作用的结果形成对比。特别是，厂商之间的重复相互作用可能使得他们共谋以达到联合利润最大化的论点将得到证明。第二个来自产业经济学的应用是进入威慑。在这里，相互作用发生在市场中的先占者与潜在的侵入者之间。为了阐明这种类型的策略相互依赖，我们考察了垄断者有激励阻止其他厂商进入市场并且与其竞争。我们先批判性地讨论贝恩（1956）的限价理论，接着我们介绍最近的基于非合作博弈的进入威慑模型。这些模型突出了在寡头垄断市场中掠夺性定价、预先承诺和不完全信息的重要作用。

第四章和第五章讨论的博弈主要是微观经济学，在第六章和第七章着眼于宏观经济学的博弈。在第六章，我们分析新古典主义学派的结论并且给它们一个博弈论解释。在开始两节我们阐明新古典宏观经济学怎么挑战与政府政策的有效性相关的早期结论。这一讨论自然会引起时间不一致性的话题，这种时间差发生在政府有一个背离长远理想政策的短期激励的情况。当私营部门认识到这样的激励，最终的均衡就是帕累托无效率的。在本章第3节我们将评价政府怎么避免时间不一致性的各种建议。

在第七章，我们的注意力转到新凯恩斯宏观经济学。我们考察几个博弈论模型，这些模型试图解释当所有代理人为理性时非自愿失业的出现和政府需求政策的有效性。我们介绍新凯恩斯宏观经济学的三个互相联系的分支。第一个集中在效率工资模型,其中失业归于实际刚性(real rigidities);第二个考察当代理人不充分调整名义工资和价格以应对逆向需求震动时失业的产生。最后,我们将展示多重均衡和协调失败的模型,这种情况出现于经济系统内的代理人在一个帕累托占优的均衡中共谋的时候。值得注意的是人们争论说这种情况即使在名义或实际刚性缺乏时照样可能会出现。

第八章、第九章和第十章分析发生在国际背景下的博弈论模型。在第八章我们考察国际政策协调的地位。该章论证,溢出效应存在时,国家间不协调政策的影响很可能导致无效率的结果。这提供了国家试图协调他们的国内政策的激励。除了潜在的利润,有几个与政策协调有关的问题也会相伴而生,这些问题都将在第八章中得到讨论。最后,通过回顾几个经验研究,本章寻求评估上述潜在利润的可能范围。

第九章考虑政府提高战略贸易政策来改进国内福利的可能性。我们讨论了这种可能性的两种情况。第一种情况是,所有市场是完美的,但是国家本身有某种程度的市场势力。这种情况发生在所讨论的国家是大国,而且引发了"最佳关税辩论"。然而,在两个或者更多国家采取这样的政策时,所有的国家可能情况变糟。我们讨论了各种各样避免这种情况的机制。第二种给策略贸易政策提供某种正当性的情况是,从事国际贸易的国内企业有某种程度的市场势力。面对寡头竞争,我们分析政府的贸易政策如何能够提高福利,同时我们对几个与这一政策相关的问题进行了评价。

涉及国际问题的最后一章是关于环境经济学的。第十章中我们分析了国家加入国际环境协议(简称 IEAs)的激励问题。我们先讨论双边协议,然后分析多边协议。在每一种情况,我们突出未能缔结环境控制协议的国家的成本,讨论了各种各样取得协作的方法。尤其是,我们考察了国家之间单方付费的用途、破坏环境协议的国家被惩罚的预期、签署 IEAs 的国家数量如何扩大的问题。

第十一章不同于前面几章。在这一章中,我们集中于经济学的一个新的分支——实验经济学。我们不去分析博弈论的理论意义,而是讨论几个用来测试博弈论预见能力的实验。测试在一个被控制的环境中个体的行为与博弈模型的预测是否一致。实验经济学的文献增长非常迅速,我们仅仅集中在广泛用于经济学的三个重要的博弈论概念。这三个概念是纳什均衡、序贯均衡和具有帕累托分级多重均衡博弈中协调失败的可能性。通过这些实验的检验我们可以得出结论:博弈论的预见能力极佳。然而显而易见的是,并非所有有关的博弈论预见都得到了实验证据的证实。抛开解释这些结果中固有的问题,我们主张更加重大的研究需要放在个体怎样在不确定条件下寻求解决复杂的问题,以及随着时间的流逝他们怎么认识和协调适当的策略。相似的结论在第十二章也可以得到。在最后一章中，我们集中在对最近的博弈论模型理论上的批评。这些批评与个体的理性假设有关。基于纯粹工具理性的模型都被证明要么是弄巧成拙的，要么是不完全的，要么是矛盾的。然而，与其把这些批评看作纯粹破坏性的，还不如把它们这些批评可以看作是对进一步研究的一种激励。我们预见进一步研究将会包括对理性的重新评估和更加关注诸如制度、文化和代理人先前的经验等因素。这样的研究正在进行中，我们有信心期待这些研究将会导致在经济学上更加富有成果的应用。

▼
▼
▼

第二章

静 态 博 弈 论

8

　　本章我们着眼于静态博弈如何表达和求解静态博弈的方法。一个博弈的解是一种预见：每一个博弈者都将会如此行动。在静态博弈中，博弈者是隔离的，每一个博弈者在行动时并不知道其他的博弈者已经作出的行动。这不是说所有的决策是同时作出的，而是说仅仅好像他们的决策是同时作出的。比如一次性密封出价拍卖就是静态博弈，在这种类型的拍卖中，每一个博弈者提交仅仅一个出价，不知道任何其他博弈者的出价，最高的出价就作为购买价。与静态博弈形成鲜明对比的是，动态博弈有博弈的次序，并且博弈者随博弈进行能够观察到至少部分（如果不是全部的话）其他博弈者的行动。英国式博弈是动态博弈，博弈者对拍卖品公开叫价，最后以最高的出价作为购买价。

2.1　标准形式博弈和扩展形式博弈

　　在非合作博弈论中，通常有两种方式表达博弈。第一种叫做标准形式博弈或者策略形式博弈，第二种叫做扩展形式博弈。这两种形式广泛用于经济学，我们下面依次讨论每一种形式。

2.1.1　标准形式博弈

一个标准形式博弈包括三个元素：

（1）博弈者

　　一个博弈中的博弈者是指作出相关决策的个体。由于存在相互依赖，我们要求博弈中至少有两个博弈者。在大多数应用中我们仅仅讨论两个博弈者的情况。在有些博弈中，"自然"被当作另外的博弈者，它的功能是决定某种随机事件的结果，诸如天气或博弈中博弈者的"类型"。

9

（2）每个博弈者的策略集

一个策略是一个博弈者如何玩这个博弈的一个完全描述。策略集并非罗列博弈者可选的行动，而是描述博弈者的行动如何依赖于他或她所观察到的其他博弈者已经采取的行动。例如，如果我在考虑卖我的小汽车，那么我的行动只有两种：卖掉或者保留。然而，我可以选择的策略告诉我这些可能的行动是如何依赖于其他人做什么。如果有人出价 5000 英镑或者更多，那么我肯定会卖；如果所有人出价低于 5000 英镑，那么我仍然留着它。在动态博弈中，一个博弈者的策略集可能比他或她可能的行动集要大得多。然而，在静态博弈中，策略集与行动集相同。这是因为，静态博弈中博弈者的决策是在隔离状态下作出的，因而博弈者不能依赖于其他的博弈者的行动来作出决策。在我卖小汽车的例子中，一个奇特形式的博弈是与此一致的：我必须接受或者拒绝某人的出价而不必知道它是多少！在这种情况，我的策略与我的行动一致：卖或者不卖。（在这一讨论中，我们忽略了博弈者采取混合策略的可能性。这些我们在后文中再讨论。）

（3）得益

得益是指一个博弈者依照博弈中所有博弈者的行动在博弈结束后的所得。标准形式博弈显示每一个博弈者（除了自然）在每一种策略组合下的得益，这些通过矩阵或矩阵集的形式表示。得益被定义以便于博弈者总是宁愿选择高得益而不是低得益。例如，得益可以与酬金一致，如利润，或与每个博弈者在博弈结束时所得的效用一致。当博弈者寻求最大化他们的得益时我们说他们是理性的；当他们没有追求这样的目标时就是非理性的，因为他们没有按照他们的自利行动。

为了使得讨论更加明确，我们来看看一个著名的静态博弈"囚徒困境"。在这个博弈中，警察已经逮捕了两个犯罪嫌疑人。然而，他们缺乏有效的证据指控他们中的任何一个，除非他们中至少一个坦白。警察将两个犯罪嫌疑人关在两个隔离的囚室中，并且分别向其说明他们可能的行为所带来的后果。如果他们都不坦白，那么他们将被指控一个较小的犯罪并被判 1 个月牢狱；如果两个都坦白，他们将被判 6 个月牢狱；如果仅仅一个人坦白，那么坦白者将立即释放，而另一个人将被判 9 个月牢狱——6 个月的犯罪惩罚外加 3 个月的妨碍司法（obstructing the course of justice）。

上述博弈满足一个标准博弈的三个必要条件：有两个博弈者，每一个博弈者有两个策略（在静态博弈中，策略与囚徒的行动是同样的：坦白或者不坦白），对于每一个策略组合的得益。这个博弈的标准形式见图 2.1。每种博弈结果和每个囚徒的得益就是他们在监狱中的负月份数，假定每个囚徒是理性的，他们寻求最小化他们在监狱中的月份数。习惯上，每一方格中第一个得益指称行博弈者——

囚徒1，第二个得益指称列博弈者—囚徒2。

		囚徒2	
		坦白	不坦白
囚徒1	坦白	-6, -6	0, -9
	不坦白	-9, 0	-1, -1

图 2.1 标准形式"囚徒困境"

2.1.2 扩展形式博弈

在扩展形式博弈中，我们更加关注作出决策的时间性（timing），也关注每一个博弈者在作出决策时的信息量。这种类型的博弈不用矩阵表示，而是用决策树或叫博弈树表示。囚徒困境的扩展形式见图 2.2。

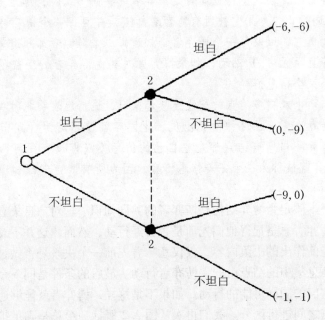

图2.2 扩展形式囚徒困境

在博弈树的左边开始处的空心圆（open circle）表示博弈中的第一个决策。标为1以表示囚徒1作出该决策，在该初始结出来的分支表示在那个时点博弈者可以采取的行动，囚徒 1 要么坦白要么不坦白。在这些分支的末端有结点表示囚徒 2 的决策，囚徒 2 也是要么坦白要么不坦白，这一点通过他的决策结点的分支表示，然而，囚徒 2 在作出该决策时并不知道囚徒 1 所做的，这一点我们通过连接囚徒 2 的决策结的虚线表示，这条虚线显示连接起来的结点处于同一信息集上，这意味着囚徒 2 在作出决策时并不能辨别他在哪一个结点上，这是因为他不知道囚徒 1 已经坦白或没有坦白。最后，博弈结束我们有每一个博弈者的得益。这些得益依赖于每一个囚徒在博弈中的行动，它们被按照博弈者的顺序排列，即囚徒 1 得益是第一个，囚徒 2 的得益是第二个。

从图 2.2，我们可以概括扩展形式博弈一般具有下面四个要素：

结点：博弈者必须作出决策时的位置。第一个称为初始结点，是一个空心圆点，其他的是实心圆点。标出每一个结点是为了确认谁在做决策。

分支：表示博弈者面对的可能选择，与可能的行动一致。

向量：标示每一个博弈者的得益，并将它按博弈者的顺序列出。当我们得到得益向量时博弈结束，当这些得益向量是博弈者的共同知识时，博弈是完全信息的。（信息是共同知识，如果它被所有博弈者知道，并且每一个博弈者都知道每一个博弈者都知道它，以及每一个博弈者都知道每一个博弈者知道它，等等直至无穷。）然而，如果博弈者对其他博弈者的得益不能确信的话，就是一种不完全信息博弈。

信息集：当两个或更多结点被虚线连接起来时，该情况表明此时决策者不知自己身处哪个结点上，一旦这种情况出现，此博弈就被划定为（或归类为）一种不完全信息博弈。当所有结点都是它自己的信息集（即没有任何两点被虚线连接时），该博弈就被称为一个完美信息博弈，因为所有博弈者都知道以前决策的结果。

博弈论的基本假定为博弈结构是博弈者的共同知识。这对信息集有三个明确要求。首先，博弈者总是记得他们先前是否曾经行动，然而，这并不意味着他们总是记得他们先前作出的决策内容，仅仅意味着先前一个决策是否做过。第二个要求是同一个信息集中的结点由同一博弈者行动。最后的条件是同一个信息集中的结点有来自它们的同样可能的行动。如果不是这样，博弈者就能够通过检查可能的行动在结点之间进行区分。我们再次从图 2.2 概括一个总是满足扩展形式博弈的另外的要求：

　　　　每一结点至少有一分支出来（某一行动是博弈者可选择的）且至多有一分支进来。（初始结点没有分支进来。）

这意味着无论我们从什么结点开始，存在仅仅一条可能的路径回到初始结点，并且我们不可能绕开已经经过的结点到达起点。由于这个理由，扩展形式博弈看起来总像树，从初始结点我们总是能够长出枝条，并且枝条从来不会回到自身。

我们现在已经看到有两种不同的表达同一博弈的方法：标准形式博弈或者扩展形式博弈。标准形式博弈给出描述一个博弈必需的最少的信息量，它列出了博弈者、对每一个博弈者可选择的策略和每一个博弈者在博弈结束时的得益。扩展形式博弈给出了除了标准形式能够表达的以外的细节：决策作出的时间性和当决策作出后每一个博弈者所了解的信息状态。显然，两种形式是密切相关的，我们可以得出下面两个结论：

　　每一个扩展形式博弈有且仅有一个相应的标准形式博弈。

　　每一个标准形式博弈一般有几个相应的扩展形式博弈。

正如上述，标准形式博弈与扩展形式博弈之间缺乏一一对应关系的原因在于扩展形式博弈包含了另外的信息。从中可以推出，从同一个标准形式博弈通过假定这些另外的细节可以得到几个不同的扩展形式博弈。 13

练习 2.1

用标准形式博弈与扩展形式博弈描述下列状态：

两个相互竞争的公司考虑在同一时间推出一种相似的产品。如果两家公司都推出这种产品，那么它们每家将得到利润 40000 英镑。如果仅仅一家公司推出该产品，那么它能够像垄断者一样行动，并且得到 100000 英镑的高额利润。如果任一家公司不推出该产品，由于在开发该产品时的前期投入成本，会给公司造成 50000 英镑的损失。

2.2　静态博弈求解方法

在本章开头我们定义一个博弈的解是一种预见：博弈中的每一个博弈者将会如此行动。这可能是一个非常准确的预见，其中每一个博弈者都选择了一个最优的策略，此时的解是唯一的。然而，一个特定的博弈的解往往不是准确的，甚至某种程度上不能排除可选策略。 14

正像我们所期望的，不同的解方法已经应用于不同类型的博弈。对于静态博弈有两个应用广泛的解方法，第一种解方法依赖于占优概念，一个博弈的解通过排除一个理性的人从来都不会选择的策略而得到，基于优势概念的论证寻求回答的问题是："什么策略是理性人从来不会选择的？"第二个解方法基于均衡概念，在非合作博弈中，一个均衡发生在没有一个博弈者有激励单独偏离预见的情况。

基于均衡概念的解方法求解博弈所要回答的问题是："一个解需要具有什么性质才能使得它是一个均衡？"

练习 2.2

解释下列图表并讨论它们是否是有效的扩展形式博弈表示。

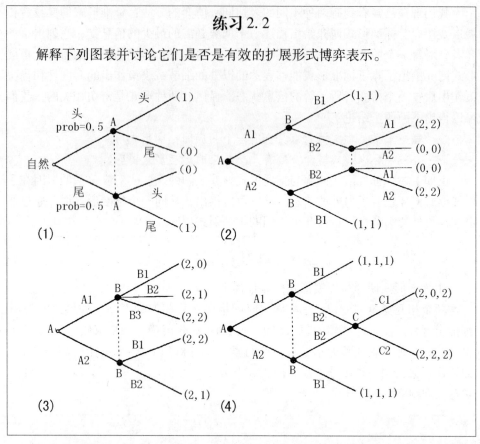

下一节我们检查各种能够用于静态博弈的占优方法和两个均衡概念，在接下来的几节中将介绍和讨论更多广泛用于博弈论的均衡概念。

2.2.1 严格占优

一个策略是严格劣势的，如果该策略之外的其他策略总是会改善得益，而不管其他博弈者怎么做。该解方法似乎合理预设了理性博弈者从来不会选择严格劣势策略，如果博弈者有意选择严格劣势策略，那么在给定他们有关其他博弈者会做什么的信念下，他们就不能最大化他们的期望得益。从这种意义上说，选择严格劣势策略的博弈者是非理性的。应用严格占优策略原理排除这种非理性行为。为了详细说明这个方法，我们用它来解决囚徒困境博弈。在应用严格占优原则，我们依次检查每一个博弈者并且剔除所有严格劣势策略。这个程序可能使得每一个博弈者在剔除所有其他策略后仅剩下一个策略，这一点对于囚徒困境是真实的，因此这种方法对该博弈产生唯一解。

首先考虑囚徒 1 面临的困境。他/她应该坦白或者在另一囚徒保持沉默时他/她也保持沉默，严格占优原则要求囚徒 1 应该坦白，理由是无论囚徒 2 做什么，囚徒 1 坦白总是更好。这意味着不坦白是严格劣势策略，抛弃该策略是理性的选择。同样的逻辑适用于囚徒 2，因此严格占优预见囚徒 2 也会坦白。基于严格占优原则而得到的该博弈的解是两个囚徒都坦白，即使如果两者都不坦白时他们的状况会得到改善。由于该博弈中至少一个博弈者在不使得另一个博弈者的处境更糟的情况下能够通过改变结果得到改善，这个解被认为是帕累托无效率的。（事实上，如果博弈者都不坦白，他们两个的处境都会得到改善。）这是很多经济博弈的一般特征，关于这一点我们在本书中很多地方将举例加以说明。

应该注意的是帕累托无效率的原因不在于博弈者不能交流，而在于他们不能保证他们自己遵守帕累托效率的结果。即使两个囚徒在被捕前达成都不坦白的协议，一旦被拘留他们的个体自利也会使得他们选择相反的策略。这一点说明了非合作博弈与合作博弈的不同，合作博弈中两个囚徒会成为"一条绳上的蚂蚱"，达成一个有约束力的和可强制执行的协议保证不坦白，因而使他们两个都得到改善，但这在非合作博弈论中是不可能的。

练习 2.3

用严格占优原则求解前面练习 2.1 中的产品开发博弈。

2.2.2 弱占优

一个策略是弱劣势的，如果存在另一个策略在某些状态下使博弈者的处境得到改善，而所有其他状态下都是无差异的。假定理性人不会选择弱劣势策略看来也是合理的，因为他或她选择那个优势策略时处境至少会一样好甚至于更好。考察在图 2.3 的标准形式，在该博弈中两个博弈者每个人有两个可选策略。博弈者 1 能够在"上"或"下"移动，博弈者 2 能够在"左"或"右"移动。得益矩阵中第一个数是博弈者 1 的得益，第一个数是博弈者 2 的得益。这个博弈没有策略可以通过严格占优原则排除掉，这是因为没有策略使得博弈者在所有状态下更糟。例如，如果博弈者 1 选择"上"，博弈者 2 在"左"和"右"之间是无差异的；同样，如果博弈者 2 选择"左"，博弈者 1 在"上"和"下"之间是无差异的。虽然我们不能通过严格占优原则排除掉任何策略，但我们可以应用弱占优原则。

博弈者 2

博弈者 1		左	右
	上	7, 2	5, 2
	下	7, 4	2, 0

图 2.3　弱占优方法应用

按照弱占优原则，博弈者 1 将从来不会选择"下"，因而该策略被排除。相似地，博弈者 2 将从来不会选择"右"，该策略也被排除掉。此时，每个博弈者只剩下一个策略，预测的结果是博弈者 1 选择"上"，博弈者 2 选择"左"。这是一个帕累托无效率解，因为"下/左"的策略组合能够在不使博弈者 1 更糟的情况下使得博弈者 2 的状态得到改善。博弈者 1 不会选择"下"的原因在于该策略将带给他更大的风险。如果博弈者 2 选择"右"，那么博弈者 1 选择"下"而不是"上"会更糟。弱占优原则避免不必要的风险的特征由此可见。

2.2.3　重复严格占优

重复严格占优假定，在一个博弈中严格占优方法能够不断运用于不同的博弈者。例如，如果一个博弈者排除了一个特定的策略，因为该策略严格劣于另一个，那么其他的博弈者会确认这一点并且也相信其他的博弈者不会选择该劣势策略。这使得他们依次排除掉劣势策略，等等。该方法可能使每一个博弈者排除所有其他策略而只剩下一个策略，因此对于该博弈可以做一个唯一的预见。我们来分析图 2.4 中的博弈。

博弈者 2

博弈者 1		左	中	右
	上	1, 0	1, 2	0, 1
	下	0, 3	0, 1	2, 0

图 2.4　重复严格占优方法应用

博弈者 1 有两个可选策略："上"、"下"，博弈者 2 有三个可选策略："左"、"中"、"右"。一开始博弈者 1 没有严格劣势策略，然而，对于博弈者 2 来说，

"右"是"中"的劣势策略。按照严格占优方法，我们可以推断博弈者 2 决不会 17
选择"右"。如果博弈者 1 知道博弈者 2 是理性的不会选择"右"，那么对于博弈者 1 来说"上"现在严格优于"下"。按照重复严格占优，我们可以预见博弈者 1 不会选择"下"。最后，如果博弈者 2 知道博弈者 1 决不会选择"下"，那么重复严格占优方法可以预测博弈者 2 会选择"中"。所以基于不断地或者重复严格占优方法我们得到该博弈的唯一解"上/中"。

2.2.4 重复弱占优

最后一种优势方法是重复弱占优。除了在博弈中连续应用弱占优而非严格占优于每一个博弈者外，重复弱占优与重复严格占优是相同的。这种方法对某些特别的博弈也可能产生唯一解。

重复弱占优与重复严格占优不同的一个问题是，预测解依赖于博弈者剔除策略的次序。以图 2.5 为例，如果我们首先应用弱占优于博弈者 1，那么我们预见博弈者会选择唯一解"上/中"；如果我们首先应用弱占优于博弈者 2，那么我们能预见到的只是博弈者 2 不会选择"右"。我们清楚看到应用弱优势的次序会显著影响到博弈的预测结果，不幸的是对于大多数博弈这种选择是完全任意的。

博弈者 2

		左	中	右
博弈者 1	上	10, 0	5, 1	4, −2
	下	10, 1	5, 0	1, −1

图 2.5　重复弱占优方法应用

我们应该注意的是应用重复占优方法比应用纯粹占优方法对理性的要求更强。应用纯粹占优方法时，我们假定理性博弈者不会选择劣势策略，而应用重复占优方法时，我们不仅假定理性博弈者不会选择劣势策略，而且假定了博弈者也假定其他博弈者是理性的，因而不会选择劣势策略。为了重复占优方法预见准确，人们必须不仅是理性的而且也假定其他人是理性的，并且这一要求应用于每 18
一次重复时会得到加强。（例如，我需要假定你相信我相信你相信我是理性的，以此类推。当这个推理序列延续至无穷，我们得到"理性的共同知识"这个常用的假定。）随着重复的次数越大，这些额外的假定变得愈加没有确定性。作为重复次数特别多的博弈的一个例子是罗森斯（1981）提出的蜈蚣博弈，这个动态博弈我们在第三章末进行讨论。

如果一个博弈不管是应用严格占优、弱占优还是重复占优方法只产生唯一解，那么该博弈被称为是占优可解的。所有这些解方法的主要问题是，经常它们对一个博弈所得到的预见是不确定的。我们看图2.6中的博弈，在这种博弈中基于占优方法对该博弈的论证会导致非常不准确的预见，因为任何情况都有可能发生！如果我们对该类型博弈要求一个更加明确的解，那么必须找到一个适用性更强的解方法。这导致我们基于均衡概念而不是占优概念的解方法。

博弈者2

		左	中	右
博弈者1	上	0，4	4，0	5，3
	中	4，0	0，4	5，3
	下	3，5	3，5	6，6

图2.6　占优策略方法问题图解

2.2.5　纳什均衡

就像本章开头介绍的那样，基于占优方法所论证的问题是，"一个理性的博弈者决不会选择什么策略？"相反，纳什均衡概念的问题是，"均衡应该有什么性质？"基于早先古诺（1838）的工作，约翰·纳什（1951）回答了该问题：均衡中每一个博弈者在给定其他每一个博弈者选择均衡策略的情况下所选择的策略是最佳的。如果不是这种情况，那么至少有一个博弈者希望改变策略，从而使我们达不到均衡状态。而且该概念寻求应用经济学家的假设：个体在追求自身利益最大化意义上是理性的。

寻找任何博弈的纳什均衡都包括两个步骤：首先，我们确定每个博弈者相对于其他博弈者的策略选择时的最佳策略。这意味着依次对每一位博弈者来决定他们的最佳策略，这通过考虑其他博弈者的每一个策略组合得到。其次，一个纳什均衡就是所有博弈者同时选择他们的最佳策略时的状态。

严格来说，上面的方法只能用来确定纯策略纳什均衡，而不能确定混合策略纳什均衡。纯策略均衡是每一个博弈者都选择一个确定的策略，混合策略均衡是博弈中至少有一个博弈者随机选择他们的全部或者部分纯策略，这意味着博弈者对策略的选择有一个概率分布。例如，博弈者可以以0.5的概率选择其中两个策略，而从来都不会选择任何其他策略。所以一个纯策略可以看成一种特殊的混合策略，其中一种策略的概率是 1，而其他所有策略的概率为 0。混合策略纳什均衡的概念在本章后面进行讨论。

为了说明寻找（纯策略）纳什均衡的两步法，我们将其应用于囚徒困境博弈。图 2.7 显示了该方法。

囚徒 2

囚徒 1		坦白	不坦白
	坦白	<u>−6</u>, <u>−6</u>	<u>0</u>, −9
	不坦白	−9, <u>0</u>	−1, −1

图 2.7 囚徒困境的纳什均衡

步骤一：

我们首先需要确定每一个囚徒基于另一个囚徒策略选择的最佳策略。如果囚徒 1 预期囚徒 2 坦白，那么囚徒 1 的最佳策略也是坦白（−6 比 −9 更好）。在图 2.7 中，我们通过在两个囚徒都坦白的方格中囚徒 1 的得益下画一条横线来表示这一点。如果囚徒 1 预期囚徒 2 不坦白，那么囚徒 1 的最佳策略仍然是坦白（0 比 −1 更好），我们再次在囚徒 1 的相应得益下画一条横线。同样的分析对囚徒 2 适用，并且他的最佳策略得益下也画一条横线。

步骤二：

接着我们通过检查先前确定的最佳策略决定纳什均衡的存在与否。如果在一个方格中的所有得益下都画了横线，那么该方格对应纳什均衡。根据定义可以证明这是真实的，因为在一个纳什均衡里所有博弈者在给定其他博弈者都选择最佳策略的情况下会选择他们的最佳策略。在囚徒困境博弈中，只有一个方格中的所有元素都已下画横线，对应两个囚徒都坦白，因此这是该博弈的唯一纳什均衡。

我们这里通过纳什均衡方法对于囚徒困境博弈的预测与用严格占优方法得到的结论是相同的。事实上，唯一的严格占优解一定是唯一的纳什均衡。然而，该命题的逆命题并不总是真的，即唯一的纳什均衡并不总是唯一的严格占优解。从这种意义上说，纳什均衡是比严格占优方法适用性更强的概念。正是由于这个原因，纳什均衡概念可以预见一个博弈的唯一解而严格占优也许不能。我们可以通过前面一个占优不可解的博弈加以说明。图 2.6 可以重新表达为图 2.8，正如前面论述的，基于占优方法预见到任何情况都有可能发生。然而，利用纳什均衡的二步法可以得到唯一的预见：博弈者 1 选择"下"和博弈者 2 选择"右"，所以在占优方法不能提供唯一解时纳什均衡概念显得特别有用。

博弈者 2

		左	中	右
博弈者 1	顶	0，4	4，0	5，3
	中	4，0	0，4	5，3
	底	3，5	3，5	6，6

图 2.8　纳什均衡的进一步应用

博弈论的一个重要结论是有限博弈（包含有限博弈者和有限策略的博弈是有限博弈）至少存在一个纳什均衡。这一结论意味着我们总能够对任何博弈中人们的行为作出确定的预见，在有这一想法前，我们需要陈述下面两个限制条件。

首先，上面的结论仅仅在策略包括混合策略和纯策略时才是正确的。这意味着我们并不能总是确定地断言一个博弈中的所有博弈者将会选择什么，而代之为我们仅仅可以给出各种结果发生的概率。我们下面将讨论这种概率问题。

其次，上面的结论并没有排除多重纳什均衡的可能性。确实，很多博弈有多重纳什均衡。对于多重纳什均衡，我们的问题是如何从多个均衡中挑选一个。在对该问题的回答中，很多纳什均衡的精炼概念被提出来以限制可能的均衡集。在后面的章节中将讨论一些精炼的纳什均衡。

2.2.6　混合策略纳什均衡

为了说明某些博弈中多重纳什均衡的存在和混合策略的概念，我们来看另一个经典博弈"性别战"。该博弈讨论的是丈夫与妻子考虑怎么度过良宵，他们要么看拳击赛，要么看芭蕾舞。他们都愿意呆在一起，但是丈夫更爱看拳击赛而妻子更爱看芭蕾舞。（该博弈是 19 世纪 50 年代提出来的，部分反映了那个时代的观念）这些偏好可以通过一个标准形式博弈表示，如图 2.9：

丈夫

妻子		去看拳击	去看芭蕾
	去看拳击	1, 2	0, 0
	去看芭蕾	0, 0	2, 1

图 2.9　性别战标准形式

练习 2.4

判断下列博弈是否有唯一的纯策略均衡，如果有，说出它们是什么，并说明它们是如何找出来的。

（1）

博弈者 2

博弈者 1		左	中	右
	上	4, 3	2, 7	0, 4
	下	5, 5	5, −1	−4, −2

（2）

博弈者 2

博弈者 1		左	中	右
	上	4, 10	3, 0	1, 3
	下	0, 0	2, 10	1, 3

（3）

博弈者 2

博弈者 1		左	中	右
	上	10, 10	4, 3	7, 2
	下	5, 6	8, 10	6, 12

通过应用确定纯策略纳什均衡的两步法，我们可以得到上述博弈有两个纯策略纳什均衡：两人都去看拳击赛或者两人都去看芭蕾舞。这意味着每个人将会去他们认为另一方将会去的地方。但这没什么用，因为它并没有告诉他们另一方可

能去哪儿。因为没有唯一的纯策略纳什均衡，两个博弈者都不能有把握预见另一方的选择。选择一个混合策略是应对这种不确定性的方法，一个混合策略就是一个博弈者随机选择他或她的纯策略的全部或者部分，这意味着博弈者的策略选择是一个概率分布。一个混合策略均衡是其中至少一个博弈者选择一个混合策略而没人有激励单方偏离那种状态。

23 混合策略纳什均衡的主要特征是作为混合策略一部分的每一个纯策略有相同的期望值。否则，一个博弈者会选择那个期望值最高的策略而排除所有其他策略，这意味着原初的状态不是一个均衡。由此我们找到了求解性别战博弈的混合策略纳什均衡的方法。

假设 P（拳击）$_H$ 表示丈夫去看拳击赛的概率，P（拳击）$_W$ 表示妻子去看拳击赛的概率；同样假设 P（芭蕾）$_H$ 表示丈夫去看芭蕾舞的概率，P（芭蕾）$_W$ 表示妻子去看芭蕾舞的概率。因为每个博弈者只有两个可选策略，所以 P（拳击）+ P（芭蕾）= 1 对丈夫和妻子都是成立的。假定这些概率我们就可以计算出每个博弈者可能行动的期望值。

从标准形式博弈可以得到妻子选择看拳击赛的期望值如下：

π（拳击）$_W$ = P（拳击）$_H$ ×（1）+ P（芭蕾）$_H$ ×（0）= P（拳击）$_H$.

妻子选择看芭蕾舞的期望值如下：

π（芭蕾）$_W$ = P（拳击）$_H$ ×（0）+ P（芭蕾）$_H$ ×（2）= 2P（芭蕾）$_H$.

在均衡中，这两个策略的期望值必定相等，所以我们得到：

$$π（拳击）_W = π（芭蕾）_W$$

$$\therefore P（拳击）_H = 2P（芭蕾）_H$$

$$\therefore 1 - P（芭蕾）_H = 2P（芭蕾）_H$$

$$\therefore 1 = 3P（芭蕾）_H$$

$$\therefore P（芭蕾）_H = 1/3,\ P（拳击）_H = 2/3.$$

这意味着在混合策略均衡中，丈夫以1/3的概率选择看芭蕾舞，以2/3的概率选择看拳击赛。我们可以用同样的方法计算丈夫的期望值，从而得出在均衡中，妻子以2/3的概率选择看芭蕾舞，以1/3的概率选择看拳击赛。根据这些个体概率，我们计算出他们都去看拳击赛的概率是2/9，他们都去看芭蕾舞的概率是2/9，他们各自行动的概率是5/9。

混合策略组合构成了该博弈的第三个纳什均衡，直觉上看混合策略纳什均衡似乎是三个均衡中最合理的，因为它明确地考虑到了博弈中固有的不确定性。应该注意到的是，选择混合策略并不意味着根据抛硬币或者掷骰子作出他们的决定，而是面对其他博弈者选择的不确定性的一个理性对策。

混合策略均衡的一个奇特方面是：由于混合策略中的每一个纯策略有相同的期望值，所以每一个博弈者在实际选择哪一个策略时是无差异的。因此一个混合策略均衡被说成是一个弱均衡，因为如果博弈者放弃他们的混合策略而选择组成他们的混合策略的纯策略中的任何一个时，没有博弈者的状态会变得更糟。混合策略纳什均衡的这一特征使得它在经济学中的应用变得颇有争议。特别是这个求解方法因为对博弈者的信念产生不可接受的限制一直被批判。关于这一点我们将在第 12 章进行讨论。

练习2.5

画出下列博弈的标准形式，并且找出该博弈的纯策略均衡和混合策略均衡。在混合策略均衡中计算出每一个公司在进入市场时的预期利润水平。

有两个公司考虑是否进入一个新的市场，在不知道另一公司决策的情况下作出自己的决策。不幸的是市场只能容纳一家公司进入，如果两家公司同时进入每一家都将损失 1000 万英镑；如果仅仅一家公司进入市场，该公司会赚得 5000 万英镑，另一家公司不赔不赚。

2.3 结 论

静态博弈是博弈者孤立作出决策的博弈，每一个决策的作出是在不知道另外的博弈者已经作出决策的情况下进行的。静态博弈可以通过标准形式或者扩展形式表示，标准形式博弈在描述一个博弈时只给出最少的信息量，列出博弈者、每一个博弈者的可选策略和博弈结束后的各方得益。扩展形式博弈给出了关于博弈的例外的信息：作出决策的时间和作出决策时博弈者具有的信息量。静态博弈中占主流的表示方式是标准形式博弈，这是因为在这样的博弈中，博弈者拥有的信息在博弈过程中没有变化，决策的时间对于博弈者的决策也没有影响。在下一章中，我们考察动态博弈，其中博弈的时间和信息上的限制对博弈的结果起着至关重要的影响。

为了预见静态博弈的结果我们给出了各种解方法，这些方法要么基于占优概念，要么基于均衡概念。这些解方法试图预见特定博弈中理性博弈者的行动。有时这些方法产生每一个博弈者行动的确定的预见，然而，解经常是不明确的。这些求解方法也能应用到动态博弈中，但是，在下一章我们会发现，为了产生更加合理的预见，例外的假定必不可少。

2.4 练习答案

练习2.1

在图2.10和图2.11分别给出静态博弈的标准形式和扩展形式。

公司B

公司A		推出	不推出
	推出	£40,000, £40,000	£100,000, −£50,000
	不推出	−£50,000, £100,000	−£50,000, −£50,000

图2.10

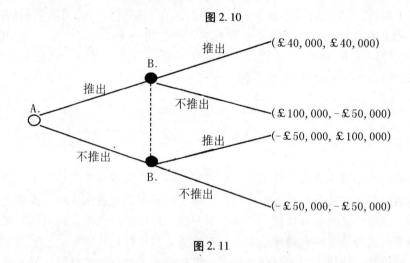

图2.11

练习2.2

（1）这是一个与自然进行的具有不完美信息的单一博弈者的静态博弈。自然决定了投掷一枚标准硬币的结果。在不知道结果是正面还是反面的情况下，博弈者A选择正面或者选择反面。如果选择是正确的，博弈者赢得的报酬为1，反之，则一无所获。这个图是一个有效的扩展形式博弈。在这样的博弈中，我们假设博弈者仅是最大化他们的预期收益，特别地，在单一博弈中不用考虑策略问题。由于这个原因，本书仅分析至少有两个博弈者的博弈。

（2）这是一个不完美记忆的动态博弈。博弈者A在A_1和A_2之间进行选择，而这被博弈者B观察到后在B_1和B_2之间进行选择。如果选择了B_1，那么博弈结束。如果选择 B_2，那么博弈者 A 再次选择，选择 A_1 或 A_2。重要的是，这两个最终决策节点处于相同的信息栏中。这意味着博弈者 A 不知道他在哪个节点上。然而，唯一通往这些节点的路径的不同在于博弈者 A 最初的选择。这表明，博弈者 A 必定已经忘记了他的第一步移动是什么！这是一个有效的扩展博弈，并且一些经济模型确实假设代理人有不完美的记忆。然而，在本书中我们限定所有的博弈者有完美的记忆，这意味着所有博弈者没有忘记先前获得的任何信息。

（3）由于包含一个逻辑矛盾，这不是一个有效的扩展形式博弈。在图中博弈者 B 的决策节点处于相同的信息集中，这意味着它们不能被分辨。然而，在 A_1 随后的决策节点上有三种可能的行动。但是，在 A_2 随后的节点上只有两种选择。博弈者 B 必然知道他可选择的行动，并且据此在这些信息的基础上，他能够在他的决策节点上进行分辨。这与他们被揭示处于相同的信息集中的事实相冲突。为了避免这样一个逻辑矛盾，在相同信息集中节点处的可能行动集必须是相同的。

（4）由于违反了一个先前的假设，因此这不是一个有效的扩展形式博弈。我们要求每一个节点处存在至多一个分支指向它自己。但这并不适用于博弈者 C 的决策节点。作出这一假设的原因在于确保任意决策节点通往最初的节点的路径是唯一的（这对于下一章的逆向归纳法的应用很重要）。这个图并不满足这个特征要求，因为从决策节点回到最初节点博弈者 C 有两条可能的路径可供选择。

练习 2.3

严格占优预示着两家公司都会提高它们各自的生产水平，这是因为无论另一家公司怎么做，他们中的任何一家都会获得较高的收益。

练习 2.4

（1）唯一的纯策略均衡是"下/左"。这既是一个纳什均衡，也是一个重复严格占优的解。获得该占优解的消去过程是"右"、"上"、"中"。

（2）这个唯一的纯策略纳什均衡此时是"上/左"，并且它既是一个纳什均衡，也是一个重复弱占优的解。在后一个情况中消去的过程是"下"、"中"、"右"。

（3）该博弈不是占优可解的，但"上/左"是一个纳什均衡。

练习 2.5

图 2.12 给出了这个静态进入博弈的标准形式。在使用两步法找出纯策略纳什均衡过程中，我们可以看出存在两个这样的均衡。这两个均衡都涉及一家公司

进入这个市场，而另一家就停留在这个市场之外。

公司 2

		进入	停留在外
公司 1	进入	$-£\ 10m.\ ,\ -£\ 10m.$	$£\ 50m.\ ,\ \underline{0}$
	停留在外	$\underline{0}\ ,\ £\ 50m.$	$0\ ,\ 0$

图 2.12

我们可以用下面的方法确定混合策略纳什均衡。让 Prob（进入）$_1$ 和 Prob（进入）$_2$ 分别代表公司 1 和公司 2 进入这个市场的概率。让 Prob（不进入）$_1$ 和 Prob（不进入）$_2$ 表示两家公司停留在这个市场之外的可能性。

如果公司 1 进入这个市场，则它的预期收益为

$$\pi（进入）_1 = -10.\ Prob（进入）_2 + 50.\ Prob（不进入）_2$$

27　　并且如果它停留在这个市场之外，则它的预期收益为 0。达到均衡时，这些预期收益必须彼此相等，因此我们得出

$$-10.\ Prob（进入）_2 + 50.\ Prob（不进入）_2 = 0$$
$$\therefore 50.\ Prob（不进入）_2 = 10.\ Prob（进入）_2$$
$$\therefore 5.\ Prob（不进入）_2 = Prob（进入）_2$$
$$\therefore 5.\ Prob（不进入）_2 = 1 - Prob（不进入）_2$$
$$\therefore 6.\ Prob（不进入）_2 = 1$$
$$\therefore Prob（不进入）_2 = 1/6\ 并且\ Prob（进入）_2 = 5/6.$$

通过相同的计算方法，我们发现公司 1 进入和不进入这个市场的概率是相等的。

将这些概率代回 π（进入）$_1$ 的等式，我们可以得出公司 1 进入这个市场的预期收益。

$$\pi（进入）_1 = -10.\ Prob（进入）_2 + 50.\ Prob（不进入）_2$$
$$\therefore \pi（进入）_1 = -10.\ 5/6 + 50.\ 1/6$$
$$\therefore \pi（进入）_1 = 0.$$

同样的结果适用于公司 2。在混合策略纳什均衡中，如果两家公司都进入这

个市场，则它们的预期收益为 0，这等同于他们都不进入这个市场时的情况，也为 0。

进一步阅读

Aumann, R., and S. Hart (1992), *Handbook of Game Theory with Economic Application*, New York: North-Holland.

Bierman, H. S., and L. Fernandez (1993), *Game Theory with Economic Application*, Reading, Mass. : Addison-Wesley.

Dixit, A. and B. J. Nalebuff (1991), *Thinking Strategically: The Competitive Edge in Business, Politics*, and Everyday Life, New York: Norton.

Eatwell, J., M. Milgate, and P. Newman (1989), *The New Palgrave: Game Theory*, New York: W. W. Norton.

Gibbons, R. J. (1992), *Game Theory for Applied Economists*, Princeton: Princeton University Press.

Kreps, D. (1990), *A Course in Microeconomic Theory*, New York: Harvester Wheatsheaf.

Kreps, D. (1990) *Game Theory and Economic Modelling*, Oxford: Clarendon Press.

Rasmusen, E. (1993), *Games and Information*, Oxford: Blackwell.

Varian, H. (1992), *Microeconomic Analysis*, New York: Norton.

28

▼
▼
▼

第三章

29

动态博弈论

在前一章我们集中讨论了静态博弈。然而，在很多重要的经济学应用中，我们需要考虑经过多个时期的博弈问题，这使得博弈是动态的。一个博弈成为动态的可能由于两个原因，首先，博弈者之间的交互作用使得其本质上是动态的；这种情况下博弈者在作出自己的最佳决策前可以观察到其他博弈者的行动。相反，静态博弈可以看作是博弈者在同时作出他们的决策。其次，如果一次性博弈被重复多遍，并且博弈者在进行后面的博弈前能够观察到前一次博弈的结果，我们也可以看作是动态博弈。在3.1 我们考察一次性动态博弈，在3.2 我们分析重复博弈。

3.1　一次性动态博弈

所有动态博弈的一个基本特征是部分博弈者能够基于其他博弈者过去的策略选择来确定他们的最佳策略，这大大增强了这些博弈者的可选策略集，此时策略集不再与行动集相等。为了说明这一特点，我们考察下面的两阶段动态进入博弈，它是练习2.4 中静态博弈的一个修正版。

有两家公司 A 和 B 在考虑是否进入一个新的市场，不幸的是市场只能容纳一家公司进入，如果两家公司同时进入，每一家都将损失 1000 万英镑；如果仅仅一家公司进入市场，该公司会赚得 5000 万英镑，另一家公司不赔不赚。为了使得该博弈是动态的，我们假定公司 B 在决定进入市场前观察公司 A 是否已经进入市场。该博弈可以用扩展形式图 3.1 表示。

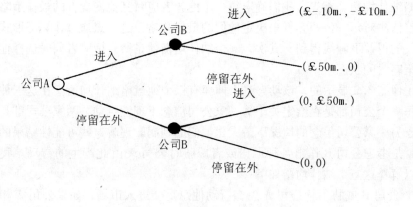

图 3.1　扩展形式动态进入博弈

在阶段 1 由公司 A 决策，这一阶段的信息被公司 B 观察到以作为他在阶段 2 决定进入还是退出市场的依据。在这一扩展形式博弈中，公司 B 的决策节点是分离的信息集。（如果它们是同一信息集，它们将会被虚线连接。）这意味着公司 B 在作出决策前要观察公司 A 的行动。如果两家公司同时作出决策，那么公司 B 仅仅有两个策略：要么进入市场，要么退出市场。然而，因为公司 B 在决策前能够观察到公司 A 的决策，它能够据此作出自己的决策。由于公司 A 有两个可选行动，公司 B 也有两个可选行动，所以公司 B 有 2×2＝4 个策略，我们把它们列出来：

不管公司 A 怎么行动总是进入市场；

不管公司 A 怎么行动总是退出市场；

与公司 A 的行动相同；

与公司 B 的行动相反。

现在确定了公司 B 有四个策略，我们能够把上述博弈表示成标准形式图 3.2：

公司 B

公司 A		总是进入	总是停留在外	像公司 A 一样	和公司 A 相反
	进入	− £ 10m. − £ 10m.	£ 50m. 0	− £ 10m. − £ 10m.	£ 50m. 0
	停留在外	0 £ 50m.	0 0	0 0	0 £ 50m.

图 3.2　动态进入博弈矩阵

当我们将扩展形式变成了标准形式后，我们就可以应用上章讲的两步法求解纯策略纳什均衡。首先，我们确定每一个博弈者应对其他博弈者的最佳策略，这意味着依次对每一位博弈者来决定他们的最佳策略，这一点通过在标准形式博弈中相关的得益下画线得到。其次，一个纳什均衡就是所有博弈者同时选择他们的最佳策略时的状态。

正像图 3.2 显示的，该动态进入博弈有三个纯策略纳什均衡。在这三种情况下，每一个公司都是在给定关于另一家公司信念下理性行动，两家公司都是在给定关于另一家公司信念的情况下最大化他们的利润。理解这些可能性结果的一种途径就是考虑公司 B 作出各种承诺或者威胁时公司 A 由此产生的行动。我们因此可以解释这三个纳什均衡如下：

1. 公司 B 威胁不管公司 A 怎么行动他总是会进入市场，如果公司 A 相信这个威胁，它就会退出市场。

2. 公司 B 承诺不管公司 A 怎么行动他总是会退出市场，如果公司 A 相信这个承诺，它肯定会进入市场。

31   3. 公司 B 承诺总是与公司 A 的行动相反，如果公司 A 相信这个承诺，它将会进入市场。

在前两个纳什均衡中，公司 B 的行动不以其他公司的行动为条件；第三个纳什均衡中，公司 B 真正采用了一个条件策略。一个条件策略是一个博弈者将他/她的行动建立在博弈中至少另一个博弈者的行动上。这个概念在重复博弈中特别重要，我们在下一节进行详细的讨论。

在每一个均衡中,公司 A 是按照他的信念理性地行动的,然而,这一分析没有考虑到他的信念本身是否是理性的。这产生有趣的问题"公司 A 不能排除公司 B 的有些威胁或者承诺仅仅是虚张声势的做法吗?"因而产生关于"可信性"的重要话题。可信性概念归结为"威胁或者承诺是可信的吗?"这样的问题在博弈论中一个威胁或者承诺仅仅当该博弈者在适当时间将其实现时符合他自身的利益时才是可信的。在这种意义上,公司 B 的某些陈述是不可信的,例如,公司 B 威胁说不管公司 A 怎么行动他总是会进入市场,但这种威胁是不可信的。它之所以不可信是因为如果公司 A 进入市场那么公司 B 退出市场是符合他自身利益的。同样的道理,公司 B 承诺不管公司 A 怎么行动他总是会退出市场也是不可信的,因为如果公司 A 退出市场那么公司 B 进入市场符合他自身利益的。假定博弈者是理性的,并且这是博弈者的共同知识,那么推断博弈者只相信可信陈述似乎是合理的。这意味着不可信陈述不会对其他博弈者的行为产生影响。这些概念被结合进纳什均衡(或它的精炼)的可选择性均衡概念称为子博弈完美纳什均衡。

3.1.1 子博弈完美纳什均衡

在很多动态博弈中有多重纳什均衡。然而,经常这些均衡包括不可置信的威胁或者承诺,当这些威胁或者承诺实施时不符合博弈者的自身利益。子博弈完美纳什均衡的概念通过强调一个博弈的合理的解不能包括博弈者相信或实行不可置信的威胁或者承诺和按照其行动而排除了这些状态。更正式地,一个子博弈完美纳什均衡要求一个博弈的预见解必须是每一个子博弈的纳什均衡。一个子博弈被定义为:它是整个博弈的一部分,开始于任何一个节点延续到整个博弈的结束并且没有信息集被再次分割。所以一个子博弈本身是一个博弈——一个未来可能进行的博弈,并且它是整个博弈的一个相关的部分。一个动态博弈的解必须是它的每一个子博弈的解,这个要求等于说每一个博弈者必须在博弈的每个阶段按照他们自己的利益行事,这意味着不可置信的威胁或者承诺不会被相信或者按照其行事。

为了了解这个均衡概念怎么应用,我们继续考察上面讨论的动态进入博弈。从图3.1的扩展形式,我们观察到有两个子博弈,都是从公司B的决策节点开始的。因为预见解是一个子博弈完美纳什均衡,它必须成为每一个子博弈的一个纳什均衡。我们现在讨论整个博弈的每一个纳什均衡,看看哪一个均衡(如果有的话)同时是一个子博弈完美纳什均衡。

1. 在第一个纳什均衡,公司B威胁不管公司A怎么行动他总是会进入市场。然而,这个策略仅仅是两个子博弈中一个子博弈的纳什均衡,在公司A决定退出后这是公司B的最佳策略,但在公司A进入后就不是公司B的最佳策略。这个威胁是不可置信的,因此公司A不应该相信,该纳什均衡不是子博弈完美的。

2. 在第二个纳什均衡,公司B承诺不管公司A怎么行动他总是会退出市场。然而,这个策略也仅仅是两个子博弈中一个子博弈的纳什均衡,在公司A决定进入后这是公司B的最佳策略,但在公司A退出后就不是公司B的最佳策略。这个承诺是不可置信的,因此公司A不应该相信,该纳什均衡也不是子博弈完美的。

3. 在第三个纳什均衡,公司B承诺总是与公司A的行动相反。该均衡是两个子博弈的纳什均衡,如果公司A进入,公司B退出是最佳策略,如果公司A退出,公司B进入是最佳策略。这是一个可置信的承诺,因为在将来的某一适当时间实施它总是符合公司B的利益。因此这个承诺是可信的,公司A进入市场的信念是理性的。

该博弈的唯一子博弈完美纳什均衡是公司A进入公司B退出。当公司有能力先进入市场时该均衡是完全合理的,一旦公司B观察到这一决策就不会进入该市场,因此公司A保持其垄断地位。我们解决该动态博弈的方法太耗费时间,这种方法的作出是为了更好理解子博弈完美的概念。幸运的是,找到一个博弈的子博弈完美纳什均衡有一条快捷的方法，这要用到逆向归纳原理。

3.1.2 逆向归纳法

逆向归纳法是重复严格占优原则在扩展形式动态博弈中的应用。然而，该原则在动态博弈中的应用是排除行动而不是策略，这些行动之所以被排除是因为其他的行动有更高的得益。在应用重复严格占优原则于动态博弈时，我们先从博弈的最后阶段开始，逆向考察其后继节点直到该博弈的初始节点。假定信息完美且完全，并且没有博弈者在博弈的任何节点的任何两个可能的行动之间是无差异的，那么该方法会得到唯一子博弈完美纳什均衡。将该原则用于上述的动态进入博弈，该博弈的扩展形式见图 3.3。

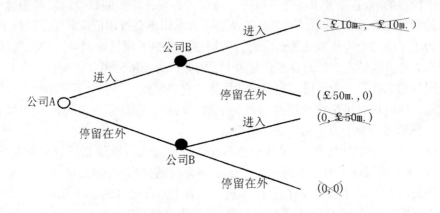

图 3.3　动态进入博弈与逆向归纳法

先从博弈的最后阶段开始，我们有两个节点，在每一个节点公司 B 在公司 A 的行动的基础上决定是否进入市场。在第一个节点，公司 A 已经进入，若公司 B 进入损失 1000 万英镑，若公司 B 退出不赔不赚。在这种情况下公司 B 将退出，因此我们排除了两家公司进入的可能性，通过删去相应的得益向量（－1000 万英镑，－1000 万英镑）表示。在第二个节点，公司 A 没有进入市场，若公司 B 进入赚得 5000 万英镑，若公司 B 退出不赔不赚。在这种情况下公司 B 将进入，因此我们排除了两家公司退出的可能性，通过删去相应的得益向量（0，0）表示。我们现在可以移到前一个节点，即该博弈的初始节点。公司 A 决定是否进入，然而，如果公司 A 假定公司 B 是理性的，那么公司 A 知道博弈从来不会到达先前排除掉的策略和得益状态。公司 A 经过推理得出，如果进入就得到 5000 万英镑，如果退出就什么也得不到。根据该推理，我们可以排除公司 A 退出市场的可能性,因此可以删去相应的得益向量(0,5000万英镑)。现在只剩下唯一的得益向量(5000万英镑,0),对应公司 A 进入公司 B 退出,这就是唯一的子博弈完美纳什均衡。

练习3.1

用逆向归纳原理找出下面三人扩展形式博弈的子博弈完美纳什均衡:

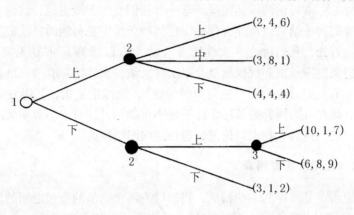

练习3.2

将下面扩展形式博弈转换成标准形式博弈,找出该博弈的纳什均衡和子博弈完美纳什均衡。最后,如果两个博弈者是同时作出他们的决策,那么该博弈的纳什均衡是什么?

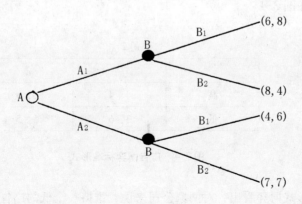

3.2 重复博弈

上一节我们讨论了一次性动态博弈。然而，经济学家感兴趣的很多博弈涉及代理人之间的重复相互作用。直觉上，代理人之间的重复相互作用对博弈的预见结果会产生影响。例如，重复博弈中博弈者似乎有更多的机会学习调整他们的行动，以避免上一章讨论的囚徒困境。这一节我们专注于该主题，讨论重复博弈如何影响博弈的预见结果以及非合作共谋在何种条件下是可能的。我们分几节讨论
35 这些问题。首先，我们讨论一次性博弈（称为阶段博弈）重复无穷次的博弈。其次，我们考察阶段博弈仅仅重复有限次并且该一次性博弈有唯一纳什均衡的情况。在这一节我们讨论所谓"逆向归纳悖论"，该悖论是指，共谋在无穷博弈中是可能的，而在有穷博弈的某些条件下是不可能的，这对于不管多大次数的重复博弈都成立。最后，我们讨论怎么避免逆向归纳悖论。

3.2.1 无限次重复博弈

为了说明重复博弈的一些特征，我们讨论两个竞争的公司之间的博弈。假定公司 A 和公司 B 支配着某一特定市场，两家公司的市场部发现，在所有其他情况不变的情况下增加广告上的花费对公司的销售额产生积极的影响。然而，总的销售额却受另一家公司花费在广告上的费用的消极影响，另一家公司花费在广告上的费用高则本公司总的销售额会降低，这是因为另一家公司花费在广告上的费用反过来影响到第一家公司的市场份额。如果我们假定每一家公司仅仅选择两个水平的广告费用（高花费与低花费），那么按照利润计算（年百万英镑）的两家公司得益矩阵如图 3.4。

公司 2

		高	低
公司 1	高	<u>4</u>, <u>4</u>	<u>6</u>, 3
	低	3, <u>6</u>	5, 5

图 3.4 广告博弈标准形式

从该标准形式博弈看出，对两家公司来说，维持一个低的广告费用都比负担
36 较高的广告成本好。这是因为两家公司同时增加他们的广告费用时市场份额并没有变化，但增加的广告成本使得利润下降。然而，每家公司有激励试图将广告费

提高到他的竞争者的水平之上，因为这会增加市场份额和总利润。

如果该博弈只进行一次，那么两家公司花费高水平广告费是唯一纳什均衡。因为如果两家公司都进行低成本广告战他们的利润会更高，所以这是一种典型的"囚徒困境"式博弈。两家公司要解决的问题是在没有法律上强制的契约的情况下，如何协调他们的行动达到帕累托改善的结果。一次性博弈似乎是不可能的，因为他们显然都有激励来增加他们的广告费。然而，如果公司之间的相互作用无穷次重复，当两家公司采纳一个适当的策略并且对未来的折扣不是太多时，那么上述协调他们的行动达到帕累托改善的结果是可能的。

正像前面所述，条件策略指的是一个博弈者将他/她的行动建立在博弈中至少另一个博弈者的行动上。这意味着当其他人作出偏离帕累托效率的策略选择时，一个或多个博弈者可以惩罚他，该策略称为"惩罚策略"。如果惩罚的预期充分地严厉，博弈者的偏离将足以被威慑。但通过这种方法并不能保证一定会维持帕累托效率的结果，在此可置信的问题又一次显现其重要性。例如，偏离行为的威胁性惩罚将仅仅在威胁可置信时才会保持帕累托效率的结果，而这一点仅仅发生在当偏离被观察到后，威胁性惩罚的实施符合博弈者的自身利益时。这意味着仅仅在它是整个博弈的一个子博弈完美纳什均衡的一部分时，一个威胁性惩罚保持合作解才是有效的。为了说明这些概念在实践中怎么运用，我们考虑先前广告博弈的下面特定的惩罚策略：每一个公司开始采取低成本广告，并且只要另一公司在前一阶段一直这么做就保持这种策略；然而，如果另一公司在前一阶段采取高成本广告战，那么该公司其后就一直采取高成本广告战。这个特殊类型的惩罚策略经常用于无穷重复博弈，称为"触发策略"。

一个触发策略是指博弈中一个博弈者的行动引起其他博弈者永久转换为采取另一种行动。上面的触发策略意味着如果一家公司引发高成本广告战，将会导致惩罚阶段延续至无穷，一旦一家公司增加它的广告水平，另一公司随后会同样行动，这排除了自此再次返回到帕累托效率的结果的可能性。首先挑起高成本广告战的公司的利润在第一年将会从 500 万英镑提高到 600 万英镑，但是以后每年至多只有 400 万英镑。为了使得触发策略保持帕累托效率的结果，两个条件必须被满足。首先，惩罚本身必须是可置信的，其次，在给定未来惩罚的预期的条件下保持低成本广告的承诺必须也是可置信的。我们依次考察这两个条件。

对于上面的触发策略来说，惩罚的威胁是可置信的。因为如果一家公司转换为高成本广告，那么另一家公司也转换为高成本广告是理性行为。该惩罚策略是可置信的，因为它与阶段博弈的纳什均衡一致。采取纳什均衡策略总是一个可置信策略，因为根据定义，它是其他博弈者预期策略的最佳应对。剩下的问题是继续保持低成本广告的承诺是否也是可置信的。假定公司试图最大化总的贴现利润，如果合作的现值比偏离的现值更大，那么两家公司实施低广告战略这一合作的结果将保持不确定状态，公司对未来的贴现不是太大的情况就是如此。下面我们给出证明。

因为这是无穷重复博弈，我们必须假定未来得益是贬值的，以便于得到未来利润的现值。假定 $\delta = ^1/_{(1+\gamma)}$ 等于每家公司的贴现率，其中 γ 是利润率或者公司的时间偏好率。这只是表明了一个事实，即今天收到的一英镑比未来收到的一英镑价值要高，因为它能以 γ 的利润率投资。越远离现在的未来的一英镑，它的现值就越小。考虑到贴现率，计算保持一个低成本广告费的现值 PV（低）。

$$PV（低）= 5 + 5\delta + 5\delta^2 + \cdots$$

$$\therefore \delta PV（低）= 5\delta + 5\delta^2 + 5\delta^3 + \cdots$$

$$\therefore \delta (1-\delta) PV（低）= 5$$

$$\therefore PV（低）= 5/(1-\delta).$$

另外，偏离这个合作结果而进入一个高成本广告战的得益的现值 PV（高）。

$$PV（高）= 6 + 4\delta + 4\delta^2 + \cdots$$

$$\therefore \delta PV（高）= 6\delta + 4\delta^2 + 4\delta^3 + \cdots$$

$$\therefore (1-\delta) PV（高）= 6 + 4\delta - 6\delta$$

$$\therefore (1-\delta) PV（高）= 6 (1-\delta) + 4\delta$$

$$\therefore PV（高）= 6 + 4\delta/(1-\delta).$$

因此合作结果是不确定的。

如果　　PV（低）$\geq$ PV（高）

$$\therefore 5/(1-\delta) \geq 6 + 4\delta/(1-\delta)$$

$$\therefore \delta \geq 1/2.$$

这说明在无穷博弈中，给定触发策略，两家公司只是在贴现率大于一半时才选择低成本广告。当这一条件满足时，这意味着继续选择低成本广告的承诺是可置信的。在惩罚的威胁和继续选择低成本广告的承诺都可置信时，触发策略是该博弈的子博弈完美纳什均衡。（然而，这个结果仅仅是很多子博弈完美均衡的一个。例如，另一个子博弈完美均衡是两家公司在每一阶段都采取高成本广告策略。现在的问题变成了公司怎么在很多均衡的一个中协调，该问题我们在后面章节再讨论。）如果公司的贴现率小于一半，那么每一家公司会立即偏离到高成本广告上。此时，合作结果在假定的触发策略下不能被维持，因为惩罚的未来威胁不足以威慑偏离。威胁之所以不足以威慑偏离是因为公司太看重目前的利润而小看未来的利润，维持低成本广告的承诺是不可置信的，因此两家公司将采取高成本广告战。

练习 3.3

（1）找出下面一次性标准形式博弈的纳什均衡。

博弈者 2

		左	右
博弈者 1	上	1, 1	5, 0
	下	0, 5	4, 4

（2）证明前面博弈如果是无穷重复博弈并且博弈者采取下面的触发策略时帕累托效率解"下/右"是一个子博弈完美纳什均衡：

最初采取"右/下"或者过去一直采取"右/下"这种选择时都采取该选择，否则选择"上/左"。

（3）如果博弈者现在采取下面的惩罚策略代替先前的无穷重复博弈，关于（2）中的贴现因子会有什么变化？

最初采取"右/下"或者如果在先前阶段出现结果"右/下"或"上/左"时采取"右/下"时采取"右/下"，否则一阶段选择"上/左"。

解释这个结果。

3.2.2 有限次重复博弈

上一节对无穷博弈的研究表明，博弈者可能维持一个非合作共谋的结果（简称为合作结果），它不同于阶段博弈的纳什均衡。我们证明这种情况在博弈者采纳一个适当的惩罚策略并且对未来的贴现不太多时成立。我们现在讨论在什么条件下这一结果可以推广到有限重复博弈上去。

逆向归纳悖论

将逆向归纳法的逻辑应用于有穷重复博弈而得到的一个结论是，如果一次性阶段博弈有唯一纳什均衡，那么整个博弈的子博弈完美纳什均衡是这个在每一个时间段出现的纳什均衡，不管博弈重复的次数多么大，这一结论都是成立的。

为了更好理解这个结论，我们考察下面的论证。假定一个有唯一纳什均衡的博弈被设定重复博弈有限次。为了找到该博弈的子博弈完美纳什均衡，我们先从最后一期博弈开始，因为最后一期本身仅仅是一次性博弈，这一阶段预见结果是阶段博弈的唯一纳什均衡。再考虑倒数第二期博弈，博弈者根据逆向归纳法而得知，不管本期发生什么，最后一期博弈的纳什均衡已定。这意味着，所有迫使博弈者在倒数第二期博弈中，放弃纳什均衡策略，而选择其他策略的威胁，都是不可信的。由于所有博弈者都知道这一点，因而唯一纳什均衡在倒数第二期又成为共同选择。这样的论证能够应用于前面所有的阶段，直到追溯至博弈第一期，这个唯一纳什均衡再次出现。整个博弈的子博弈完美纳什均衡仅仅是唯一纳什均衡在每一个阶段的重复出现，这一论证意味着非合作共谋结果是不可能的。

上述结论可以用前面的广告博弈加以说明，前提是博弈被限定只进行两年。在第二年（博弈末期）我们仅仅关注阶段博弈本身，因此预见解是两家公司都将采取高成本广告战略，每一家得到400万英镑的年利润。有了第二阶段的确定结果，第一阶段的纳什均衡是两家公司都将再次采取高成本广告战略。事实上，同样的分析适用于任何有限次重复博弈，结果是相同的，即唯一的子博弈完美纳什均衡将在每期博弈中出现。所以，子博弈完美解是两家公司在所有阶段都将采取高成本广告战略。

这个一般的结论以"逆向归纳悖论"著称。因为它与无穷重复博弈正好相反，所以是个悖论。不管阶段博弈重复多少次，只要它是有穷的，我们从来也得不到像无穷重复博弈一样的结果，在无穷重复博弈与有穷重复博弈之间有一个鸿沟，即使有穷重复的次数非常大，这是反直觉的。因为在有很多次重复的博弈中，至少博弈者在博弈的早期阶段找到某种协调的方法达到帕累托效率的结果的行为似乎是合理的，这一点也被认为是悖论性的。

这个悖论的原因在于有穷博弈本质上不同于无穷博弈。当我们接近最后阶段时，有穷博弈的剩余博弈的结构随着时间的流逝而变化。无穷博弈就不是这样，而是无论在博弈的哪个阶段都保持同样的结构，在这样的博弈中应用逆向归纳法没有开始的端点。已经有几种方法试图克服逆向归纳悖论，这些包括有限理性的引进，阶段博弈中的多重纳什均衡，关于未来的不确定性和关于其他博弈者的不确定性。这些我们在下面逐一介绍。

有限理性

避免逆向归纳悖论的一种途径是允许人们仅仅有一定限度的理性，这叫做有限理性或者近似理性（bounded or near rationality）。一种明确而具体的解决方案是 Radner（1980）提出的。Radner 允许博弈者选择次优策略（suboptimal strategy），只要每一阶段的得益在他们的最佳得益 ε 范围内（另外要求 $\varepsilon \geq 0$），这叫做 ε - 最好回应（ε - best reply）。当所有博弈者选择 ε - 最好回应时，一个 ε - 均衡就产生了。如果重复的次数足够多，那么给定适当的触发策略下，即使选择合作的结果不是一个子博弈完美纳什均衡，也是一个 ε - 均衡。我们可以通过上述的重复广告博弈加以说明。假设两家公司采取我们先前讨论无穷博弈时所给定的惩罚策略，但是现在博弈仅仅进行有穷次。如果我们假定不存在贴现，那么在另一家公司实施高成本广告时继续按照这个策略玩的得益是 3 + 4（t－1），其中 t 是公司相互作用剩余阶段数。最初采取高成本广告战略的得益至多是 6 + 4（t－1），偏离惩罚策略可以产生 3 个单位的净收益，这等于每阶段得到 3 > t。如果博弈者是 Radner 所称的有限理性，那么当（ε > 3/t 时合作结果是一个 ε － 均衡。只要剩余的阶段数足够大，上述结论对于任何 ε 都成立的。当重复次数很大时，合作（在本例中意味着低成本广告）在博弈的初始阶段就可以被观察到。

虽然分析在重复博弈中有限理性的影响很有趣，Radner 的解决方案并不是避免逆向归纳悖论的最佳途径。例如，Friedman，J（1986）论证有限理性暗示人们能够计算出一限定量的阶段数的最佳策略，如果这是真的，那么博弈会变得更短，就更有可能得到逆向归纳法所得出的结果。进一步，如果人们没有充分理性化，我们应该考虑为什么会这样。如果是由于统计成本，那么这些成本应该加到博弈论本身的结果中。这是需要进一步探讨的领域。

多重纳什均衡

如果在阶段博弈中存在多重纳什均衡，逆向归纳悖论能够避免。因为有多重纳什均衡，那么对最后阶段的行动就没有唯一的预见，这可以给博弈者关于未来行动一个可置信的威胁，从而使得其他博弈者选择合作解的行动。我们通过图 3.5 表示的一个假想的博弈加以说明，我们假定这一博弈进行两次。

博弈者 2

		左	中	右
博弈者 1	上	1, 1	5, 0	0, 0
	中	0, 5	4, 4	0, 0
	下	0, 0	0, 0	3, 3

图 3.5　有多重纳什均衡的阶段性博弈标准形式

这个一次性阶段博弈有两个纳什均衡"上/左"和"右/下"，这两个均衡都是帕累托无效率的。如果博弈者能够在"中/中"上协调行动，那么他们的状态都将得到改善。假定两个博弈者在重复博弈中采取下列的惩罚策略：

第一阶段采取"中/中"，如果第一阶段对方采取了"中/中"，那么在第二阶段采取"右/下"，否则采取"上/左"。

假定这两个阶段的时间间隔非常短，我们可以忽略阶段间的任何贴现，整个博弈的矩阵表示见图 3.6。

博弈者 2

博弈者 1		左	中	右
	上	<u>2</u>, <u>2</u>	6, 1	1, 1
	中	1, 6	<u>7</u>, <u>7</u>	1, 1
	下	1, 1	1, 1	<u>4</u>, <u>4</u>

图 3.6 无贴现及无适当惩罚策略的结果矩阵

在该矩阵中的选择与每一个博弈者第一阶段的选择一致，这依赖于他们采取先前的惩罚策略。该矩阵中的得益是这样得到的：当第一轮结果是"中/中"时将 3 个单位加到博弈者第二轮得益上，所有其他情况下仅仅将 1 个单位加到博弈者第二轮得益上。该博弈现在有三个均衡，包括先前的两个和现在的"中/中"。在第一轮选择"中/中"和第二轮选择"右/下"是子博弈完美纳什均衡。因此，博弈者避免了逆向归纳悖论并且在第一阶段就达到帕累托效率。

关于未来的不确定性

避免逆向归纳悖论的另一种方法是引进关于博弈在什么时候终止的不确定性。一种途径是假设存在一个博弈将在任何一个阶段结束的恒定概率，在这种情况下，虽然博弈是有限的，但博弈结束的准确时间是未知的。这意味着，就像无穷重复博弈一样，在这种有穷重复博弈的绝大多数期限内，余下的博弈结构不会改变。因为没有一个阶段能够作为博弈的最后阶段，因此没有确定的端点适用逆向归纳法，这样逆向归纳悖论就避免了。所以说，逆向归纳法仅仅能够应用于有一个确定知道的结束点的博弈。如果最后阶段是不确定的，在每一个时间段。可信威胁或承诺能够导致非合作共谋的结果。这一分析与无穷博弈是同样的，但是贴现率 δ 的无穷博弈必须重新被定义。它不仅仅依赖于利息率 γ，而且也依赖于在任何时间段之后终止的概率。事实上，博弈者贴现未来越严重，存在一个正概率，未来利润的现值将不会像博弈在未来已经结束时的得益。贴现率现在等于 δ = （1 - Prob）／（1 + γ），其中 Prob 是博弈在任何一个阶段结束的概率。

关于其他博弈者的不确定性

迄今为止，我们仅仅考虑了完全信息博弈，一个博弈被认为具有完全信息，如果所有博弈者的得益函数是共同知识。这意味着每一个人知道每一个人的得益函数，并且每一个人知道每一个人知道这一点……等等以至无穷。相反，不完全信息意为博弈者不能确定其他博弈者的得益函数或者不能确定他们对有关其他博弈者的信息。（不完全信息不应该与不完美信息混淆，不完美信息是至少有一个博弈者不知道其他博弈者以前阶段或者现阶段博弈的信息。我们已经考察了不完美信息博弈，真正有多于一个博弈者的静态博弈按照定义总是不完美信息博弈。）在很多真实世界条件下，人们不具有他们与之交往的每个人的完全信息。例如，我可以知道你是理性的，但是我可能不知道你知道我是理性的。共同知识的缺乏使得博弈更加复杂，也增加了博弈者可能采取的策略集。在重复博弈中，这一点特别明显。

　　为了介绍这一主题，我们考察先前讨论的广告博弈的一个修正的版本。假定博弈仅仅进行一次，但是公司 1 只能按具有不同得益成为类型 A 或者类型 B 的一种，公司 1 知道自己是哪一种类型，但是公司 2 并不知道这一信息，由于公司 2 不知道与其竞争的公司是哪种类型，所以这是一个不完全信息博弈。假定得益情况如图 3.7 所示，其中 L 表示低成本广告，H 表示高成本广告。

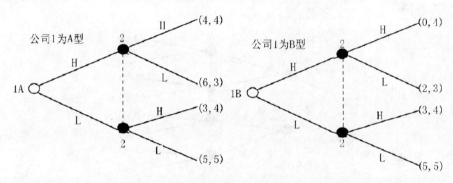

图 3.7　修正的不完全信息广告博弈

　　与图 3.4 中的广告博弈相比，图 3.7 的广告博弈有两点不同：

　　1. 如果公司 1 是类型 A，那么它就与先前的博弈完全相同；但是在它是类型 B 时，公司 1 在采取高成本广告战略时得到的利润每年少 400 万英镑。这能够反映出两种类型间真正的成本差异或者在偏好上的不同（比如，类型 B 可能道德上反对高成本广告）。

44

　　2. 如果公司 2 采取一个高成本广告战略，而公司 1 在采取低成本广告战略时，公司 2 现在得到每年比以前要少 200 万英镑。例如，这也许是由于生产上的限制排除了那种得益于对产品高需求的公司。它的其他得益保留原样。这种改变的影响和它被采纳的理由在于公司 2 不再有高成本广告的严格占优策略。这意味着它的行为依赖于它认为它的竞争对手是哪一种类型，而这正是我们所希望得到的。

　　求解不完全信息博弈紧接着的一个问题是：目前我们讨论的方法在这些情况下不能直接运用。因为它们都有一个基本假设，即博弈者知道他们在进行哪个博弈，但在博弈者不知道其对手是谁时，就不是这样了。如图 3.7 所示，公司 2 不知道它在进行两个扩展形式博弈中的哪一个。幸运的是，Harsangi（1967、1968）说明：在不完全信息之下，该博弈能够被转换为完全但不完美信息的博弈。我们已经检验过这类博弈，上述方法可以应用于转换后的博弈中，这种转换是通过假设“‘自然’确定每一个博弈者的类型，由此确定与不同的概率分布相对应的得益函数”来实现的，而这种概率被假设为是博弈者的共同知识。每个博弈者都假定为知道自己的类型，但并不总是知道博弈中其他参与者的类型。这样，由于不是所有的博弈者都能看到“自然”如何行动，博弈就变成了一个完全但不完美信息的博弈。如果我们假设“自然”以 Prob 的概率决定博弈者为 A 型，以 $1-Prob$ 的概率决定博弈者为 B 型，那么现在这种情况就可以用一个扩展形式博弈来表示了。如图 3.8 所示。

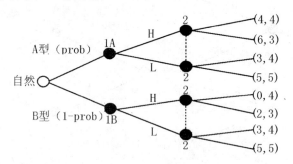

图 3.8　修正后的不完美信息广告博弈

　　由于这是一个具有完全信息的博弈，我们就可以运用静态博弈的求解方法了。在这个具体的博弈中，我们可以运用能够带来唯一解的重复严格占优原则来求解。如果公司 1 是 A 型的，那么进行高成本广告战相对进行低成本广告战来说是严格占优的。但是，如果公司 1 是 B 型的，低成本广告战占优。如果公司 2 认为公司 1 是理性的，那么无论公司 2 是什么类型，它都会知道公司 1 以 Prob 的概率进行高成本广告战，以 $1-Prob$ 的概率进行低成本广告战。在这种可能性之下，公司 2 可以计算出与其广告投入选择相应的预期利润水平。如果公司 2 决定进行高成本广告战，它的预期利润水平为

$$(\Pi_B \mid H) = 4Prob + 4(1-Prob).$$

如果它决定进行低成本广告战，那么他的预期利润为

$$(\Pi_B \mid L) = 3\text{Prob} + 5 (1 - \text{Prob}).$$

假设公司 2 希望最大化其预期利润,那么如果 $(\Pi_B \mid H) > (\Pi_B \mid L)$,它就会选择进行高成本广告战。这给了我们下面这个条件:

$$4\text{Prob} + 4 - 4\text{Prob} > 3\text{Prob} + 5 - 5\text{Prob}$$

$$\therefore \text{Prob} > 1/2.$$

如果 $\text{Prob} > 1/2$,公司 2 就选择 H,如果 $\text{Prob} < 1/2$,公司 2 就选择 L。如果 $\text{Prob} = 1/2$,两个选择之间就是无差异的。因此公司 2 的最优策略依赖于它的对手成为某一特定类型的可能性。在本博弈中,如果企业 1 是 B 型且 $\text{Prob} < 1/2$,两个公司会达到一个帕累托有效率的解,两个公司都会选择低成本广告战且得到 £ 5m。

上面的论述说明:不完全信息可以使得博弈者们达到一个帕累托有效率的结果。但是,在这个一次性博弈中,这种结果只发生于公司 1 是一种总是采取低成本广告战的类型时。如果博弈重复无穷次,上述这个限制条件并不总能使得帕累托有效率的结果出现。不幸的是,求解这种重复博弈的路远不简单。这是因为两个另外的复杂性出现了。

第一个棘手问题是在不完全信息动态博弈中,博弈者可以通过观察其对手以往的行为来认识他们是何种类型。这就给了博弈者这样一种机会,即通过改变自己的行为尝试影响对手对自己类型的预期。例如,让我们来看看上述这个不完全信息广告博弈进行无穷次时将会发生什么。如果公司 1 能使公司 2 相信自己是 B 型,那么公司 2 就会招致低成本广告战,从而公司 1 的利润增加。而公司 1 能使其他公司相信自己为 B 型的唯一途径就是做 B 型公司该做的事,即使它实际为 A 型也是如此。这样博弈者们就可能努力隐瞒自己的真实意图来获得它们本不会享有的一些声誉。争取这些声誉可以看成是一种投资,虽然争取本不该有的声誉在短期内成本将会很高,但它会带来高回报的预期。

第二个棘手问题是博弈者知道其他博弈者可能会隐瞒真实意图,那这就会影响他们在观察对手行为的基础上对他或她类型可能的评价,而其对手也将把这一点纳入行动决策时的考虑范围,如此类推。

但是最近,这种博弈被博弈论专家明确解出,并应用于经济学范畴。在这种博弈中经常使用的一个博弈概念是贝叶斯子博弈完美纳什均衡(Bayesian Subgame Perfect Nash Equilibrium),或简称贝叶斯完美(Bayesian Perfect)。这种均衡满足下面两个条件:

(1) 在没有不可置信的威胁或承诺作出时,它是子博弈完美的。

(2) 博弈者按照贝叶斯定理理性地作出预期和决策。

(被用到的另一个均衡概念是序贯均衡(Sequential Equilibrium)。它是由

Kreps 和 Wilson（1982）提出。在求解的一致性方面，它是一个比贝叶斯完美更强一些的条件，不过在很多情况下，两者求出的解相同。

我们在附录 3.1 讨论贝叶斯定理。贝叶斯完美均衡的核心是：即使确定对手类型时有很小的不确定性，它也可能在随后的博弈中被很大程度地扩大。它改变了博弈中参与者的激励，并常常引出这样一种预期，即在博弈的初期阶段，帕累托最优的解将会出现。这样，逆向归纳法带来的矛盾就被化解了。为了说明这种可能性，我们来讨论 Rosenthal（1981）的蜈蚣博弈。让我们来看图 3.9 中的博弈扩展形式。

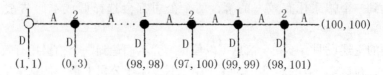

图 3.9　罗森塔尔（Rosenthal）的蜈蚣博弈

在这个博弈中有两个博弈者，他们各自有两种可能的行动：要么向前（A），要么向下（D）。相应的得益表示在图中。以逆向归纳法求解这个博弈，我们的结论是：博弈者 1 会立即选择向下，因而两个博弈者都得到 1。这显然是个帕累托无效率的结果，因为两个博弈者如果都选择向前，他们会得到更多的得益。从这个意义上讲，该博弈非常像重复进行的囚徒困境博弈，其中一开始就合作会使两个人的状况变得更好. 我们从两个具体的要点来认识子博弈完美的预见。

第一，博弈者 1 一开始就会选择向下的预期是基于 200 轮重复严格占优作出的。在实际生活中我们难以置信一个如此相信其对手为理性的博弈者，并且其对手也如此相信自己的对手一定为理性，等等。

第二，要是博弈者 1 不选择向下，而选择向前，他会对博弈者 2 产生什么影响？博弈者 2 这时直接意识到博弈者 1 是不理性的。基于这个信念，博弈者 2 可能决定最好选择向前，并且欺骗博弈者 1，在这种情况下，我们沿着这个博弈树进行下去，两个博弈者的情况都会变好。这种推理表明：在博弈开始时假装不理性的行为可能是理性的！（在第 12 章中，我们会回到其中某些问题的讨论中来。）

这两点都表明，对于这个博弈，假设理性是博弈者的共同知识可能不合适。另一种假设途径是引入不完全信息。在这个假设下，博弈者不清楚其对手是否理性，这会对理性博弈者的均衡行为产生戏剧性的影响。即使存在对手乐于合作的微小可能性，就是说他或她总是会选择向前，那么博弈者在博弈初期选择向前也是理性的。这样博弈者就都建立了一个乐于合作的声誉。我们可以看到，这个具有不完全信息的博弈的序贯均衡是博弈者在博弈的初始阶段都选择向前，随着一步步接近博弈的终点，他们打乱了自己的行动。实际上，博弈者在博弈哪一期采取混合策略不依赖于博弈总共进行多少次。在结果上，随着博弈期数的增大，博弈中合作期数的比例也在增加。均衡策略如图 3.10 所示。

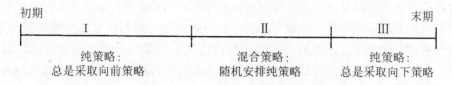

图 3.10　不完全信息 Rosenthal 蜈蚣博弈的贝叶斯子博弈完美纳什均衡

　　由于博弈者一开始选择向前的合作策略，所以逆向归纳法的矛盾就被部分解 48
决了。在附录 3.2 中，我们求出了一个蜈蚣博弈特定形式的序贯均衡。这个
Rosenthal 博弈的改进版本是由 Mckeloeg 和 Palfreg（1992）提出的，他们用简化
的博弈来检验参与实验的主体实际上是否按照序贯均衡的假设行动，该博弈及其
他几个博弈会在第八章中再讨论。

练习 3.4

　　假设两个博弈者要进行 Rosenthal 的蜈蚣博弈，利用贝叶斯定理，如果他们选择向前，计算他们在下列情况中树立的乐于合作的声誉。

　　（1）在博弈的一开始，每个博弈者相信对手为理性或乐于合作的机会为 50/50。假设一个乐于合作的博弈者总是选择向前。另外假设一个理性博弈者将以 0.2 的概率选择向前。

　　（2）在他们第二次出招后，两个博弈者仍然都选择向前。（继续假设一个理性的博弈者将以 0.2 的概率选择向前）

　　（3）在第一次行动后博弈者声誉如何变化使其对手相信理性博弈者总会选择向前。（假设其他概率不变）

　　（4）最后，在第一次行动之后，博弈者的声誉如何变化使其对手相信理性博弈者不可能选择向前。（再一次假设其他的可能性不变）

3.3 结 论

大多数人与人之间、人与组织之间或者组织与组织之间的相互作用不是一次性事件，而是一种持续存在的关系，这使得它们是动态的。在动态博弈中，博弈者在作出他们的最佳回应前要观察其他博弈者的行动。这种可能性大大丰富了博弈者可能采取的策略集。本章考察了怎么分析动态博弈和预见动态博弈的均衡。在所有动态博弈中，一个核心的概念是可信性。如果一个威胁或者承诺是可信的，它必须使得博弈者在适当的时间实现它是有利可图的。如果一个威胁或者承诺是不可信的，那么我们有理由假定它不值得人们相信。子博弈完美应用这一视角于动态博弈中。在完美且完全信息的博弈中，选择各种不同的行动对博弈者而言并非无关紧要时，逆向归纳法产生唯一的预见，该预见是子博弈完美纳什均衡。

当博弈重复进行时，我们假定博弈者随着时间的流逝而学习相互协调他们的行动，以避免帕累托无效率的结果。这种可能性我们在 3.2 节已经进行了讨论。开始我们讨论了阶段博弈有唯一纳什均衡的无穷重复博弈，我们证明了，只要博弈者对未来利润的贴现不是太大，非合作共谋的结果可能真的会被维持下去。然而，如果博弈仅仅是有穷次重复的话，那么这一结论不成立。这就是逆向归纳悖论。因为该悖论是反直觉的，很多解释被提出以避免该悖论。本章给出了四种克服逆向归纳悖论的方法，它们分别是有限理性、多重纳什均衡、关于未来的不确定性和不完全信息，这些概念在博弈论最近的发展中已经变得至关重要。

本章和上一章已经介绍了理解非合作博弈论模型的基本概念，所有这些基本概念在后续章节中要用到，在后续章节中，我们会从更深层次上讨论最近博弈论在经济学中的应用。

3.4 练习答案

练习 3.1

运用逆向归纳原则，我们从博弈最后一期开始向前追溯，排除理性博弈者不可能采取的策略。如果博弈到达了博弈者 3 的决策点，那么他会得到的确定得益在他选择"上"时为 7，选择"下"时为 9。假设博弈者是理性的，那他就会选择"下"。这样我们可以排除博弈者 3 选择"上"的策略。

从该分支回溯，我们到达了博弈者 2 在博弈者 1 选择"下"时的决策节点。

如果我们假设博弈者 2 相信博弈者 1 是理性的，那他选择"上"的得益是 8，选择"下"的得益是 1。如果博弈者 2 也被假设为是理性的，那么在这个决策节点上他会选择"上"。所以我们可以在这个节点上把"下"排除。

博弈者 2 在博弈者 1 选择"上"后也有一个决策节点，在考察博弈者 2 随后的得益之后，我们可以排除"上"和"下"，因为博弈者被假定为理性的。

现在我们只需考虑博弈者在博弈开始时的行动既可。对于整个博弈来讲，现在只剩下两种结果，如果我们假设博弈者 1 相信博弈者 2 是理性的，她要是选择"上"会得到 3。进一步，我们假设博弈者 1 相信博弈者 2 相信博弈者 3 是理性的，那么如果她选择"下"将会得到 6。基于这些假设，我们排除了博弈者 1 选择"上"的可能性。

在上述假设之下，我们只剩下一个得益矢量，它与子博弈完美纳什均衡一致。该均衡就是博弈者 1 选择"下"，继而博弈者 2 选择"上"，最后博弈者 3 选择"下"。如果我们假设博弈中所有博弈者都是理性的，并且这一点是全体博弈者的共同知识，我们就会得到相同的解。这个假设比绝对必要（absolutely necessary）有力，但是为了方便起见，一般应用逆向归纳法时就会做这样的假设。

50

练习 3.2

在练习给出的博弈扩展形式中，有两个纳什均衡，但只有一个是完美的。为了区别这两个纳什均衡，我们先把这个博弈转化为标准形式的博弈。博弈者 A 只有两个可选决策 A_1 或 A_2，但博弈者 B 却有四个可选策略。因为他可以根据博弈者 A 的行动决定自己的策略。B 的策略因此是：总选择 B_1、总选择 B_2、与 A 选择相同或与 A 选择相反。这给我了我们如图 3.11 所示的博弈者标准形式。

		博弈者 B			
		总是 B_1	总是 B_2	与 A 相同	与 A 相反
博弈者 A	A_1	$\underline{6}$, $\underline{8}$	$\underline{8}$, 4	6, $\underline{8}$	$\underline{8}$, 4
	A_2	4, 6	7, $\underline{7}$	$\underline{7}$, $\underline{7}$	4, 6

图 3.11

运用两步法寻找纯策略纳什均衡。我们可以看出"A_1/总选择 B_1"和"A_2/与 A 相同"都是纳什均衡。但是子博弈完美纳什均衡概念排除了"A_1/总选择

B₁",因为它不是 B 在"A₂"之后决策节点开始的子博弈的纳什均衡。这是因为博弈者 B 威胁"总是选择 B₁",而不管 A 怎么做是不可置信的。如果 A 选择了"A₂",那么 B 就有激励选择"B₂"。该博弈唯一的一个子博弈完美纳什均衡就是"A₂与 A 相同",这个子博弈完美纳什均衡也可以用逆向归纳法找出。

如果博弈者们同时采取行动,那么我们得到如图 3.12 所示的标准形式博弈。

博弈者 B

		B₁	B₂
博弈者 A	A₁	<u>6</u>, <u>8</u>	<u>8</u>, 4
	A₂	4, 6	7, <u>7</u>

图 3.12

在这个新博弈中,我们得到一个唯一的纳什均衡"A₁/B₁",我们在两个博弈之间改变的仅仅是博弈者 B 做决策时得到的信息,但预期的结果与相应的得益大相径庭。确实,在这个博弈中,给 B 更少的信息,使他不能观察到 A 的行动,这样实际上使 B 的情况变得更好了!

51

练习 3.3

(1)用两步法来找纯策略纳什均衡,我们可以看出该博弈只有一个纳什均衡,即"上/左"。读者可以自行确认在这个囚徒困境博弈中没有混合策略纳什均衡。

(2)在无穷次重复之后,合作结果为"右/下"是不确定的——如果博弈者采用惩罚策略并且未来贴现率不算太高,证明如下:

令博弈者贴现因子为 δ,每个博弈者总是采取"右/下"的现值因而是

$$4 + 4\delta + 4\delta^2 + 4\delta^3 + \cdots = 4/(1-\delta).$$

对于每一个博弈者来说,偏离的现值是

$$5 + \delta + \delta^2 + \delta^3 + \cdots = 5 + \delta/(1-\delta).$$

因此我们可以预期两个博弈者将维持共谋,只要满足

$$4/(1-\delta) \geqslant 5 + \delta/(1-\delta)$$

$$\therefore \delta \geqslant 1/4.$$

惩罚的威胁是可置信的,因为当观察到对手从合作中的偏离以后,采用静态纳什均衡策略就是理性的。进一步,如果上述条件实现,那么承诺实行"右/

下"也是可置信的,因为偏离的损失会超过可能的得益。

(3)在博弈者采取进行一期的惩罚策略之下,每个博弈者都有机会在另一期偏离帕累托有效率的结果。确实,如果从一开始偏离是理性的,他们就会这么做。因此本期偏离的现值等于

$$5 + \delta + 5\delta^2 + \delta^3 + \cdots = (5 + \delta) / (1 - \delta)(1 + \delta).$$

52

将其与不偏离的现值进行比较,我们看到两个博弈者在下列条件下都会继续保持帕累托有效率的结果:

$$4 / (1 - \delta) \geq (5 + \delta) / (1 - \delta)(1 + \delta)$$

$$\therefore \delta \geq 1/3.$$

由于未来的惩罚力度减轻了,每次偏离之后惩罚策略只实施一期,博弈者偏离帕累托最优结果所受到的阻碍就减小了,这通过维持帕累托有效率结果的贴现值子集的缩小表现出来。

练习3.4

从贝叶斯定理我们可以得到

Prob (A | B) = [Prob (B | A) Prob (A)] / [(Prob (B | A) Prob (A) + Prob (B | 非A) Prob (非A)].

其中 A 表示命题"另一个博弈者乐于合作",B 表示"另一个博弈者刚才选择向前"。因此等式中的概率各自有如下含义:

Prob (A | B) = 另一博弈者乐于合作的概率(条件是他或她刚才选择了向前),即博弈者乐于合作的声誉。

Prob (A) = 另一博弈者乐于合作的初始概率

Prob (非A) = 另一博弈者不乐于合作的初始概率

= 1 − Prob (A)

Prob (B | 非A) = 如果另一个博弈者是理性的,他或她选择向前的概率。

(1)从上面的等式,我们可以计算出如果一个博弈者在博弈一开始选择向前,他乐于合作的概率,Prob (A | B) = (1×0.5) / [(1×0.5) + (0.2×0.5)] = 0.833。由此我们可以看出一个博弈者乐于合作的声誉由于他选择向前而提升了。

(2)如果博弈者在第二次行动时仍选择向前,那么另一个博弈者就更相信他是乐于合作的。利用(1)中给出的结论作为一个博弈者乐于合作的初始概率,我们得出 Prob (A | B) = (1×0.833) / [(1×0.833) + (0.2×0.167)] = 0.961。

(3)如果理性博弈者总是选择向前,那么我们会有 Prob (B | 非A) = 1。

将其代入贝叶斯定理，我们得到 Prob（A｜B）＝（1×0.5）／［（1×0.5）＋（1×0.5）］＝0.5。在这种情况下，观察到一个博弈者选择向前不能得出什么有用信息，这是因为理性的且乐于合作的博弈者行动的预期是相类似的。在没有新信息的情况下，博弈者的声誉保持不变。

（4）在最后一个例子中，我们有 Prob（B｜非 A）＝0，因此 Prob（A｜B）＝（1×0.5）／［（1×0.5）＋（0×0.5）］＝1。在该例子中博弈者认识到双方都是乐于合作的，这个预期的出现是因为初始的信念为理性的博弈者选择向下，因此对于另一个博弈者向前移动的唯一一致的解释就是他们乐于合作。

从（3）和（4）得出的结论可知，只有在博弈者采取混合策略时，博弈者的声誉才会改善，否则他们的信誉保持不变，或者他们的身份被完全暴露。

附录3.1　贝叶斯定理

贝叶斯定理，以 Revernd Mhomas Bays（1702－1761）命名，说明了随着额外信息的接受，概率会被如何更新。它回答了"如果 B 事件已经发生了，那么 A 事件发生或将要发生的概率是多少？"这种修正了的概率写作 Prob（A｜B），它是在给定 B 事件发生的情况下事件 A 发生的条件概率。例如，在具有不完全信息的博弈中，一个博弈者可以利用贝叶斯定理来更新其对手属于哪种类型的概率，方法是观察其对手的行动。该定理可以写成如下形式：

假设 B 事件会以一个非零概率发生，那么对于每个事件 A_i 来说有 N 个概率

$$\text{Prob}（A_i｜B）＝［\text{Prob}（B｜A_i）. \text{Prob}（A_i）］／\sum_{i=1}^{N}［（\text{Prob}（B｜A_i）. \text{Prob}（A_i）］$$

例如，如果某个博弈者可能是两种类型 A_1 或 A_2 的一种，假定在该博弈者采取 B 行动的情况，每种类型的更新概率是：

Prob（A_1｜B）＝［Prob（B｜A_1）. Prob（A_1）］／［Prob（B｜A_1）. Prob（A_1）＋Prob（B｜A_2）. Prob（A_2）］

Prob（A_2｜B）＝［Prob（B｜A_2）. Prob（A_2）］／［Prob（B｜A_1）. Prob（A_1）＋Prob（B｜A_2）. Prob（A_2）］

等式右半部表达的概率叫做"先验概率"（Prior Probabilities），它在事件 B 发生之前就已经被决定了。更新的概率 Prob（A｜B）叫做"后验概率"（Posterior Probabilities）。在重复博弈中，这些"后验概率"会在随后的博弈中被用作 Prob（A_i）的"先验概率"。

贝叶斯定理的证明

从条件概率的性质可知：

$$\text{Prob} \ (A_i \text{和} B) = \big[\text{Prob} \ (B \mid A_i). \ \text{Prob} \ (A_i)\big] \tag{1}$$

和

$$\text{Prob} \ (A_i \text{和} B) = \big[\text{Prob} \ (A_i \mid B). \ \text{Prob} \ (B)\big]. \tag{2}$$

从（2）我们得出

$$\text{Prob} \ (A_i \mid B) = \text{Prob} \ (A_i \text{和} B) \ / \ \text{Prob} \ (B). \tag{3}$$

将（3）Prob（A_i和B）代入（1）求出

$$\text{Prob} \ (A_i \mid B) = \big[\text{Prob} \ (B \mid A_i). \ \text{Prob} \ (A_i)\big] \ / \ \text{Prob} \ (B). \tag{4}$$

两边都乘以 Prob（B）得出

$$\text{Prob} \ (B). \ \text{Prob} \ (A_i \mid B) = \big[\text{Prob} \ (B \mid A_i). \ \text{Prob} \ (A_i)\big]. \tag{5}$$

对两边进行下标 i 加总，得出

$$\text{Prob} \ (B). \sum_{i=1}^{N} \text{Prob} \ (A_i \mid B) = \sum_{i=1}^{N} \big[\text{Prob} \ (B \mid A_i). \ \text{Prob} \ (A_i)\big]. \tag{6}$$

由于事件 $\{A_1, \cdots, A_n\}$ 互相排斥且是无遗漏的，我们得知

$$\sum_{i=1}^{N} \text{Prob} \ (A_i \mid B) = 1. \tag{7}$$

将（7）代入（6）得出

$$\text{Prob} \ (B) = \sum_{i=1}^{N} \big[\text{Prob} \ (B \mid A_i). \ \text{Prob} \ (A_i)\big]. \tag{8}$$

将（8）代入（4）得出的即是贝叶斯定理。命题得证。

附录3.2 修正后蜈蚣博弈的序贯均衡

在这个附录中我们证明 Rosenthal 的蜈蚣博弈改进后，序贯均衡如何找出。该博弈的这个版本是由 Mckelvey 和 Palfrey（1992）提出的。该博弈的扩展形式在完全信息的假设之下如图 3.13 所示。

55

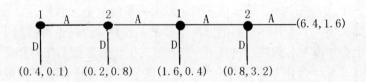

图 3.13

在完全信息假设之下，该博弈唯一的子博弈完美纳什均衡是博弈者 1 在第一个决策节点就选择向下。这个解用逆向归纳法亦能求出。结果是博弈者 1 得到 0.4，博弈者 2 得到 0.1。显然这是一个帕累托无效率的结果，因为如果博弈双方一开始选择前进（A），他们的情况都会得到改善。然而，在不完全信息之下，

序贯均衡一般会包括两个博弈者的一些合作行为。为了详细说明这一点，我们假定该博弈中的两个博弈者在选择向前的意义上进行合作有一个小概率。这可能是因为他们是利他主义的，因此关心对手得益；或者因为他们不理性。每一个博弈者都被假定为知道他或她自己是理性的还是乐于合作的，但不知道其对手的类型。我们假设博弈者乐于合作的先验概率为 0.05。由于"合作"的博弈者总是选择向前，我们只需推导"理性"的博弈者的均衡预期。在一定的不确定性下，博弈者 1 从第一个节点开始就总是选择向前的行为是理性的，因此它部分解决了逆向归纳法悖论。在下面两个节点博弈者将采取混合策略。如果博弈达到了最终节点，博弈者 2 会选择向下。

为了找出均衡，我们首先从博弈最后一期开始，然后逐渐倒推回博弈的初始节点。我们使用以下符号：Π_j^k 为博弈者 $k = 1，2$ 在第 $j = 1，2，3，4$ 个决策节点上（即 $j = 1$ 是第一个节点，$j = 2$ 是第二个节点，以此类推）的预期最终得益。这是博弈者 k 在那个节点是否选择 A 或 D 的条件。相似地，如果博弈者 k 是理性的，在 j 节点上选择 A 或 D，$\text{Prob}_j^k(A)$ 和 $\text{Prob}_j^k(D)$ 分别代表博弈者 k 的概率。最后，r_j^k 是如果博弈到达了节点 j，其对手认为博弈者 k"乐于合作"的概率。最初假设 $r_1^1 = r_1^2 = r_2^2 = 0.05$。最后的概率基于这样一个事实之上，即博弈者 2 无法影响自己在节点 2 之前的声誉，因为它是博弈者 2 面对的第一个节点。

第四节点（$j = 4$），如果博弈到达了博弈者 2 的最后一个节点，那么预期得益就是 $\Pi_4^2(D) = 3.2$ 和 $\Pi_4^2(A) = 1.6$。由于向下相比于向前是严格占优的。很明显，如果博弈者 2 是理性的，那么在这一点他总是会选择向下。这个纯策略预期意味着，对于一个理性博弈者来说 $\text{Prob}_4^2(A) = 0$ 和 $\text{Prob}_4^2(D) = 1$。

第三节点（$j = 3$）基于对第四节点行为分析得出的结果，如果该博弈到达节点 3，博弈者 1 的预期得益为 $\Pi_3^1(D) = 1.6$ 和 $\Pi_3^1(A) = 0.8(1 - r_3^2) + 6.4r_3^2$。如果它们之中一个大、一个小，那么博弈者 1 就会采取纯策略。但是，如果两个值是相等的，那么博弈者 1 在选择向前或向下都是无差异的。在这种情况下博弈者 1 在该节点会采取混合策略，这在 $r_3^2 = 1/7$ 时发生。博弈者 1 在博弈者 2 事先已经增强了其"乐于合作"声誉的条件下，在该节点就会只采取混合策略。但是又只会发生于博弈者 2 在决策节点 2 采取混合策略时。特别是应用贝叶斯定理，为了促使博弈者 1 在节点 3 上采取混合策略，我们可以计算出博弈者 2 在节点 2 选择向下的概率，因此

$$r_3^2 = r_2^2 / \left\{ r_2^2 + [1 - \text{Prob}_2^2(D)](1 - r_2^2) \right\} = 1/7$$

$$\therefore 0.05 / \left\{ 0.05 + [1 - \text{Prob}_2^2(D)] 0.95 \right\} = 1/7$$

$$\therefore \text{Prob}_2^2(D) = 0.684$$

$$\therefore \text{Prob}_2^2(A) = 0.316.$$

因此，如果博弈者 2 在节点 2 采取混合策略，博弈者 1 会在节点 3 采取混合策略。

第二节点（j = 2），在第二节点我们可以得出博弈者 2 的如下预期得益

Π_2^2（D）= 0.8，并且

Π_2^2（A）= 3.2 $[r_1^2 + (1 - r_1^2) \text{Prob}_3^1$（A）$] + 0.4 (1 - r_3^1) \text{Prob}_3^1$（D）

$\qquad = 3.2 - 2.8\text{Prob}_3^1$（D）$+ 2.8 r_3^1\text{Prob}_3^1$（D）.

再一次，如果两个预期得益中一个大、一个小，博弈者 2 就会采取纯策略。如果它们相等，那么博弈者 2（如果理性的话）就会在该节点采取混合策略。在 Prob_3^1（D）= 6/7/（1 - r_2^1））时这就会出现。给定 r_2^1 足够小，在博弈者 1 被预期在节点 3 上采取预期混合策略时，那么博弈者 2 将在节点 2 采取混合策略，这与节点 3 得出的预期相似。节点 2 和节点 3 上的混合策略都是在均衡中自我支持的。

如果我们假设博弈者 1 总是在节点 1 选择向前（该假设在下面被证明是正确的），那么根据贝叶斯定理 $r_2^1 = 0.05$。因此从上述等式看来，如果 Prob_3^1（D）= 0.902 且 Prob_3^1（A）= 0.098 博弈者 2 就会在节点 2 采用混合策略。

第一节点（j = 1），为了证明 2、3 节点得出的混合策略的用途，我们需要的一切就是证明在上述预期之下，博弈者 1 将在第 1 节点选择向前。再一次，博弈者 1 在该节点的预期得益为 Π_1^1（D）= 0.4，并且

Π_1^1（A）$= 0.2(1 - r_1^2) \text{Prob}_2^2$（D）$+ 1.6 [r_1^2 + (1 - r_1^2)\text{Prob}_2^2$（A）$] \text{Prob}_3^1$（D）

$\qquad + 0.8 [r_1^2 + (1 - r_1^2) \text{Prob}_2^2$（A）$] \text{Prob}_3^1$（A）$(1 - r_1^2)$

$\qquad + 6.4 [r_1^2 + (1 - r_1^2) \text{Prob}_2^2$（A）$] \text{Prob}_3^1$（A）.

57

在上述混合策略预期之下，我们可以计算出 Π_1^1（A）= 1.036。由于博弈者 1 在该节点选择向前为优势策略，而且这样博弈者 1 不管是什么类型都会选择向前。这个纯策略意味着如果博弈者是理性的，Prob_1^1（A）= 1 且 Prob_1^1（D）= 0。

这证明了运用于节点 2 和节点 3 的混合策略可以部分确定序贯均衡。实际上可以看出这是本博弈唯一的序贯均衡。该唯一均衡如图 3.14 所示。

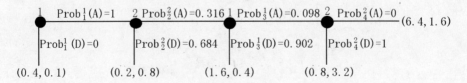

图 3.14

  该预期与序贯均衡预期下的典型模型一致。最初是纯策略阶段，其中博弈者选择合作。随后，博弈者采取混合策略，在这个阶段一个博弈者乐于合作的声誉可能会得到加强。最后博弈者采用不合作的纯策略。

进一步阅读

Aumann, R. J. (1992), *Handbook of Game Theory with Economic Applications*, York: North – Holland.

Bierman, H. S., and L. Fernandez (1993), *Game Theory with Economic Applications*, Readings, Mass. : Addison Wesley.

Dixit, A. and B. J. Nalebuff (1991), *Thinking Strategically: The Competitive Edge in Business, Politics, and Everyday Life*, New York: Norton.

Eatwell, J. , M. Milgate, and P. Newman (1989), *The New Palgrave: Game Theory*, New York: W. W. Norton.

Gibbons, R. J. (1992), *Game Theory for Applied Economists*, Princeton: Princeton University Press.

Kreps, D. (1990), *A Course in Microeconomic Theory*, New York: Harvester Wheatsheaf.

Kreps, D. (1990) *Game Theory and Economic Modelling*, Oxford: Clarendon Press.

Rasmusen, E. (1993), *Games and Information*, Oxford: Blackwell.

Varian, H. (1992), *Microeconomic Analysis*, New York: Norton.

▼
▼
▼

第四章

寡头垄断

58

寡头垄断典型地形容了少数几个厂商支配一个特定的市场的状态。按照定义，这种类型的市场结构的特征是竞争的厂商之间是相互依赖的。当一个行业中的一个厂商的行为影响到其他厂商的利润时寡头垄断就会发生。正是相互依赖特征使得寡头垄断适合于博弈分析。寡头垄断与两种极端的市场结构形成对比。在完美竞争下，所有厂商是价格接受者，因此它们之间是彼此独立的。而在垄断时市场上仅仅只有一个厂商，也没有相互依赖性。

在考察寡头垄断下厂商的行为时，我们先讨论一次性博弈的情况，此时厂商彼此之间的相互作用仅仅是一次性的。在这一部分我们介绍经典的古诺、斯塔克伯格、伯特兰竞争模型。讨论了这些模型的结果之后，我们讨论厂商之间重复的相互作用对它们行为结果的改变作用。特别是，我们将讨论寡头垄断在最大化它们的联合利润时能在多大程度上保持非合作共谋。在讨论这些主题时可以直接应用前两章介绍的很多概念。先前讨论的博弈与本章讨论的博弈的一个重要不同是本章的博弈者是在一个连续的策略变量上作出决策，而不是在一个离散的策略变量上作出决策。例如，我们讨论当厂商从需求曲线表示的一个连续选择中必须挑选一个特定的产量－价格组合时，如何应用先前两章介绍的概念。

4.1 寡头垄断的三个模型

很多不同的模型被提出过，它们试图解释和预见寡头垄断中厂商如何行为，在本节中我们考察三个这类以其发明者名字命名的模型。这些寡头垄断模型的区别在于其适用于不同的市场结构。古诺竞争模型中厂商按照它们同时提供给市场的产量进行竞争；斯塔克伯格竞争模型中一个或多个厂商首先选择其产量水平，59其他厂商在观察该产量水平后同时决定其最佳产量水平；伯特兰竞争模型中厂商按照它们同时提供给消费者的价格进行竞争。这些不同从根本上改变了厂商之间博弈的结构，并且戏剧性地改变了这些厂商的预见行为。为了说明这些不同，我们先把注意力放在两个厂商之间的一次性竞争上，寡头垄断更一般的模型（其中有多于两个厂商之间的相互依赖）放在练习中讨论，而厂商之间的重复相互作用的博弈我们在下一节讨论。

4.1.1 古诺竞争

前面已经说过，古诺竞争中厂商同时决定它们提供给市场多少产量。一旦总供给量固定，价格随之确定，市场就出清。为了考察该类型竞争，我们先假定两个厂商生产同一种产品。因为产量决定是同时发生的，每一个厂商在没有观察到其他厂商的供给水平时作出自己的供给量决策。市场的价格 P 被确定以便于总的供给量 Q 正好是所需求的。我们假定总需求量由反需求曲线 $P = a - Q$ 所决定，其中 a 是正常数。假定边际成本等于常数 c 并且没有固定成本，每一个厂商追求利润最大化。

从这个非正式的描述中，我们可以确定标准形式博弈的三个基本条件：

（1）博弈者

两个公司：公司 A 和公司 B。

（2）可选策略

因为这是静态博弈，两个公司的策略集与行动集相同，所以可选策略就是每家公司可以提供给市场的产品的产量，我们假定公司 A 和公司 B 能够提供任何正产量水平的产品，我们分别用 q_A 和 q_B 表示。

（3）得益

得益是每家公司得到的利润，我们分别用 Π_A 和 Π_B 表示。

进一步，我们也知道每家公司在选择其最佳策略时所具有的信息和这些选择发生的时间。所以我们可以重新将这一竞争结构表示为扩展形式博弈。如图 4.1。

60   该扩展形式博弈说明了古诺竞争的本质特征。特别是它展示了两家公司在知道另一家公司提供给市场的产量前作出自己的决策，这通过将公司 B 的所有决策节点放在同一个信息集中表示。另外，公司 A 仅仅有一个决策节点（即初始节点）。应该注意的是图 4.1 通过假定每一家公司仅仅有三个水平的产量而简化了前述的博弈。相反，前述的博弈中每一家公司能够提供任何水平的产量，这意味着每家公司存在无穷种可选行动，要充分图示所有这些可能性明显是不可能的。因此扩展形式博弈展示的仅仅是可选策略代表性的样本。一旦每家公司选择了它们的最佳产出水平，市场价格就被确定下来，并且公司得到相应水平的利润，因为本节中我们限于讨论一次性竞争，当公司获得这些利润时博弈已经结束。

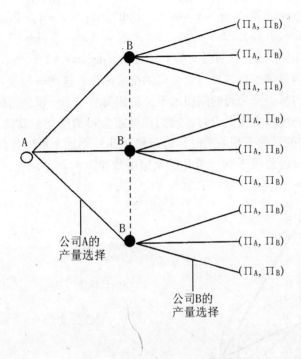

图 4.1 古诺两强垄断：扩展形式博弈

描述古诺竞争作为相互依赖公司之间的竞争后，我们就可以利用第 2 章介绍的求解方法来预见市场结构的结果。在静态博弈中一个显而易见的求解方法是纳什均衡概念。它包括决定每一家公司在依赖预期另一家公司做什么的情况下选择自己的最佳策略。图示化表示这一点意味着我们要画出所谓的反应函数，反应函数表示一家公司相对于另一家公司选择每一种可能的产量时的最佳供给量。（术语"反应函数"在此属于用词不当，因为从严格意义上说，在静态博弈中任何一家公司对于彼此的产量决策作出反应是不可能的。）

为了找到每一家公司的反应函数，我们对公司关于自身产量水平的利润函数进行微分并令其等于零。这样可以得到寻找最大值的一阶条件，二阶条件（即二阶导数为负数）能够保证找到最大值。下面是在这些假定下公司 A 和公司 B 的计算过程。

61

公司 A

$$\Pi_A = Pq_A - cq_A$$

$$\therefore \Pi_A = (a - q_A - q_B) q_A - cq_A$$

$$\therefore d\Pi_A/dq_A = a - 2q_A - q_B - c = 0$$

$$\therefore q_A = (a - q_B - c)/2$$

$$d^2\Pi_A/dq_{A^2} = -2 < 0 \quad \therefore \text{有最大值。}$$

公司 B

$$\Pi_B = Pq_B - cq_B$$

$$\therefore \Pi_B = (a - q_A - q_B) q_B - cq_B$$

$$\therefore d\Pi_B/dq_B = a - q_A - 2q_B - c = 0$$

$$\therefore q_B = (a - q_A - c)/2$$

$$d^2\Pi_B/dq_{B^2} = -2 < 0 \quad \therefore \text{有最大值。}$$

计算过程中倒数第二行就是每家公司的反应函数。这些函数表明，每家公司的最佳供给水平与另一家公司的期望水平是负相关的。当一家公司供给的期望增长会引起另一家公司减少其供给时，我们称两家公司的产量是彼此策略替代的。（相反，如果策略变量是正相关的时称为策略互补）图示上策略替代通过向下倾斜的反应函数表示，公司 A 和公司 B 的反应函数如图 4.2* 所示。

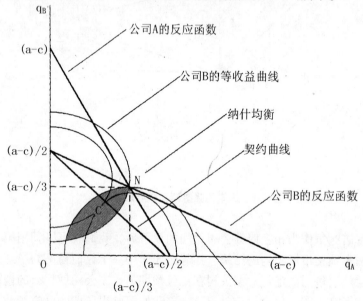

图 4.2 古诺 - 纳什均衡

该图也显示了每家公司的反应曲线与它的等利润曲线之间的关系。在该图里，等利润曲线表示能够对其中一家公司产生同一利润水平的两家公司产量的不同组合，当每家公司是市场的唯一供给者时利润最大。当其中一家公司担当垄断者时，它愿意提供（a－c）/2 单位的产品给市场，它等于反应函数的截距值。

62

＊ 译者注：原书中½（a－c），容易使读者误解，故改为（a－c）/2，诸如此类皆同。

越远离该垄断结果公司的利润水平就越低，这一点通过远离相关的截距的点向等
利润曲线方向移动显示。因为公司 A 被假定在给定公司 B 的期望供给下最大化
其利润，所以其反应函数与其等利润曲线在水平处相交。相似地，公司 B 的反
应函数与其等利润曲线在垂直处相交，它表示公司 B 在公司 A 的预期供给水平
上的最大化利润。在纳什均衡点，两家公司必定是在给定关于另一公司的供给水
平的信念下同时最大化其利润。这意味着两家公司必定同时在它们的反应曲线
上。在图 4.2，反应曲线仅仅相交一次，因此它与该模型的唯一纳什均衡相对
应。从图中可以看见纳什均衡在每家公司提供（a-c）/3 单位的产品给市场的
时候。它能够通过代数方法计算出来，即通过解反应函数表示的两个方程组成的
方程组可以得到。

　　虽然我们已经用纳什均衡概念确认（a-c）/3 单位的产品水平作为该模型
的唯一解，我们应该注意到古诺在 1938 年也宣称该产量组合是均衡。然而，古
诺是通过分析两家公司在离开均衡时如何反应得到这一均衡的。古诺假定，每家
公司相信如果它改变它的产量水平时另一家公司不会通过改变其产量水平作出反
应。为了展示这样也会得到像先前同样的均衡，我们考察图 4.3。

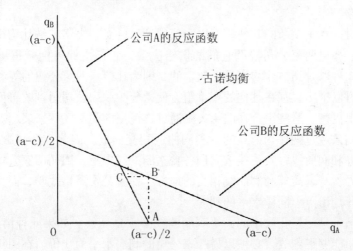

图 4.3　古诺的非均衡动力学

　　该图再次画出了两家公司的反应函数。假定起初这个市场只有公司 A 在生 [63]
产，因为公司 A 开始是垄断者，它将在 A 点生产（a-c）/2 的产量。如果现在
公司 B 进入市场，并且假定公司 A 将维持它起初的产量水平，那么它将在 B 点
生产，即公司 B 的反应函数与过点 A 的垂线的交点。然而，在点 B，公司 A 是

在它的反应曲线之外，因此，如果公司 B 不改变其产量水平，公司 A 将改变其产量水平到点 C，这一过程持续下去直到我们到达纳什均衡。一个相似的论证可以从图 4.3 的任何点开始，最终两家公司会聚于纳什均衡。因为两种方法产生同一均衡，所以通常我们把它叫做古诺 – 纳什均衡。

虽然古诺方法和纳什均衡方法都预见了同样的最终产量水平，但是纳什均衡概念从理论上说更加有效。特别是古诺的方法论有两个主要的弱点。首先，它要求每家公司能够对另一家公司的产量水平作出反应，这与该博弈的本身结构不一致，因为原博弈假定两家公司同时确定它们的产量水平。其次，虽然每家公司假定另一家公司不会对产量变化作出反应，但是如果公司之间重复相互作用的话，这个假定事实上会被实际行为所篡改，并且开始就远离纳什均衡。这意味着每家公司关于另一家公司行为的假定与模型本身是不一致的，因而不是一个合理的假定。虽然古诺均衡是合理的，他的远离均衡的分析方法是不能令人满意的。相反，纳什均衡概念没有引进动力过程进一个另外的静态模型，也没有引进另外的可变行为假定。替代的是，每家公司基于另一家公司行为的理性信念得出均衡，均衡正是经由理性决策程序得到的，其中每家公司清楚地考虑到它与另一家公司的相互依赖性。

在继续讨论寡头垄断的其他模型以前值得注意的是，古诺 – 纳什均衡是帕累托无效率的。如果两家公司协调它们的供给决策，它们由此可能赚得更多的利润。从图 4.2 可以看到纳什均衡是无效率的，因为在该点两家公司的等利润曲线不是切线。可以推出，存在其他的产量组合使得至少一家公司得到改善而另一家公司没有变得更糟，这些组合在图 4.2 中通过透镜型的阴影区域来表示。阴影区域的边界由两条经过纳什均衡点的等利润曲线相交而成。因此，在阴影区域里，两家公司从等利润曲线移到更接近它们各自垄断的结果上，因而两家公司都得到改善。在边界本身远离等利润曲线相交的地方，一家公司严格改善，而另一家公司得到在纳什均衡点上同样水平的利润。

为了让结果是帕累托效率的，等利润曲线必须是切线。如果此种情况发生，那么一家公司能够得到改善必须以另一家公司的利润水平为代价。在图 4.2 中以契约曲线表示帕累托效率结果集，其中公司的等利润曲线是切线。练习 4.2 证明：沿着契约曲线联合供给量等于 $(a-c)/2$，即等于一个垄断者会提供给市场的产量。所以，在该模型中沿着契约曲线的联合利润等于垄断的利润水平，沿着该曲线的利润的分配叫做常和博弈。如果两家公司能够充分协调它们的供给决策，它们将会在契约曲线最大化联合利润。然而，从该契约曲线可以看到存在无穷种帕累托效率的结果，这就引出一个问题：这些产量组合中哪一个是公司可能试图协调想要得到的结果？在对该问题的回答中，排除契约曲线上不在阴影中的点似乎是合理的。这些结果之所以被否决是因为两家公司中任何一家都严格偏好纳什均衡的结果，因而不会维持合谋的结果。这就仅仅留下契约曲线上阴影部分的点，如果两家公司是地位平等的，合谋的一个焦点就是两家公司分别生产垄断水平产量的一半，因而每家得到垄断利润的一半，这个焦点就是图 4.2 中的 C 点。虽然该结果似乎完全合理，但是有理由说明这种结果在博弈中是不能成立的，这是因为点 C 不是一个纳什均衡，因此两家公司都受激励通过改变产量水平单方面偏离这一结果。因为这个理由，卡特尔像一个垄断者一样最大化其联合利润，即限制产量提高价格。在这个产量水平上，两家公司通常都想增加其产量，从而增加利润，用图表示则点 C 不在两家公司的反应函数上。在古诺均衡上，总产量更高价格更低，但是在均衡点没有一家公司有激励改变其产量水平。这是第 2 章讨论的囚徒困境博弈的范例，每一个博弈者都有激励偏离合谋的结果，最终的均衡是帕累托无效率的。

这是对为什么我们预期卡特尔是不稳定的经典论证。每家公司都有激励单方面偏离合谋安排。我们在 4.2 节将回到这个合谋的话题上，特别是有关非合作合谋的结果怎么能够维持的问题。

练习 4.1

假定一个行业存在 $i = 1, \cdots, n$ 个相同的公司，每一家公司的边际成本是 c 并且没有固定成本。如果市场价 P 由方程 $P = a - Q$ 所确定，其中 Q 是该行业的总产量，a 是常数。计算每家公司在古诺–纳什均衡时的产量水平。当 $n \to \infty$ 时，又会怎样？

练习 4.2

找出练习 4.1 中契约曲线的方程。当 $n = 2$ 时，证明沿该契约曲线的联合供给量等于一个利润最大化的垄断者愿意提供的产量。

4.1.2　斯塔克伯格竞争

在古诺竞争中，每家公司同时选择其愿意提供的产量水平。在斯塔克伯格竞争中市场上至少有一个公司能够在其他公司确定它们的产量水平前首先选择一个特定的产量水平，这些其他的公司观察领头者的产量后再作出它们的产量决策。能够首先确定产量水平的公司叫做市场的领导者，其他的公司叫做追随者。我们考察两强垄断的情况，其中包括一位领导者和一位追随者。该类型竞争的扩展形式如图4.4所示。

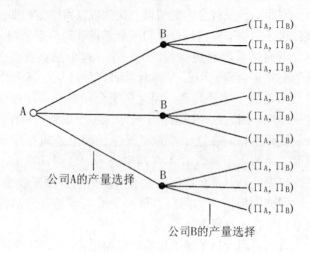

图4.4 斯塔克伯格两强垄断：扩展形式博弈

在图4.4中，公司 A 是领导者，公司 B 是追随者。该图与古诺两强垄断扩展形式博弈唯一的不同在于公司 B 的决策节点现在是分离的信息集而不是同一信息集。这与我们的假定一致：追随者在选择自己的最佳反应之前要观察领导者的产量决策。市场结构的这一变化显著地改变了两家公司的预见行为。

在预测该扩展形式博弈的结果时，我们需要认识到博弈本质上不再是静态的而本质上是动态的。这就产生了威胁和承诺的可能性和是否真正遵照此行事的问题。例如，公司 B 可能威胁说生产大量的产品，如果领导者相信了它的话就会在一开始就确定产量为零，因而实质上公司 B 变成了唯一的供给者，这代表一种可能的纳什均衡。在这样的连续威胁和承诺下，将存在无穷的此类纳什均衡。这种推理的问题在于大多数均衡涉及领导者相信不可置信的威胁或者承诺。这些威胁或者承诺是不可置信的，因为如果追随者真正去实现它们时是不符合它自身的利益的。为了排除这些不可置信的威胁或者承诺，我们要求博弈的预见结果是子博弈完美的。为了找到该博弈的子博弈完美纳什均衡，我们应用逆向归纳法。

为了了解逆向归纳原理怎么在这种情况下应用，除了假定公司 A 是领导者和公司 B 是追随者之外，我们作出像先前分析古诺竞争时相同的假设。应用逆向归纳法，我们先从最后阶段开始，先确定追随者的产量决策。假定追随者是理性的，它将试图最大化其得益。这里我们按照其利润水平来计算，它受制于已经知道的领导者的供给水平。下面是追随者的利润函数：

$$\Pi_B = Pq_B - cq_B$$
$$\therefore \Pi_B = (a - q_A - q_B) q_B - cq_B.$$

对该函数求关于 q_B 的导数，并令其等于零，由此得到最大值的一阶条件。

$$\therefore d\Pi_B / dq_B = a - q_A - 2q_B - c = 0$$
$$\therefore q_B = (a - c - q_A) / 2.$$

该方程是追随者的反应函数。（注意术语"反应函数"在动态博弈中不再是用词不当。）该函数表示追随者对由领导者选定的任何产量的供给水平作出的最佳反应，因此仅仅在其自己的反应函数上时追随者作出的威胁或承诺才是可信的。

在已经作出追随者在博弈的最后阶段将位于其反应函数上的预见后，我们现在考虑领导者在第一阶段将会做什么。从上面的论证领导者得知博弈的最终结果必须在追随者的反应函数上，所以领导者将在这一限制条件下最大化其自身的利润。最大化的一阶条件由下面的计算得出，其中我们将公司 B 的反应函数代入它的产量水平。

$$\Pi_A = Pq_A - cq_A$$
$$\therefore \Pi_A = (a - q_A - q_B) q_A - cq_A$$
$$\therefore \Pi_A = aq_A - q_A^2 - q_A (a - q_A - c) / 2 - cq_A$$
$$\therefore \Pi_A = q_A (a - c) / 2 - q_A^2 / 2$$
$$\therefore d\Pi_A / dq_A = (a - c) / 2 - q_A = 0$$
$$\therefore q_A = (a - c) / 2.$$

这是领导者在子博弈完美纳什均衡下的供给水平，将其代入到追随者的反应函数，我们得到公司 B 的最佳反应是生产 $q_B = (a - c) / 4$。在一个领导者和一个追随者的条件下，追随者生产的产量是领导者的一半，并且 $Q = 3 (a - c) / 4$。这些结果我们可以通过图 4.5 表示。

领导者知道，如果追随者是理性的那么其生产将在其自身的反应函数上。在这一限制条件下，领导者将在它的等利润曲线与追随者的反应曲线相切时最大化其利润。当然，公司 A 最希望的是它是市场的唯一供给者，从而它能够得到垄断利润，这一情况对应图 4.5 中的点 A。然而，它能够得到的最低等利润曲线，受制于追随者的反应函数所得到的最后产量组合，必定是通过点 S 的。这是斯塔克伯格 -（子博弈完美）纳什均衡。有趣的是，在仅仅一个领导者和一个追随者的情况下，领导者生产垄断产量水平的产品，（这一结果不能一般化推广到多于一个追随者的情况，在练习 4.3 中我们将给以证明。）然而，领导者并没有得到垄断利润。这是因为追随者的正产量水平的供给压低了领导者可得到的市场价格。在斯塔克伯格 - 纳什均衡中，公司的等利润曲线继续相交，因此，像古诺 -

纳什均衡一样，有来自于合谋的潜在的收益。

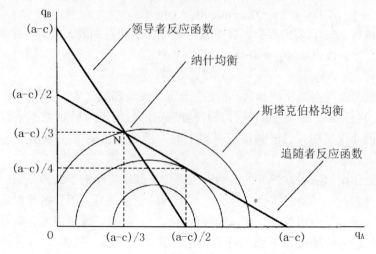

图 4.5　斯塔克伯格子博弈完美纳什均衡

图 4.5 也可以用来说明古诺－纳什均衡，与古诺－纳什均衡相比，斯塔克伯格－纳什均衡使得领导者得到更高利润和追随者得到更低利润成为必要。更多的信息实际上使得追随者变得更糟！相反，领导者预先承诺提供一个特定产量水平的产品的能力使得公司变得更好。该模型表明存在先动优势。

练习 4.3

假定某一行业有 m 个斯塔克伯格型相同的领导者，编号为 j＝1，…m，并且有 n 个斯塔克伯格型相同的追随者。每一家公司的边际成本是 c 并且没有固定成本。如果市场价 P^* 由方程 P＝a－Q 所确定，其中 Q 是该行业的总产量，a 是常数。找出领导者和追随者供给量的子博弈完美纳什均衡。找出古诺竞争与斯塔克伯格竞争两强垄断结果，如果练习 4.1 扩展到 n 家公司，找出其一般的古诺竞争结果。

4.1.3　伯特兰竞争

在古诺和斯塔克伯格竞争中，公司的策略变量是它们供给市场的产品数量，

---

* 译者注：原文为 Q，实为印刷错误。

而在伯特兰竞争中该策略变量是公司向消费者索要的价格。在该模型中公司同时宣称它们准备以哪一种价格出售它们的产品，然后消费者决定他们将购买的数量，仅有两家公司的该类型竞争的扩展形式与古诺两强垄断相同，只不过现在公司决定它们出售产品的价格。伯特兰两强垄断扩展形式博弈如图 4.6 所示。

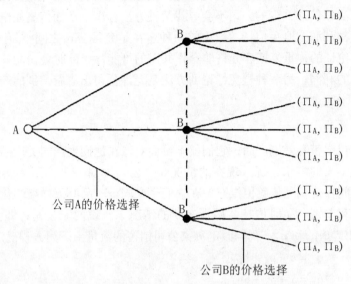

图 4.6 伯特兰两强垄断：扩展形式博弈

伯特兰竞争的均衡本质上依赖于公司出售的产品是有差别的还是无差别的。我们先讨论公司的产品无差别的情况，然后再讨论产品有差别的情况。

无差别产品

如果公司生产的是无差别产品，那么存在唯一纳什均衡，在这种情况下公司的索价是相同的，并且赚得正常利润。我们从下面的两阶段论证得出这一点。

如果公司出售的是同样的产品，那么消费者仅仅从能够提供最低价格产品的公司购买该产品，所以，如果公司以不同价格出售产品，那么提供最低价格产品的公司将会占领整个市场。如果在这种情况下该公司能够赚得超额利润，那么另一公司有激励以略低于其竞争者的价格廉价出售该产品，这样做时它会占领整个市场并且取得正的利润。另一方面，如果最初的公司赚得比正常利润少的话，那么该公司有激励抬高市场售价。总之，公司要么赚得正常利润要么有零销售量从而离开该行业。从这些预测可以清晰得到，公司索取不同的价格不可能是纳什均衡。

一个相似的论证是从公司索价相同但赚得比正常利润更多或者更少开始的。在这种情况下，两家公司将有激励略微提高或者降低它们的索价，所以，唯一的纳什均衡是所有公司索取同样的价格和赚得正常利润，这与完全竞争的结果是同样的。只需要两家公司就能够产生完全竞争的结果被称为"伯特兰悖论"，这是因为我们无法相信这么少的公司不会寻找某种方法合谋，从而偏离完全竞争的结果以谋取超额利润。避免伯特兰悖论的一种途径是允许公司之间重复互相作用。像在4.2节论证的，重复博弈允许非合作共谋的可能性，此时公司能够赚得比一次博弈更高的利润。另一种避免悖论的方法是允许公司出售有差别的产品，这种情况我们在下面进行分析。

70　有差别产品

如果公司出售有差别产品，它们就不再面对像在他们生产同类产品情况下要么全有要么全无的需求情况。现在的情况是，公司面对一个向下倾斜的需求曲线，公司之间保持相互依赖但没有像在它们生产同类产品时那样极端化。这里我们考察生产有差别产品时伯特兰两强垄断的情况。假设两家公司，即公司 A 和公司 B 分别定价 p_A 和 p_B。我们假定每家公司销售的数量由下列方程确定：

$$q_A = a - p_A + bp_B$$
$$q_B = a - p_B + bp_A。$$

这里 $b > 0$ 反映两种产品彼此相互替代。像前面的模型一样，我们假定两家公司的边际成本都等于常数 c 并且没有固定成本，每一家公司试图追求利润最大化，我们能得出如下的纳什均衡。首先，我们推出每家公司的反应函数，即在给定另一家公司的价格时该公司能够确定的最佳价格。

公司 A	公司 B
$\Pi_A = p_A q_A - cq_A$	$\Pi_B = p_B q_B - cq_B$
$\therefore \Pi_A = p_A(a - p_A + bp_B) - c(a - p_A + bp_B)$	$\therefore \Pi_B = p_B(a - p_B + bp_A) - c(a - p_B + bp_A)$
$\therefore d\Pi_A/dp_A = a + bp_B - 2p_A + c = 0$	$\therefore d\Pi_B/dp_B = a + bp_A - 2p_B + c = 0$
$\therefore p_A = (a + c + bp_B)/2$	$\therefore p_B = (a + c + bp_A)/2$
$d^2\Pi_A/d^2q_A = -2 < 0$ $\therefore$ 有最大值。	$d^2\Pi_A/d^2q_A = -2 < 0$ $\therefore$ 有最大值。

这两个反应函数如图4.7所示。

伯特兰竞争的反应曲线是向上倾斜的，因此两家公司的价格是策略互补的。为了找到伯特兰－纳什均衡，两家公司必须在给定另一家公司的预期行为条件下同时最大化其利润。这又意味着两家公司必须在它们的反应曲线上。令两个反应函数彼此相等，我们得到唯一的纳什均衡：每家公司将售价定为 $(a + c)/(2 - b)$。像古诺竞争和斯塔克伯格竞争的纳什均衡一样，这个结果也是帕累托无效率的，

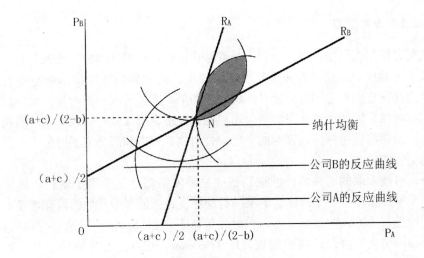

图4.7 伯特兰－纳什均衡

如果两家公司将价格提高它们的境遇都会改善。这些帕累托优势的结果在图4.7中显示为透镜型阴影部分。达到其中一个帕累托占优（Pareto－dominant）的结果的问题是至少一家公司有激励偏离均衡状态，这证明了纳什均衡是这个特定模型的预期结果的合理性。

4.2 非合作共谋

71

在上一节，我们详细考察了寡头垄断一次性博弈的三个经典模型。每一个模型的预见结果不是纳什均衡就是子博弈完美纳什均衡。在所有三个模型中，均衡被证明是帕累托无效率的，在有效的共谋条件下，所有的公司都能得到更高的利润。然而，问题在于，如果没有法律上可强制执行的契约，这些一次性博弈的如此共谋是不可置信的。这是因为至少共谋中的一部分公司有激励单方面偏离。本节我们通过讨论公司之间重复相互作用而产生非合作共谋的可能性来扩展对寡头垄断的分析。这更切合寡头垄断的实际，并且这一分析让我们有机会将第3章关于重复博弈的讨论应用于寡头垄断竞争的机会。首先，我们讨论公司之间无穷次重复相互作用的情况，然后考察公司仅仅有限次重复相互作用时的决策情况。最后，我们讨论多重均衡、关于未来的不确定性和关于竞争者的不确定性所扮演的角色。

4.2.1 无穷重复

在无穷相互作用条件下，公司有采取惩罚策略以使得其他公司保持非合作共谋结果的可能性。这是因为在重复博弈条件下，如果公司破坏明示或默示的协议，就会存在它们被惩罚的可能性。例如，如果一家公司增加其产量，其他公司可能通过增加它们的产量使得所有公司都变得更糟进行报复。如果有效的惩罚足够严厉，公司将情愿保持共谋时的产量，公司放弃短期利润是为了避免未来惩罚造成的更大的成本。

公司可能采取的一种特殊的惩罚措施是触发策略。正像第 3 章我们讨论过的，一个触发策略是一个博弈者的某一行动触发，该博弈中其他的博弈者便永久地改变他们行为方式的策略。所以在触发策略下，如果一家公司偏离共谋结果，它将面临一个无穷阶段惩罚的前景。J. Friedman（1971）首先证明了，如果寡头垄断持续相互作用并且采取一个适当的触发策略，那么非合作共谋是能够保持的。

为了了解触发策略的采取可能导致非合作共谋的结果，我们将一个具体的触发策略应用到古诺两强垄断中。在 4.1 节，我们说明了在图 4.2 中的阴影部分中任何一点都使两家公司得到相对于纳什均衡的帕累托改善。然而，先前已经论证，在给定模型的对称性并且公司追求帕累托效率结果的假设下，试图共谋的一个焦点是每家公司生产垄断产量水平的一半，这对应于图 4.2 中的 C 点。如果公司寻求协调该产量组合，那么他们可能采取下面的触发策略：

在第一阶段生产垄断产量水平的一半，如果另一公司总是像过去一样也采取这一策略的话，就继续采取这种策略；否则生产古诺 – 纳什均衡产量水平的产品。

在这一触发策略下，公司只要观察到另一公司总是像过去一样行动，它们就会有效地承诺进行共谋。然而，威胁是，如果一家公司偏离共谋结果，它将被另一家公司以永远生产古诺 – 纳什均衡产量水平的产品进行惩罚。要使得共谋结果是子博弈完美纳什均衡，所以由该触发策略产生的承诺与威胁必须是可置信的。

威胁策略无疑是可置信的，因为如果一家公司被观察到偏离共谋结果，那么另一家公司生产古诺 – 纳什均衡产量水平的产品总是理性的。要使得承诺是可置信的，维持共谋的现值必须超过偏离它的现值，只要公司对未来的贴现不是太多，这种情况将会发生，下面我们给出证明。如果两家公司继续共谋，那么它们每一家公司在每一时间段赚得垄断利润水平的一半，即 $\Pi_M/2$。通过相关的贴现因子 $\delta = 1/(1+\gamma)$ $(0 \leq \delta \leq 1)$，我们得到总是继续共谋的现值。

$$\Pi_M/2 + \delta\Pi_M/2 + \delta^2\Pi_M/2 + \delta^3\Pi_M/2 + \cdots = \Pi_M/2 \ (1-\delta).$$

或者，如果一家公司偏离共谋结果，那么假定它在第一时间段赚得的利润等 73
于 Π_D（下标 D 表示偏离）；在后续阶段，它能够赚得的利润最多等于古诺－纳
什均衡利润水平 Π_C，所以，偏离的现值为：

$$\Pi_D + \delta\Pi_C + \delta^2\Pi_C + \delta^3\Pi_C + \cdots = \Pi_D + \delta\Pi_C / (1-\delta).$$

如果满足下列条件非合作共谋将会得以维持：

$$\Pi_M / 2 (1-\delta) \geqslant \Pi_D + \delta\Pi_C / (1-\delta)$$

$$\therefore \delta \geqslant \Pi_D - \Pi_M / 2) / (\Pi_D - \Pi_C).$$

因为 $\Pi_D > \Pi_M / 2 > \Pi_C$，不等式右边将在 0 和 1 之间。所以，只要 δ 充分接近
1，该条件就被满足。这证实了：只要贴现率不太小，非合作共谋将会维持。当
该条件满足时，非合作共谋的结果是自我强制的。给定另一家公司已经采取上面
的触发策略，每一家公司情愿维持共谋结果。

上面的分析自然引发一个问题：如果贴现率比必须维持共谋结果的更小时情
况又会怎样？这里我们讨论两种可能性。

一种可能性是公司继续采取先前的触发策略，使得惩罚等价于古诺－纳什均
衡永远保持下去。虽然因为公司被假定贴现未来的利润太多，而使这种惩罚策略
不能维持等于垄断结果的联合产量，另一些利润更少的共谋结果可能被维持。只
要贴现率不是 0，总是存在其他可以接受的共谋结果使得现值利润比古诺－纳什
均衡有更多。从这些可能的结果，假定公司将会协调均衡的结果以得到在给定公
司的实际时间偏好率下最高的现值利润似乎是合理的。如果贴现率是 0，即公司
仅仅对现在的利润感兴趣，那么我们实际上回到了一次性博弈，唯一的子博弈完
美均衡是在每一阶段出现古诺－纳什均衡。

试图维持一个不能持续的共谋结果的另一种可能性是使得惩罚的威胁更加严
厉。公司可以尝试采取另一个触发策略以代替在先前触发策略下可以维持的另一
种共谋结果。为了使得该触发策略维持一个令人满意的共谋结果，它必须对偏离
威胁一个可信的更加严厉的惩罚。这个论点的问题在于在本模型中，任何更加严 74
厉的持久的惩罚意味着所采取的触发策略是不可置信的。我们通过下面的论证详
细说明该道理。

最严厉的触发策略可能是对于偏离永远实施所谓的"极小极大惩罚"。极小
极大惩罚是博弈者在给定另一博弈者追求最大化其得益时能够使另一方得到的最
坏结果。在我们的古诺两强垄断模型中，极小极大惩罚相当于当一家公司保证自
己在其反应函数上时寻求最小化另一家公司的利润。当实施惩罚的公司生产完全
竞争的产量 $a-c$ 时就可以做到。如果被惩罚的公司预期观察到这一产量水平，
那么从它的反应函数上看，它将停止生产并且没有利润。此时，惩罚者实施了极
小极大惩罚。（注意，因为一家公司总是有选择离开市场的权利并且刚刚得失相

当，所以它不能被迫生产负的利润。）如果一家公司相信假如它偏离了就将面对极端的惩罚，那么就有更强的激励以维持共谋的结果了。这样的话，渴望的共谋结果就可能成为纳什均衡的一部分。然而，问题是：该惩罚策略是不可置信的，因此由它支持的共谋结果不可能是子博弈完美的。该模型中极小极大惩罚是不可置信的原因在于它是远离实施惩罚的公司的反应函数。如果实施惩罚的公司相信另一家公司将不生产产品，那么它的最佳产量是垄断产量水平（a－c）/2，而不是完全竞争时的产量水平。要使触发策略是可信的，惩罚产生的结果必须在实施惩罚的公司的反应函数上。然而，因为另一家公司将总是寻求最大化它自己的利润水平，所以，它也必定在被惩罚的公司的反应函数上。考虑到公司采取一个触发策略，最可信的惩罚必须在阶段博弈中是一个纳什均衡。在我们的两强垄断模型中最可信的触发策略是我们先前讨论的与古诺－纳什均衡对应的惩罚。

上面的论证似乎暗示一个更加严厉的惩罚策略将是不可置信的。然而，并非如此。上述论证排除了更加严厉的触发策略，而不是一般意义上更加严厉的惩罚策略。Abreu（1986）已经提出一个方法，其中公司能够对被观察到的偏离威胁更加严厉的惩罚策略，然而这种威胁仍然保持是可信的。使得惩罚更加严厉并且又是可信的方法是远离触发策略而采取一种"胡萝卜加大棒"的方法。Abreu的建议是不要像触发策略一样去威胁说惩罚阶段是无穷的，而是威胁一个临时性的惩罚。更加严厉的惩罚现在变得可信的原因在于，如果它们不惩罚他人就必须惩罚自己。

Abreu建议的策略如下：如果在惩罚阶段内所有的厂商们采取惩罚策略，那么厂商们回复到共谋阶段。这是胡萝卜策略。然而，如果厂商们偏离规定的惩罚，那么惩罚继续。这是大棒策略。这样，如果它们不惩罚其他偏离的公司，那么它们自己就会受到惩罚。所以，这一策略使得公司有更强的激励去惩罚其他公司。结果是惩罚本身无需再是古诺－纳什均衡。更严厉的惩罚变得可置信是因为所有公司有激励去实现它以避免自身被惩罚。在可信的更严厉的惩罚下，满意的共谋结果甚至于对更小的贴现因子也可能得以维持。我们在练习4.4中通过古诺两强垄断模型证明了这种可能性。

上面的结果是Fudenberg和Maskin（1986）表达的"民间定理"的一个应用。民间定理断言：对于所有可能的帕累托占优产量组合，极小极大结果可能构成一个子博弈完美纳什均衡的一部分，只要公司没有贴现未来"太多"并且它们采取适当的惩罚策略。极小极大结果是指每一个博弈者试图最小化其他博弈者的得益，在古诺两强垄断中就是两家公司都得到零利润。所以，该定理断言：所有切实可行的利润分配可能是子博弈完美均衡，只要两家公司都至少得到零利润并且不过分贴现未来利润。这是一个强有力的结论。由于该定理结果的多重均衡性质，公司必须通过某种方式将它们的产量协调在一个特定的均衡上。在文献中常用的、上面应用过的选择程序意味着只要贴现因子不太小时均衡是对称性的并且在契约曲线上。

练习4.4[*]

在正文中，我们证明了：如果公司面对连续的相互作用并且采取下面的触发策略：在第一阶段生产垄断产量水平的一半，如果另一公司总是像过去一样行动就继续采取这种策略；否则生产古诺－纳什均衡产量水平的产品。在古诺型竞争的两强垄断者生产垄断时产量水平的一半是 $\delta \geqslant (\Pi_D - \Pi_M/2) / (\Pi_D - \Pi_C)$ 的充分必要条件。

[1] 确定公司采取下面二择一的惩罚策略时共谋结果得以维持的充分必要条件：

[a] 代替对古诺－纳什均衡的永久的转换，公司仅仅在此一个阶段对共谋结果的偏离导致其他公司生产古诺－纳什均衡产量水平，并且然后回复到生产共谋结果的产量。

[b] 每家公司最初生产共谋结果的产量，并且如果这个产量在先前被维持。然而，如果一家公司偏离共谋结果的产量水平，那么另一家公司通过生产 q_p 的产量进行一个阶段的惩罚；如果非偏离的公司真正生产 q_p 的产量应对偏离的公司，那么两家公司在后来的阶段回复到共谋结果的产量。然而，如果正在实施惩罚的公司偏离了惩罚的产量水平 q_p，那么反过来会被另一家公司生产 q_p 的产量进行惩罚。以此类推以至无穷。

[2] 用来自上面三个惩罚策略维持共谋结果所得到的充分必要条件计算下面模型中的具体条件 δ。价格通过方程 P（£）$=65 - Q$ 确定，其中 Q 是两家公司的联合产量。每家公司有常数边际成本£5，并且没有固定成本。对于 [1] b 中的"胡萝卜加大棒"的惩罚策略计算当 $q_p = 25$，30 和 35 时的必要条件。确定这些惩罚策略中哪一个支持拥有最低值 δ 的共谋结果。

总结我们关于公司之间的无穷竞争，应该注意到上面的结果与公司之间的一次性竞争形成鲜明对比。我们已经论证了在一次性竞争中非合作共谋是不可能的。通过模型化这些一次性博弈的无穷重复却得到了相反的结果。只要公司足够关心未来利润，非合作共谋在眼下就是可能的。在这些无穷重复博弈中，共谋是通过对未来惩罚的可信性威胁得以维持的。考虑到这些结果的鲜明对比，我们继续探讨一次性博弈仅仅有穷次重复时公司之间的竞争的预见结果就十分重要了。

4.2.2 有穷重复

在第 3 章我们已经论证在无穷次重复博弈与有穷次重复博弈之间有着根本的不同,逆向归纳悖论是其表现。寡头之间的有穷次相互作用产生的该悖论的要点在于有唯一纳什均衡的一次性博弈中非合作共谋的结果难以维持。它能够应用于 4.1 节的三个模型,在此我们仅讨论古诺竞争的情况。

假定有穷个寡头彼此之间在已知的有穷个时间段进行古诺式的竞争。在应用逆向归纳悖论时我们首先考虑最后阶段。在最后阶段不可能对偏离共谋结果的行为进行后续的惩罚,在这一阶段唯一可信的结果是古诺-纳什均衡。我们再考虑倒数第二阶段,因为两家公司知道古诺-纳什均衡解是下一阶段的解,因而在倒数第二阶段对偏离仍然没有有效的惩罚。所以,在倒数第二阶段仍然是古诺-纳什均衡。这个论证可以倒推一直到博弈开始。这个有穷重复博弈的唯一子博弈完美纳什均衡是在每一个时间段都重复古诺-纳什均衡。逆向归纳悖论排除了阶段博弈具有唯一纳什均衡时,两个寡头之间进行这样的有穷重复博弈产生非合作共谋的可能性。因为经济学家相信寡头实际上共谋以提高利润,所以避免该悖论的几个途径被应用到寡头式的竞争。在此我们讨论三条也许在共谋中成功的方法,不必要求公司之间无穷次相互作用。

多重纳什均衡

我们在 4.1 节讨论的一次性博弈模型被证明具有唯一的纳什均衡。然而,情况并非总是如此,例如,在有更复杂的需求函数和(或者)更复杂的成本函数的一次性博弈中,多重纳什均衡存在的可能性比较大。图 4.8 说明当两家公司进行古诺式竞争时非线性反应函数是怎样可能产生多重纳什均衡。该图中有三个纳什均衡在点 A、B 和 C 处。多重纳什均衡的存在性意味着在博弈的最后阶段的结果不再是唯一确定的。这也就意味着整个博弈不存在唯一子博弈完美纳什均衡。特别地,如果一次性博弈中的多重纳什均衡与公司在竞争中的不同利润水平相联系时,共谋结果在博弈的早期阶段就可能是自我维持的。

因为多重纳什均衡允许公司在偏离共谋结果时被有效惩罚,所以非合作共谋现在是可能的。如果惩罚足够严厉,那么将是公司为了自我利益维持着共谋结果。当接近最后阶段时,非合作卡特尔将会打破,这一点被最后阶段必定是一个纳什均衡的事实所证明。Benoit 和 Krishna (1987) 证明了:只要博弈重复足够多次,将阶段博弈中的多重纳什均衡与适当的胡萝卜与大棒式的惩罚策略相结合,可能的非合作共谋结果集几乎等同于无穷重复博弈时的结果集。

关于未来的不确定性

在第 3 章讨论的避免逆向归纳悖论的另一个途径是引进关于博弈可能结束时

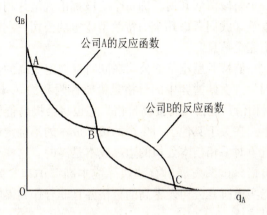

图4.8 多重古诺均衡

间的不确定性。竞争公司之间的相互作用没有一个确定的最后阶段，逆向归纳程序就没有办法开始。在这种情况下，一些公司可能以未来可置信的惩罚威胁偏离共谋结果的其他公司。考虑到未来惩罚可能并非即将来临，因为它发生之前相互作用可能就已经结束，这个威胁不像无穷重复博弈那样严厉。然而，与无穷重复博弈相似的结果在有穷重复相互作用不确定何时结束存在不确定性时能够被复制。再次，鉴于公司未来利润没有过分贬值，非合作共谋结果可能得以维持。

关于竞争者的不确定性

避免逆向归纳悖论的最后一个途径是通过引进不完全信息得到的。在寡头竞争模型中，我们假定公司之间不能确定它们的竞争对手的得益函数。这可能因为，它们要么不知道竞争对手们的利润函数的变量，要么不知道竞争对手们的目标。例如，公司在面对其竞争对手时可能不能确定其有关需求或成本的信息，而这些都决定对手的利润函数。另一种情况是不清楚对于其他公司是否关心最大化利润或者具有诸如最大化总收入的其他目标。由于相互依赖，公司将试图评估它们竞争对手的得益函数，这样做对于公司试图预见其他公司的行为是必需的，公司将在这些评估基础上试图最大化其得益。公司寻求了解竞争对手是什么类型或者它们所面临的约束的一条重要途径是通过观察它们当前的和过去的行为。其他认识到这一点的公司为了影响其他公司的预期可能试图操纵它们自己的行为。当公司解释它们的竞争对手的行为时，这一点将依次被考虑进去。要清晰地解决这些的模型可能相当复杂。像在第3章讨论的，在不完全信息模型中用到的一个相关的均衡概念是贝叶斯子博弈完美纳什均衡。在这种类型均衡中，没有不可置信的威胁或承诺，并且公司按照贝叶斯定理理性地更新它们的预期。典型地，该均衡不必包括公司在每一个阶段博弈和博弈的每个阶段都出现纳什均衡。为了详细说明这一结果后面的直觉，我们考虑几个伯特兰型竞争的公司，它们具有关于彼此的边际生产成本的不完全信息。

像4.1节所说明的，伯特兰型竞争的公司在同时都规定更高的价格时状态会得到改善。进一步，因为一次性博弈中的价格是策略性附和的（strategic compliments），如果一家公司相信其他公司将提高价格，它也将会提高价格。价格是正相关于生产的边际成本。在关于其他公司生产的边际成本的不确定性下，每家公司有激励去说服它的竞争对手相信本公司的边际成本是高的，这样公司有激励提高它们生产的产品的价格以试图发展出有"边际成本高"的声誉并且设置高的价格。在均衡中就可能实现所有公司设置高的价格并且非合作共谋的结果在重复博弈的初始阶段就得以维持。

上面的论证详细说明不确定性怎么能够提高非合作共谋得以维持的概率。然而，情况并非总是如此。例如，证明共谋结果是自我维持之产物的大多数方法依赖于被惩罚的公司是否和何时偏离共谋结果。这一机制预设了如此的偏离能够被发现。如果偏离共谋结果不能被发现，那么一家公司可能不怕受到惩罚从而对默许的协议不忠。在这种状态下，公司必须找到其他的方法来维持共谋的结果，这可能涉及关于产品的价格和生产的数量方面信息的分享，或者惩罚策略的发展以观察到的市场变量为条件。例如，Green 和 Porter（1984）、以及 Porter（1983）发展了模型，其中古诺型竞争寡头垄断者彼此之间没有观察另一方的产量水平但知道市场的价格。在这些模型中厂商采取触发价格策略：只要市场的价格保持在触发价格以上每一个厂商就生产共谋的产量水平；如果市场的价格跌至触发价格以下，惩罚时期随之到来，此时产量回到古诺－纳什均衡水平。这样，只要需求震动不会引起市场价格跌至触发价格以下，共谋会一直维持下去。当对商品的需求足够低时，在诸如这些模型中的典型均衡表明价格战紧随的共谋行为的交互阶段。

4.3　结论

本章已经详细展示博弈论怎么能够应用于寡头垄断式的厂商策略相互影响的模型。最初我们用一次性博弈表达了三个经典模型：古诺竞争、伯特兰竞争和斯塔克伯格竞争。每一个模型被证明具有完全不同的基本结构，它们大大影响厂商行为的方式。然而，与这些模型关联的纳什均衡依然都是帕累托无效率的。在不同的产量组合下，所有厂商的境况可能会得到改善。这就产生了是否厂商能够共谋以获得一个更加有利可图的结果的问题。如果厂商面对的是一次性博弈，这似乎是不可能的；然而，如果面对连续的相互作用，非合作共谋就似乎是可能的。

这依赖于当厂商偏离共谋结果时它们面对的未来惩罚是可置信威胁的可能性，此时，暗中勾结可能是自我强化的，唯一的例外是当逆向归纳悖论可适用的时候。然而，像我们在本章中所证明的，逆向归纳悖论依赖于非常强的假设：大家知道的竞争终结时间、有关所有竞争厂商的共同知识，在现实中这些假设没有一个可能被满足。

80

证明非合作共谋的可能性无疑是博弈论分析的一个重要贡献，然而，某种意义上这样的分析是太成功了，以至于经常存在厂商共谋的可行结果。在本章中我们论证了，对于这样的多重均衡，假定厂商将会共谋在某一焦点上似乎是理性的。这会产生一个问题：基本竞争的什么特征使得一个均衡比另一个更加突出？要是不将更多的注意力集中在这些要素上，我们将不可能确定地预见在任何特定市场中寡头竞争的结果。这些需要考虑的问题是我们有待进一步研究的主题，并且其中一般性的几个将在第 12 章进行讨论。

4.4　练习答案

练习 4.1

第 i 个企业的利润函数是：

$$\prod_i = Pq_i - cq_i$$

$$\therefore \prod_i = (a - q_i - Q_{-i})\,q_i - cq_i.$$

这里变量 Q_{-i} 代表除 i 企业以外的所有企业的总产量。

对 q_i 进行微分，并且设这个等式为 0，这样我们得到一个最大化的一阶条件

$$dq_i/d\prod_i = a - 2q_i - Q_{-i} - c = 0$$

$$\therefore q_i = (a - Q_{-i} - c)\,/2.$$

因为所有企业都是一样的，所以在纳什均衡里他们将生产相同的产量。因此 $Q_{-i} = (n-1)\,q_i$，将这个等式代入到上面的等式中，我们得到：

$$\therefore q_i = (a - c)\,/\,(n+1).$$

这与这个行业中每一个企业的纳什均衡产量水平是一致的。当 n = 2 时，我们得到最先的一个结果，即 $q_i = (a-c)\,/3$。当 n 趋近于无穷大时，行业产量接近边际价格等于边际成本的完美竞争的结果，此时，$Q = a - c$。

练习 4.2

81

可以通过两种可能的方法找到契约曲线上的方程。第一个方法是选定其中一家企业的利润水平，然后最大化其他企业的利润。第二种方法是最大化两家企业利润的加权数额。在这里，我们采用第二种方法。

用 W 表示两家企业利润的加权数额，则：

$$W = k\prod_1 + (1-k)\prod_2 ; \quad 0 \leqslant k \leqslant 1$$

$$\therefore W = k(a - q_1 - q_2 - c)q_1 + (1-k)(a - q_1 - q_2 - c)q_2.$$

最大化的一阶条件是令 $\partial W/\partial q_1 = 0$ 和 $\partial W/\partial q_2 = 0$。由此可以得到下列二次方程式

$$(q_1 + q_2)^2 - 3(a-c)(q_1 + q_2)/2 + (a-c)^2/2 = 0.$$

该方程有两个解，一个是总供给 $Q = q_1 + q_2$，它等于 $(a-c)$ 或 $(a-c)/2$。另一个解是垄断者向市场提供的产量，因此，这个解是最大化加权利润的数额。这个契约曲线的方程可以写为：

$$q_2 = (a-c)/2 - q_1.$$

正如课文中所描述的那样，当两家企业达成协议在他们之间分配产量水平时，就会产生帕累托有效率的结果。

练习 4.3

为了找到这个本质上是动态博弈的子博弈完美纳什均衡，我们使用逆向归纳法。我们首先找出一个典型进入者的反应函数。下列计算中我们用到所有在位者在纳什均衡中会提供相同水平产量的这个事实，因为他们被假设成是一样的。同样，所有进入者将会提供相同的产量。任何一个进入者的利润函数为：

$$\prod_k = Pq_k - cq_k$$

$$\therefore \prod_k = [a - q_k - (n-1)Q_{-k} - mq_j]q_k - cq_k.$$

在这里变量 Q_{-k} 代表除了第 k 家企业以外的所有进入者的总产量。对 q_k 进行微分，并且设其为 0，我们得到最大化利润的一阶条件。

$$d\prod_k/dq_k = a - 2q_k - Q_{-k} - mq_j - c = 0$$

$$\therefore q_k = (a - c - Q_{-k} - mq_j)/2.$$

正如在纳什均衡中所有进入者将会有相同的供给，我们可以把这个改写为：

$$q_k = (a - c - mq_j)/(n+1).$$

在位者选择最佳策略时，我们需要将这个反应函数替换成他们的利润函数。再一次以在位者 j 为代表，以变量 Q_{-j} 代表除了这家企业以外的所有在位者的总产量，我们得到：

$$\prod_j = Pq_j - cq_j$$

$$\therefore \prod_j = [a - q_j - Q_{-j} - nq_k]q_j - cq_j$$

$$\therefore \prod_j = aq_j - q_j^2 - Q_{-j}q_j - nq_kq_j - cq_j$$

$$\therefore \prod_j = aq_j - q_j^2 - Q_{-j}q_j - nq_j(a - c - mq_j)/(n+1) - cq_j$$

$$\therefore \prod_j = \{1 - n / (n+1)\} (a-c) q_j - \{1 - nm / (n+1)\} q_j^2 - Q_{-j} q_j.$$

对这家企业的产量进行微分，设它为 0，得到最大化的一阶条件

$$d\prod_j / dq_j = (a-c) / (1+n) - 2q_j (n+1-nm) / (n+1) - Q_{-j} = 0$$

所有在位者的供给在纳什均衡中再次互相相等，因此

$$q_j = (a-c) / (1+n+m-nm).$$

这是任何一个在位者的纳什均衡，把这个代入到进入者的反应函数，我们得到他们的供给均衡水平。

$$q_k = \{1 - m / (1+n+m-nm)\} (a-c) / (1+n).$$

在古诺两强垄断中，我们或者得出 2 个在位者和 0 个进入者，或者得出 0 个在位者和 2 个进入者。在每一种情况下，我们得到的结果都是两家企业的供给为 $(a-c) / 3$。在斯塔克伯格两强垄断中，我们得到在位者的供给为 $(a-c) /2$，进入者的供给为 $(a-c) /4$。在有 n 个古诺竞争者时，或者是所有的在位者，或是所有的进入者的供给是 $(a-c) / (n+1)$。这些结果证实了先前的结论。

练习 4.4

（1a）给定预先承诺的惩罚策略，如果一家企业生产共谋的产量水平，则它现值利润为

$$\Pi_M /2 + \delta \Pi_M /2 + \delta^2 \Pi_M /2 + \delta^3 \Pi_M /2 + \cdots = (1+\delta) \Pi_M /2 (1-\delta^2).$$

如其不然，如果这家企业偏离第一期共谋的产量，则它将理性地在另一期偏离，那么他现值的利润至多为：

$$\Pi_D + \delta \Pi_C + \delta^2 \Pi_D + \delta^3 \Pi_C + \cdots = (\Pi_D - \delta \Pi_C) / (1-\delta^2).$$

企业会维持共谋的结果的条件是：

$$(1+\delta) \Pi_M /2 (1-\delta^2) \geqslant (\Pi_D - \delta \Pi_C) / (1-\delta^2)$$

$$\therefore \delta \geqslant (\Pi_D - \Pi_M /2) / (\Pi_M /2 - \Pi_C).$$

当惩罚期是无限的，比较这个条件和课文中得到的条件，我们可以发现，垄断结果的共谋是可能时，贴现率较小。这是因为威胁惩罚并不严重，因此企业被发现偏离了卡塔尔的概率比较小。

（1b）要想用这种惩罚策略维持共谋的结果，必须同时满足两个条件。第一个条件是在给出预期承诺的未来惩罚是可置信的情况下，任何一家企业都没有偏离共谋产量水平的激励。第二个条件是任何一家企业都没有偏离生产惩罚性产量水平 q_p 的激励，当需要时，给定第一个条件是满足的。

第一个必要条件的导出如下。如果一家企业维持共谋的结果，那么现值利润为：

$$\Pi_M /2 + \delta \Pi_M /2 + \delta^2 \Pi_M /2 + \delta^3 \Pi_M /2 + \cdots = (1+\delta) \Pi_M /2 (1-\delta^2).$$

如果一家企业偏离共谋的结果，那么现值利润至多为：

$$\Pi_{D.C} + \delta\Pi_P + \delta^2\Pi_{D.C} + \delta^3\Pi_P + \cdots = (\Pi_{D.C} - \delta\Pi_P) / (1 - \delta^2). ^*$$

在这里 $\Pi_{D.C}$ 和 Π_P 分别是这期偏离共谋结果的利润和由此遭受惩罚时的利润。

如果预先承诺的惩罚是可置信的，那么企业们将会继续维持共谋结果的产量水平，并且

$$(1 + \delta) \Pi_M/2 (1 - \delta^2) \geqslant (\Pi_{D.C} - \delta\Pi_P) / (1 - \delta^2)$$

$$\therefore \delta \geqslant (\Pi_{D.C} - \Pi_M/2) / (\Pi_M/2 - \Pi_P).$$

同理，第二个必要条件的推导如下。如果一家企业随着其他企业的偏离而生产 q_p，如果第一个条件是满足的，那么现值利润为：

$$\Pi_P + \delta\Pi_M/2 + \delta^2\Pi_M/2 + \delta^3\Pi_M/2 + \cdots,$$

这里的 Π_P 是当惩罚其他企业时的预期利润水平。或者，如果它偏离预先承诺的惩罚水平的产量，那么现值利润至多为：

$$\Pi_{D.P} + \delta\Pi_P + \delta^2\Pi_M/2 + \delta^3\Pi_M/2 + \cdots,$$

这里的 $\Pi_{D.P}$ 是偏离预先承诺惩罚产量的水平的预期利润。一家企业会因此保持预先承诺的惩罚策略，如果第一个条件是满足的并且

$$\Pi_P + \delta\Pi_M/2 \geqslant \Pi_{D.P} + \delta\Pi_P$$

$$\therefore \delta \geqslant (\Pi_{D.P} - \Pi_P) / (\Pi_M/2 - \Pi_P).$$

（2）在这种激励策略之下，偏离共谋的结果导致企业永久转入古诺－纳什均衡，这种共谋的结果是自我维持的，如果

$$\delta \geqslant (\Pi_D - \Pi_M/2)/(\Pi_D - \Pi_C) = (506.25 - 450)/(506.25 - 400) = 0.529.$$

在（1a）给出惩罚策略的情况下，这个条件变为：

$$\delta \geqslant (\Pi_D - \Pi_M/2)/(\Pi_M/2 - \Pi_C) = (506.25 - 450)/(450 - 400) = 1.125.$$

最后，表 4.1 给出了这个偏离软硬兼施（Carrot－and－Stick）的惩罚策略的结果，在它线下是它所受的条件约束。

表4.1

	$\delta \geqslant (\Pi_{D.C} - \Pi_M/2) / (\Pi_M/2 - \Pi_P)$	$\delta \geqslant (\Pi_{D.P} - \Pi_P) / (\Pi_M/2 - \Pi_P)$
$q_p = 25$	$\delta \geqslant 0.391$	$\delta \geqslant 0.098$
$q_p = 30$	$\delta \geqslant 0.250$	$\delta \geqslant 0.250$
$q_p = 35$	$\delta \geqslant 0.191$	$\delta \geqslant 0.431$

---

* 译者注：等式中的 D. C 代表 Dev. collusion，P 代表 Punished；以下皆同此。

在表 4.1 中的结果表明，随着产量惩罚性水平的提高，需要维持共谋结果的最小化贴现率先是下降然后上升。这在图 4.9 中得到证实。在图中在 δ 上两个条件被绘制成 q_p 在 20（古诺 - 纳什均衡产量水平）和 60（最大化的产量水平）之间的价值。从这些结果中可以得出，在这个模型中维持共谋最有效的惩罚策略是软硬兼施的惩罚策略，即 $q_p = 30$ 时。在这个惩罚策略之下，垄断的共谋结果可以持续到 $δ \geqslant 0.25$。 85

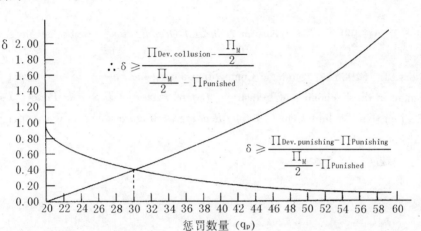

$$\therefore δ \geqslant \frac{\prod_{Dev.collusion} - \frac{\prod_M}{2}}{\frac{\prod_M}{2} - \prod_{Punished}}$$

$$δ \geqslant \frac{\prod_{Dev.punishing} - \prod_{Punishing}}{\frac{\prod_M}{2} - \prod_{Punished}}$$

惩罚数量（q_p）

图 4.9

进一步阅读

Firedman, J.（1977），*Oligopoly and the Theory of Games*，Amsterdam：North - Holland.

Gravelle, H., and R. Rees（1992），*Microeconomics*，London：Longman.

Jacquemin, A and M. E. Slade（1989），' Cartels, Collusion, and Horizontal Merger', in R. Schmalensee and R. D. Willig（eds），*Handbook of Industrial Organization*，i，Elsevier Science Pulishers.

Kreps, D.（1990），*A Course in Microeconomic Theory*，New York：Harvester Wheatsheaf.

Lyons, B., and Y. Varoufakis（1989），Game Theory, Oligopoly and Bargaining', in J. D. Hey（ed.），*Current Issues in Microeconomics*，London：Macmillan.

Martin, L.（1992），*Advanced Industrial Economics*，Oxford：Blackwell.

Phlips, L.（1995），*Competition Policy：A Game Theoretic Perspective*，Cambridge：

Cambridge University Press.

Rees, R. (1993), 'Tacit Collusion', *Oxford Review of Economic Policy*, 9: 27 – 40; repr. in T. Jenkinson (1996), *Reading in Microeconomics*, New York: Oxford University Press.

Shapiro, C. (1989), 'Theories of Oligopoly Behavior', in R. Schmalensee and R. D. Willig (eds.), *Handbook of Industrial Organization*, i, Elsevier Science Pulishers.

Tirole, J. (1988), *The Theory of Industrial Organization*, Cambridge Mass.: MIT Press.

Vichers, J. (1985), 'Strategic Competition among the Few——Some Recent Development in the Economics of Industry', *Oxford Review of Economic Policy*, 1: 39 – 62, repr. in T. Jenkinson (1996), *Reading in Microeconomics*, New York: Oxford University Press.

▼
▼
▼

第五章

进 入 威 慑

在本章中我们继续讨论博弈论怎么应用于分析厂商之间策略性的相互依赖。前一章中，相互依赖通常发生在厂商彼此之间的竞争。本章中，相互依赖发生在一个特定的市场中一个厂商已经占据主动地位而一个潜在的进入者或新到者准备进入该市场。尤其是，我们考察一个垄断者有激励试图阻止其他厂商进入它的市场并且通过竞争打击其他厂商。如果成功的话，厂商维持了它的垄断地位，称为"进入威慑"。通常的惯例是把初始的垄断者称为"在位者"，潜在的竞争者称为"进入者"（尽管它可能随后决定不进入市场）。不必要求进入者与在位者生产同样数量的产出，仅仅要求它们之间是严格替代的。根据这一假设，进入将对垄断者的利润产生不利的影响。

在 5.1 节，我们细致地分析早期对进入威慑的一个解释，其中一个垄断者试图通过增加它的现有产量达到阻止未来的进入。通过这样做，垄断者希望使得潜在的进入者确信进入者的销售水平将不足以使其赚得正利率的利润。如果进入者确信情况就是这样，它就会待在市场外。这个论证称为"限价理论"。然而，本章将论证该理论暗含着在位者和进入者这样的行为是非理性的。在 5.2 节，我们通过最近的博弈论解释在位厂商怎么可能令人信服地阻止进入，我们考察掠夺性定价、预先承诺和不完全信息在其中所扮演的角色。

5.1　限价理论

经典教科书对垄断者的分析中忽略未来竞争的可能性，注意力集中在一个垄断者怎么最大化其当前利润，这是垄断的静态理论。垄断者为了最大化当前利润，生产出的产量水平在边际成本曲线与边际收益曲线相交的地方。厂商会确定出可能的最高价格以便于正好卖出该产量水平的产品。其标准分析见图 5.1。

在该图中，垄断利润在边际成本（MC）等于边际收益（MR）点达到最大。厂商每期生产 Q_0 的产量同时定价为 P_0，此时厂商赚得利润比维持其在该市场时更大，所以它赚得超额利润，超额利润水平等于图 5.1* 中的阴影部分。

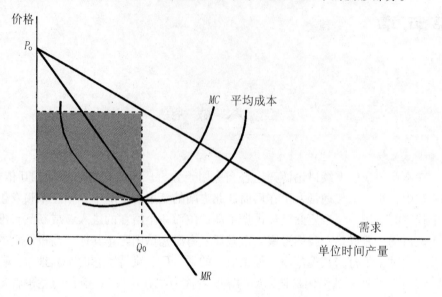

图 5.1 垄断的静态理论

该理论暗含假定了存在重要的障碍物阻止其他厂商进入该市场。例如，这些障碍物可能是由于政府的立法导致的法定垄断，或者由于规模经济导致的自然垄断。在这些进入的障碍物下，垄断者的地位能够得到保证并且此时在每一时间段能够最大化当前利润。因为其他厂商不能进入该行业，在位者不必担心面对未来竞争者的可能性。Bain（1956）注意到，没有这些障碍物时，超额利润的存在会吸引其他厂商进入该行业。这种增加的竞争水平可能对在位厂商的利润带来不利的影响。如果垄断者既关心当前利润水平也关心未来利润水平，那么对于它来说只要在成本不太大时它就有激励试图阻止其他厂商的进入。Bain 建议垄断者可以通过增加产量到一个适当的水平并且定出一个相应的低价格就可以达到这一目标。产量和价格的适当水平使进入者相信进入该市场时的销售量不足以使它赚得正常利润。给定这一信念，理性的进入者将不会进入该市场，因此垄断者的进入威慑策略就是成功的。

——————————

* 译者注：原书漏画阴影部分，此为译者所补添。

Bain 的理论（后来得到了 Modigliani（1958）和 Sylos - Labini（1962）的发展）以一个必要的假定为前提：该市场的潜在进入者相信不管是否进入，在位厂商未来将继续生产同样水平的产量。（这一点与古诺寡头垄断模型中的行为假定是相似的，那里每一个厂商相信另一厂商会维持目前的产量水平。）该假定也被假定为共同知识，即在位者知道进入者相信该假定，并且进入者知道在位者知道它，等等。这个假定引出"剩余需求曲线"（residual demand curve）的概念，剩余需求曲线显示一旦在位者已经卖出其产量水平的产品时多少需求对于进入者是"左结束"（left - over）的。图 5.2 展示了这一点。

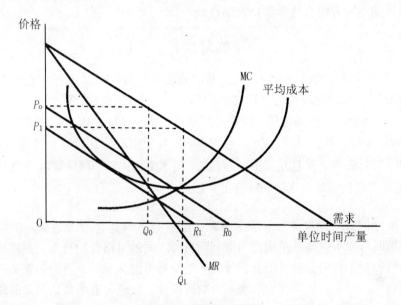

图 5.2　剩余需求曲线和限价

在该图中，如果垄断者关心最大化当前利润，那么，像我们已经看见的那样，它生产 Q_0 的产量。在在位者生产这个水平的产品时，进入者的剩余需求曲线通过 $P_0 R_0$ 给出。它通过转换在位者的需求曲线的剩余部分（所有在 Q_0 右边的点）回到垂直轴得到。如果进入者有像在位者同样的成本曲线，那么它就能够赚得正的利润。这是因为它的剩余需求曲线的部分在平均成本曲线的上方。在赚得超额利润的预期下，进入者会选择进入市场，并且对在位者的未来利润水平产生负面影响。

为了避免未来利润下降的可能性，在位者厂商可以确定一个不同的初始价格和产量的组合试图威慑进入。如果进入者相信它将不能赚得至少正常的利润，进入就会被威慑。当所有水平的产量层次上剩余需求曲线均在平均成本曲线之下将会实现。当剩余需求曲线与平均成本曲线相切时，进入者在进入市场与待在市场外是无差异的。我们可以假定这种情况下进入刚好被威慑。在 5.2 中，与平均成本曲线相切的剩余需求曲线是 P_1R_1。为了使进入者认识到这就是它的剩余需求曲线，因而刚好被说服待在市场外，在位者必须确定产品的价格为 P_1 并且卖出 Q_1 的产量。这是进入被威慑住的最高价格并且称为"限价"，以限价出售产品的策略称为"限价策略"。在这个策略下，垄断者会牺牲它部分的当前利润以图保证更高的未来利润。如果这样做的利润的现值超过最大化当前利润的现值的话，一个理性的垄断者将会按照限价策略行动。

练习5.1

对于下列刚好威慑进入的在位垄断者找出其产量与价格组合，假定进入者相信垄断者在随后阶段将会维持它的产量水平。市场需求曲线由方程 $P = 10 - 2Q$ 给出，其中 P 是市场价格，Q 是总的市场产量。在位者和进入者被假定有同样的总成本函数 $TC_i = 1/2 + 4q_i$，其中 $i = I$，E 分别对应在位者和进入者，TC_i 是厂商 i 的总成本，并且 q_i 表示厂商 i 的产出水平。比较该限价策略与当在位者最大化其当前利润时的产量和价格组合。

Bain 的限价理论强调，一个垄断者在面对会影响到它的未来利润的未来竞争的预期时可以采取与其最大化当前利润目标不同的策略性的行为。该模型指出传统教科书对垄断的分析可能会误导关于垄断行为的预见，也可能误导关于垄断的福利含义。例如，如果我们忽略限价的可能性，我们可能会高估与垄断联系的静态的或者无谓的福利损失。限价理论无疑在对垄断的规制方面有重要的政策内涵。然而，从博弈论观点看，限价理论似乎远不能令人满意。这是因为它似乎依赖于在位厂商和潜在的进入者行为的非理性。对 Bain 的限价理论的主要批评与进入者相信在位者将继续生产同样产量水平的产出的信念有关，该信念不管进入者是否打算进入市场都被维持。有些状态下这个假定也许是有效的。例如，如果垄断者必须公然地承诺它自身生产某一水平的产出，那么进入者的信念可以证明是正当的。不过，这个假定在很多现实世界情况下似乎不是很现实的。正常的预期是，进入者进入市场将会逼迫垄断者去改变它的产量——价格组合，这是因为在位者将认识到它现在是作为一个寡头进行竞争。

在位者起初也许威胁生产同样水平的产出以期威慑进入，但是从博弈论的角度看这样的威胁是不可信的。给定进入发生的情况下，在位者实现威慑不符合它的最优利益。从这一角度看，来自 Bain 模型的限价策略不是一个子博弈完美纳什均衡。因为这些理由，似乎必须拒绝 Bain 的限价理论，因为它基于厂商行为的非理性。在位者发出如此不可置信的威胁是非理性的，进入者相信它并且如此行动就更加非理性了。

进一步理解对 Bain 模型批判的一条途径是画出该模型的扩展形式。假定存在仅仅两个阶段，在位厂商在两个阶段之间改变产出水平是自由的。在练习 5.2 中讨论这种情况。

练习 5.2

在下列假设下画出两阶段进入威慑博弈的扩展形式：

（1）在第一阶段的开始在位者选择它的产出水平，（潜在）进入者能够观察到。

（2）在第一阶段的结束进入者决定是否进入市场，这一点能够被在位者观察到。

（3）在第二阶段我们有下列状态：如果进入者没有进入市场，那么在位者确定其产量水平以便于最大化垄断利润；如果进入者已经进入市场，我们有古诺寡头模型，即在位者和进入者同时选择它们的产量水平。

从练习 5.2 扩展形式博弈的答案可以观察到，从第二阶段开始到博弈结束我们有一连串分离的子博弈。为了避免对整个博弈求出的均衡解涉及不可置信的威胁，我们要求博弈解必须在所有这些子博弈中都是纳什均衡，这与均衡是子博弈完美的一致。Bain 的限价理论违反了这个要求，因此它不是子博弈完美纳什均衡。

为了找到练习 5.2 中博弈的子博弈完美纳什均衡，我们用逆向归纳原理。逆向归纳原理要求我们在解决第一阶段前必须预见第二阶段的结果。如果进入者在第一阶段结束时进入市场，那么第二阶段两厂商就会陷入古诺竞争。在这种情况下每一个厂商会确定与此种类型竞争一致的纳什均衡的产量水平，像在第四章说明的那样。如果进入者没有进入市场，那么像传统垄断理论所预见的那样在位者会最大化其当前利益。基于对第二阶段的预见，厂商将会决定它们第一阶段的最优行动。对于进入者来说，如果它能够在古诺竞争条件下赚取正的利润，它就会进入市场。如果不是这样，它就会待在市场外。值得注意的是，这种进入决策的作出是不管在位者在博弈第一阶段的所作所为。尤其是，进入者会忽略由在位者所采取的限价策略。在位者会认识到它在第一阶段所做的一切都不会影响进入者的进入决策。所以在位者在第一阶段最大化其当前利润是理性的。

总而言之，该博弈仅仅存在两个子博弈完美纳什均衡。第一个均衡是，在位

91

者在两个阶段都保持垄断者的地位并且在每一阶段最大化其当前利润。在这种情况下，在位厂商享受作为一个自然垄断的利润。第二个均衡是，在位者在第一阶段最大化其当前利润，但是在第二阶段面对寡头式竞争。这两个均衡到底哪一个成为现实依赖于博弈的基本变量。没有哪一个均衡扮演着进入威慑或者限价的角色。

上面的论证已经证明练习 5.2 所描述的博弈中进入威慑和限价对于在位者和进入者都是非理性的行为。然而，应该认识到该模型做了几个简化的假设。尤其是，它假定在位者与进入者之间有限的相互作用；没有给在位者预先承诺留下可能性；最后一个就是存在完全信息。最近的博弈理论模型放松了这些假设以便于研究进入威慑是否能够是可置信的。基本模型的这些扩展在下节将进行讨论。

5.2 可置信的进入威慑

5.2.1 掠夺性定价

前一节分析了一个在位厂商改变当前行为以便于威慑未来进入其市场的行为的情况。已经提出的一个替代性的论证是在位者在万一任何厂商实际进入市场时能够通过采取价格战威慑进入。这里，当进入发生时在位者不是确定一个限价而是采取掠夺性定价。限价是指在进入发生之前在位者确定一个低的价格，相反，掠夺性定价是当进入已经发生之后在位者确定一个低的价格。典型地，与温和的接受进入相比，掠夺性定价使得进入者和在位者的状态变糟。如果这是真的，在一次性博弈中在位者将总是接受进入，并且如果进入者能够赚取正利润时它肯定会进入。从这种意义上看，掠夺性定价是非理性的并且进入没有被威慑。然而，Milgrom 和 Roberts（1982b）已经证明，如果在位者面对的是不同市场上的无穷的可能的进入者，那么掠夺性定价可能是理性的行为，并且在均衡时它会威慑进入。下面考察所谓的连锁店博弈。

在位垄断者在一个无穷的分离的但是同样的市场上生产或者营业，并且在每一个市场面对潜在的进入者。进入者决定依次进入每一个市场。如果进入发生在任何一个市场，那么在位者有两个选择。它能够采取掠夺性定价同时受损或者采取温和的接受进入同时赚取正的利润（尽管此时在位者的所得比在位者作为唯一的供给者时的利润要少）。如果一个进入者不进入，那么假定它赚取零利润是合理的，此时在位者赚取垄断利润。这些得益情况如图 5.3 所示，其中第一个得益是在位者（I）的，第二个得益是进入者（E）的。

进入者

在位者		进入	停留在外
	对抗	F_I, F_E	M, 0
	接受	A_I, A_E	M, 0

图5.3　连锁店博弈的得益矩阵

假定 $M > A_I > 0 > F_I$并且 $A_E > 0 > F_E$。在这些假定下，在位者偏好它的垄断地位而不是温和的接受进入，也就是说它会对进入进行斗争。进入者仅仅在它预期在位者会温和地接受时才会选择进入市场。所有先前的结果被假定能够被所有博弈者观察到。

考虑第一个市场和第一个进入者。如果在位者温和地接受进入，其他潜在的进入者会观察到这一点，因此他们会理性地预期当它们进入各自的市场时在位者会温和地接受进入。这是因为在无穷超博弈（infinite supergame）中博弈的本性在不同阶段之间不会改变。由此可以推出，如果一个阶段的一个决策是最优的，它必定在所有阶段是最优的。在温和接受进入的预期下，进入将会发生在每一个市场。如果在位者温和接受第一个进入者是理性的，那么它将会温和接受所有其他的进入者。因此，在位者从接受第一个进入者的期望现值利润就是：

$$A_I + \delta A_I + \delta^2 A_I + \cdots = A_I / (1-\delta),$$

其中 δ 是适当的贴现因子。

另一方面，如果在位者打击第一位进入者，那么后面的进入者会预期同样的行为，因此他们会停留在他们各自的市场之外。这种情况下在位者在所有随后的市场中保持垄断地位。所以，在位者从打击第一位进入者得到的预期现值利润为

$$F_I + \delta M + \delta^2 M + \cdots\cdots = F_I + \delta M / (1-\delta).$$

从这些得益可以计算出在位者在下列条件下会打击第一位进入者：

$$F_I + \delta M / (1-\delta) > A_I / (1-\delta).$$

整理后得到，如果 $\delta > (A_I - F_I) / (M - F_I)$，在位者会打击第一位进入者。因为 $M > A_I$，所以只要 δ 足够接近1（即在位者没有贴现未来太多），该条件就会得到满足。当这个条件满足了，进入者知道在位企业会打击第一位进入者，因此在每一个市场进入被阻止。该结果说明，在重复进入的前景下，在位者威胁一个掠夺性的价格是可信的，因而此时可以成功威慑进入。应该注意到的是，该模型中在位者在每期中最大化其现期利润是无障碍的，这是因为进入被阻止不是通过在位者在预先进入阶段，而是因为进入者知道在位者总是有激励打击

93

这样的第一位进入者。然而，该进入威慑的结论仅仅在可能进入的市场数为无穷时才会成立。如果可能进入的市场数是有穷的，那么打击进入是不可信的，因而进入会发生在每一个市场。该结果就是著名的"连锁店悖论"，是逆向归纳悖论的应用。为了理解这一结果我们看看下面的论证。

给定图5.3的得益，在位者在最后的市场肯定会容忍进入，这是因为其他的做法没有未来收益，因此厂商将最大化其现期利润。进入该市场的进入者预见到这一结果，因此进入随之发生。在倒数第二市场我们得到同样的结果。由于最后阶段的结果已成定局，再也没有打击进入的未来收益，因此在位者将再次容忍进入，一旦进入者知道这个就会进入该市场。这样的论证能够应用于所有前面的市场直到博弈的开始。该有穷博弈的唯一子博弈完美纳什均衡是，进入者进入每一个市场时在位者总是接纳其进入，进一步说，没有进入威慑的可能性。

94   ### 5.2.2 预先承诺

限价理论不能成功解释进入威胁和连锁店悖论的原因在于，在位厂商不能可信地预先承诺它的将来行为。在缺乏这种预先承诺的情况下，进入威胁不可能在具有有穷次与完美信息的博弈模型中实现。要威慑进入，在位者必须找到一种办法来可置信地保证它会采取这样一种策略。如果有进入者胆敢进入，就会因在位者的行动而蒙受损失，在位者做到这样的唯一途径是在本期采取一定行动，使之影响以后博弈中竞争的性质。要使本期行动具有进入威慑的作用，该行动必须在某种意义上是不可反悔的。如果在位者的行动能轻易变卦，它不会对未来竞争的性质产生可置信的影响，也就不会对进入者是否进入的决策产生影响。也就是说，它强调了沉淀成本（sunk costs）的应用，即一旦发生就不能再收回的成本。沉淀成本在确定市场内部竞争性质上的地位，在有关竞争市场的文献中一直被大力强调。它是由Baumol. Panzar和Willig（1982）所发展。我们首先考察Dexit（1981）提出的模型。在这个模型中，现期投入资本影响了企业未来的边际成本，由于这个期数间的关联，在位者能可置信地对进入市场进行威慑。接下来我们讨论在位者通过预先承诺威慑进入的其他方法。

资本投入

Dexit（1981）运用了一个进行两期的博弈模型。在第一期里，在位者是唯一供应商。而在第二期里，如果一个进入者认为进入会取得正值利润，它就会进入。如果进入确实发生了，那么两个企业就被假设为进行古诺竞争。在位者预先承诺的可能性是通过允许它在博弈第一期进行资本投入，该投资降低了在位者第二期的边际成本。该投资可以是物质投资也可以是人力投资，但它被假定是不可撤消的，因而这笔花费在第二期被当作沉淀成本。通过这个期数之间的关联该投资被潜在的进入者观察到，在位者就可以影响博弈第二期的竞争性质，从而影响进入者的决策。这可以用图5.4中两个厂商的反应曲线来说明。

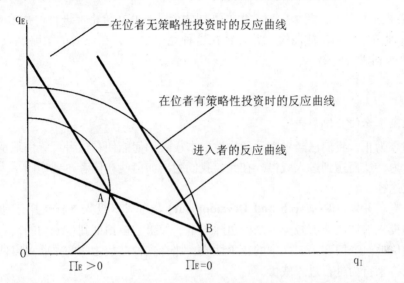

图5.4　古诺竞争下的进入威慑

　　在图5.4中，如果进入者进入市场且在位者在第一期没有采取策略性投资，那么第二期博弈的纳什均衡在 A 点上，在该点两条初始的反应曲线相交。正如过 A 点的等利润曲线所显示出的，在这种结果之下，进入者将获得正值利润，从而进入市场。但是，在位者可以通过第一期策略性投资改变这个决策。由于增长了的投资降低了在位者未来的边际成本，所以这个资本投入使在位者的反应曲线向右移动。在更少的边际成本之下，在位者的最优策略是使生产率高于进入者，这就改变了博弈第二期的竞争性质，从而降低进入者的利润率。在投资的适当水平上在位者能够使进入者的预期利润率降至 0。当在位者和进入者的反应曲线在 B 点相切时，这种情况就可以出现（B 点位于进入者零利润的曲线上）。进入者的反应曲线不可能继续超出 B 点，因为这意味着负利润，这样就不如待在市场外。在位者通过增长投资的办法使其反应曲线进行了最优化移动，从而可置信地进行了进入威慑。在该模型中进入被威慑了的原因是进入者预期到如果进入市场，处于新反应曲线的在位者会表现得更强硬，生产一个更高的产量水平的产品。在这个预期之下，进入者预期到进入意味着亏损，也就会停留在市场之外。

95

练习5.3

如果进入发生，两个厂商就生产不同的产品，并在价格上进行伯特兰竞争。画出这种情况下的反应曲线，并解释在这种竞争之下，在位者的策略性资本投入如何达到进入威慑。

96 预先承诺的其他形式

迄今为止，我们已经考察了战略性资本投入如何能使在位者可置信地承诺将来的行为，从而达到进入威慑。在此，我们列出如何使在位者达到相同结果的其他可能途径。

研究和开发（Research and Development）。与资本投入一样，用于研究和开发的投入的增加能够减少未来的边际成本。如果它被预期到是成功的，它就可以可置信地改变博弈第二期中的竞争性质，那么这种期数之间的关联可以使在位者能以将来行为进行进入威慑。

广告（Advertising）。如果广告的影响是持久的，它就是可以作为预先承诺的一种形式，如果其影响是持久的，现期的广告投入就会影响未来企业的竞争。例如，进入者不得不追随在位者付出高的广告成本，以求有效地竞争，这增加了进入者的成本，所以可能实现进入威慑。

转换成本（Switching Cost）。转换成本是消费者转而使用另一家企业的产品时所要付出的成本。例如，它可能是由于多重消费或仅仅是不喜欢转变而付出的成本。在这种情况下，消费者往往愿意保持忠于原来的供应商，增长的销量巩固了一个企业的消费者基础。这样就会使进入者处于一个竞争的不利地位，从而实现进入威胁。与消费者订立长期契约和网络经济具有相似的结果。网络经济是消费者从一个产品中的得益越多，其使用该产品的消费者也就越多。显著的例子是电话或计算机网络。

干中学（Learning by Doing）。这发生于企业获得更多生产经验而成本减少时。现期生产率越高，成本收益的增值就越快，这样在位者就又一次有激励提高现期生产率，从而使未来成本降低。这样在位者会保证未来的竞争优势地位，也就实现了进入威慑。

5.2.3 不完全信息

即使博弈进行有限次仍可能是可置信的进入威慑的最后一种途径是引入进入者所面对的在位者类型的不确定性。例如，进入者可能不知道在位者的边际成本，或者不知道在位者的管理者是否从与进入者的抗衡中得到满足。这种情况下，进入者在博弈开始时不能确切地知道在位者在博弈结束后的得益。为了解释不完全信息如何带来可置信的进入威慑，我们讨论两个具体的案例。第一个是由 Milgrom 和 Roberts（1982a）提出的，它展示了如果有在位者成本的不确定因素出现时，限价就是一种理性行为。第二个由 Kreps 和 Wilson（1982a）提出的模型考察了当存在在位者有激励进行这样的挑战性行为的不确定性时，掠夺性定价可以实现进入威慑。

限价（Limit Pricing）

这里讨论的模型基于 Milgrom 和 Roberts 的简化版本模型，与 Fudenberg 和 Tirole（1986）的模型类似。假设在一个工业领域中只有一个在位者和一个潜在的进入者，进入者在博弈第一期观察在位者的价格策略，然后决定是否进入该工业领域并在博弈第二期即最后一期与在位者展开竞争。在位者有两种由自然决定的成本曲线，它们是以 $Prob_L$ 的概率出现的表示为 C_L 的低成本曲线和以 $Prob_H$ 的概率出现的表示为 C_H 的高成本曲线。假设只有当进入者知道在位者高成本时，或者高成本概率占有显著优势时才会进入。在这种情况下，在位者有激励表现出自己是低成本的，以此进行进入威慑。但是在这种发出的信号可置信时，进入者才会相信在位者有低成本。例如，要是在位者仅仅宣称它是低成本，那进入者根本不会相信。为了使信号是可置信的，该信号必须付出成本。Milgrom 和 Roberts 指出，限价策略可能是理性的，因为它是一种企业确实低成本的信号，它可置信的原因是没有高成本企业愿意采纳它。为了更具体地分析这种可能性，我们将分析该博弈的均衡，首先在完全信息的假定下分析，继而在引入了在位者成本不确定的情况下分析。

在完全信息之下，在位者的类型是博弈者的共同知识。如果在位者边际成本低，那么在博弈第二期进入者显然会停留在外，在位者从而在第一、二期都保持垄断地位。它等于($P_L^M \mid C_L$)且在位者利润现值为 $\prod(P_L^M \mid C_L) + \delta \prod(P_L^M \mid C_L)$，其中 δ 是贴现因子。如果在位者为高成本，那么进入者显然会在第二期进入。在此在位者将于博弈第一期实行垄断价格，因为在完全竞争之下难以通过限价来阻止进入，纳什均衡在第二期是两强垄断价格。该价格水平分别为($P_H^M \mid C_H$)和($P_H^D \mid C_H$)，在位者现期利润为 $\prod(P_H^M \mid C_H) + \delta \prod(P_H^D \mid C_H)$。在完全信息之下，该进入博弈的均衡非常简单。在给定假设之下，当在位者以 $Prob_H$ 的概率的边际成本高时进入者选择进入，当在位者以 $Prob_L$ 的概率的边际成本低时停留在外。

现在我们来看看不完全信息对博弈均衡的影响，现在假设只有在位者明确地知道自己成本曲线的类型。在这种情况下，进入者在博弈第一期就会尝试通过在

98　位者的行为揣摩他是什么类型。在这种发信号博弈（Signalling Game）中的贝叶斯均衡有两种类型，或者是混同均衡（Pooling Equilibrium）或者是分离均衡（Separating Equilibrium）。在混同均衡中，博弈者的类型不会通过行动表现出来，因为他们行动一致。在分离均衡中，他们的类型由于行动的不同而表现出来。在此我们首先聚焦于分离均衡，并排除混同均衡的可能性。这一点通过假设进入者基于初始的先验概率 $Prob_H$ 和 $Prob_L$ 希望在第二期取得正值利润而实现。该假设意味着在混同均衡中，进入者肯定会进入市场。然而在这个预期下，在位者有激励实行垄断价格。由于价格水平会随着在位者类型的不同而不同，所以也就不会有混同均衡存在。在接下来的分析中，我们假设在位者低成本的先验概率非常大，以至于任何均衡都必定是分离均衡。

　　在一个分离均衡中，在位者成本的特性完全暴露。为了使它成为均衡，一个高成本的企业不能冒充低成本企业，低成本企业也不能冒充高成本企业，这些条件要求均衡是"激励相容"（Incentive Compatible）。该要求限制了每种类型在位者的可选行动集。我们依次考察两种在位者的相关情况。

　　第一个条件，即高成本企业不允许冒充低成本企业，在下列不等式成立时实现：

$$\prod(P_H{}^M|C_H) + \delta\prod(P_H{}^D|C_H) > \prod(P_L{}^M|C_L) + \delta\prod(P_L{}^M|C_L) \qquad (5.1)$$

该不等式左边为高成本企业在其类型已在博弈第一期通过行动表现时的现期利润。如果真是这样，那么它将在博弈第一期索取垄断价格，在第二期纳什均衡为两强垄断价格。总的贴现后利润与完全竞争假设下得出的一致。不等式右半部是高成本企业在博弈第一期假装低成本的现期利润。P_L 是博弈第一期由低成本企业索取的价格。它在分离均衡中形成进入威慑。由于进入被威慑了，高成本企业将在第二期维持垄断价格。

　　同理，即低成本企业不允许冒充高成本企业，在下列不等式成立时实现：

$$\prod(P_L|C_L) + \delta\prod(P_L{}^M|C_L) > \prod(P_H{}^M|C_L) + \delta\prod(P_H{}^D|C_L) \qquad (5.2)$$

不等式左边是低成本企业在两期博弈中都按自身性质行事的现期利润。由于进入没有发生，在位者就通过在第二期实行垄断价格的方法来最大化其利润。不等式右边是低成本企业最初冒充高成本企业所得的现值。在此，它在第一期像高成本企业那样实行了垄断价格，进入没有被威慑，但在第二期进入者错误地以为它在与一个高成本在位者竞争，该在位者会把进入者这一可能错误的信念纳入考虑范围，来最大化其利润。

99　　上述不等式确定了这样一个范围，其中 P_L 一定是低成本在位者为产生分离均衡而设立的。它一般比低成本在位者在完全信息条件下制定的垄断价格要低。（练习5.4解释了这一点。）在这种情况下，低成本在位者采取限价策略。因为这是一个分离均衡，所以进入者正确地预期到在位者赖以作出价格决策的成本函数。这意味着进入者与确定条件下一样，要作出相同的进入决策。它以 $Prob_H$ 的概率进入市场，以 $Prob_L$ 的概率停留在外。如果限价对进入决策没有影响，就会引出一个问题，即为什么在位者在博弈第一期不制定垄断价格？答案是如果它这样做，高成本在位者就有激励假冒它。如果它发生了，预期到诡计的进入者可能进入市场，这样低成本企业的未来得益就会减少。在这种情况下，限价策略包括低成本在位者在博弈第一期降低价格，以此保证第二期的垄断价格。因此，在进入者可能已经错误认为在位者是高成本企业时，该限价策略能够实现进入威慑。

如果最终的均衡是混同均衡，上述结果就要被修正。正如我们前面讨论的，如果两个类型的在位者博弈第一期采取的行动相同，那么进入者对于它潜在的竞争者就一无所知。这意味着在混同均衡里，在位者一定得预期到如果进入市场可能会带来了负利润。与分离均衡相反，混同均衡中进入总是被威慑。博弈第一期的均衡价格再次可能被两个必要条件的使用所决定。这些基于这样一个事实，即每个类型的在位者都会选择均衡价格，而不是第一期的垄断价格。在这样一个均衡中，一般情况下高成本垄断者会降低他在第一期的价格，实行限价。通过制定这个与低成本垄断者相同的价格，进入被有效地阻止了，而在位者可以在第二期实行垄断价格了。

练习 5.4[*]

找出下面这个进行两期的博弈中低成本在位者的分离均衡行为。在位者的边际成本要么是 £ 4，要么是 £ 2。开始只有在位者知道其真实成本。进入者观察到在位者的第一期产量决策，并只在相信在位者为低边际成本时才在第二期进入市场。如果进入确实发生了，两个企业就进行古诺竞争，并且我们假设在这个博弈阶段，在位者的真实成本暴露了。价格 P 由下面这个等式确定：$P = 10 - Q$，其中 Q 是两个企业的总产量。最后设企业的贴现因子等于 0.3。

掠夺性定价

在不完全信息的第二模型中，假设进入者一开始不能确定在位者是否偏好与进入者斗争，即使斗争会给在位者利润造成损失。除了这个不确定性，该博弈与有限市场中的连锁店博弈完全相同。显然，如果在位者"不理性"的概率较大，那么进入威慑很可能被威慑。但 Kreps 和 Welson（1982a）说明，即使上述概率非常小，进入也可能在重复博弈的初期阶段被阻止，这意味着一个理性在位者会在博弈初期抵制进入。这与连锁店悖论相反。

进入威慑发生的原因在于理性在位者有激励在博弈早期假装不理性，这样在位者就建立一个"不理性"的声誉。这阻止了未来的进入，并提高了预期未来得益的现值。进入者知道在位者有这样一种激励，即不管它是什么类型，都会在博弈早期阶段抗击进入。因此，它们也就不会进入。当我们到达博弈的最后时，捍卫这一声誉的得益减少了。因为谋求未来利润的机会少了，随着离博弈末尾越来越近，一个理性的在位者会选择混合策略。另一方面，一个进入者也将采取混合策略。在这一阶段选取某个时间首次进入市场。如果进入被容纳了，显然在位者是理性的，那么进入在接下来的市场中就会发生。如果竞争带来一场价格大战，那进入者就会知道在位者是不理性的。这是根据贝叶斯理论得出的结论。进入者关于在位者不理性的预期增长意味着在位者"不理性"的声誉更值得保护了，这就增加了在位者未来抗击进入的可能性，从而延缓了未来的进入。在混合策略阶段，进入者抗击的概率随着假设没有进入发生而降低了。该贝叶斯完美均衡部分表现于图 5.5 中。

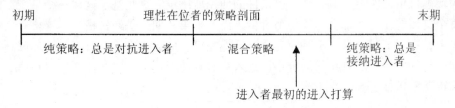

图 5.5　Kreps – Welson 模型的均衡

在无穷连锁店博弈中，进入最初被威慑不是因为在位者在进入前做了什么，而是因为潜在的进入者认识到在位者有抗击这种进入的激励。其结果是垄断者在没有进入发生时能随心所欲地最大化其利润。但是，当在位者采取掠夺性定价时，情况就不是如此了。在这些情况下，企业投资于一个能威慑进入的不理性声誉，它虽然使现期利润减少，却能使长远利益增加。

5.3　结　论

静态分析预见到，一个垄断者将通过采取边际成本与边际收益相等时的价格来最大化其得益。它有一个隐含假设，即有一条重要障碍阻止其他企业进入该市场，分享垄断者利润。如果这一假设放宽一下，那么在位者就有激励策略性地改变其现期行为以实现进入威慑的目标。对垄断者这一行为模型化的早期尝试由限价理论给出。其中垄断者提高现期产量，以求潜在的进入者相信剩下的市场不足以支撑任何其他的厂商。该理论的一个至关重要的假定是在位者即使在进入发生以后，也会保持该产量不变。本章已经论证该理论表示了在位者和进入者双方的不理性行为，所以应该被否定。博弈论已经帮助阐明该理论不足之处的各种情况。但是最近的博弈论模型已经提出了其他在位垄断者战略性地实行威慑的方法。这些模型是通过放宽限价理论模型的某些假设得到的。这样，引入无穷分离市场、预先承诺以及不确定性的模型已经证明其他有利可图的进入可能被阻止。这些模型在我们了解厂商随着时间的变化如何策略性地相互影响方面具有显著的进步。

5.4 练习答案

练习 5.1

从市场需求曲线我们可以写出进入者的剩余需求曲线为

$$P_R = 10 - 2q_E - 2q_I.$$

进入者的利润函数因此为

$$\Pi_E = (10 - 2q_E - 2q_I) q_E - 1/2 - 4q_E$$

$$\Pi_E = 10q_E - 2q_E^2 - 2q_I q_E - 1/2 - 4q_E$$

$$\Pi_E = 6q_E - 2q_E^2 - 2q_I q_E - 1/2.$$

微分并令其为零，我们得到进入者最大化的一阶条件

$$\partial \Pi_E / \partial q_E = 6 - 4q_E - 2q_I = 0$$

$$\therefore q_E^* = (6 - 2q_I) / 4.$$

正像所期望的，进入者产量的最佳水平依赖于在位者的产量水平。代入这个最佳产量水平 q_E^*，回到进入者的利润函数，我们观察到它的利润依赖于在位者的产量水平

$$\Pi_E = 6 (6 - 2q_I) / 4 - 2 \{ (6 - 2q_I) / 4 \}^2 - 2q_I(6 - 2q_I) - 1/2.$$

按照限价理论，在位者为了阻止进入将会提高它的产量水平使得 $\Pi_E = 0$，令前面的等式为零，我们得到

$$36 - 12q_I - 1/2(36 - 24q_I + 4q_I^2) - 12q_I 4q_I^2 - 2 = 0$$

$$\therefore q_I^2 - 6q_I + 8 = 0$$

$$\therefore (q_I - 4)(q_I - 2) = 0$$

$$\therefore q_I = 4 \ 或 \ q_I = 2.$$

在在位者生产其中任一产量时，进入者将会得到零利润，因而不会进入市场。比较在位者的这两个产量水平，当其选择 $q_I = 2$ 时利润更高，此时 $p = 6$，这就是限价策略。

如果在位企业期望最大化现期利润，那么其执行下列计算：

$$\Pi_1 = 10q_1 - 2q_1^2 - 1/2 - 4q_1$$

$$\therefore \Pi_1 = 6q_1 - 2q_1^2 - 1/2$$

$$\therefore \partial \Pi_1 / \partial q_1 = 6 - 4q_1 = 0$$

$$\therefore q_1 = 1.5 \text{ 且 } p = 7.$$

正像本书中描述的，限价策略使得在位者增加产量，因而降低价格。

练习 5.2

在图 5.6 的博弈扩展形式中，I 表示在位者，E 表示进入者，得益没有被表示出来，但有两个企业本期和未来利润的现值。为了使该图可操作，我们假设每个企业只有三种可选的产量水平。

103

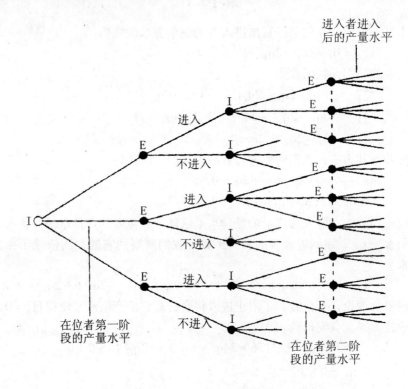

图 5.6

练习5.3

图5.7详细说明了当在位者与进入者生产不同产品且按伯特兰竞争进行价格战时他们的反应曲线，如第四章说明的，两条反应曲线都向上倾斜。如果一个企业希望另一企业提高价格，它就也得提高价格，利润在两个企业都是随着反应曲线相离越远而越高。在没有资本的战略性投入的情况下，初始的均衡在A点。在此进入者预期如果进入会得到正值利润，所以就进入市场。但如果在位者进行了资本投入，降低了未来的边际成本，它的反应曲线就会向左移动，在位者的最优策略是以更低的价格出售期产品，使其在任何水平下都比进入者出价低，这就减少了进入者的利润。在预期到在位者的战略性资本投入水平以后，进入者会预期到进入之后会获得零利润。所以停留在市场之外，在上图中，这一点以新均衡点B来表示。进入者的反应曲线在B点终止，因为在更低的价格水平上，它预期到会亏损，所以不会进入市场。

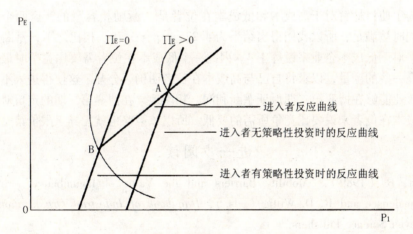

图5.7

练习5.4

为了找出分离均衡，我们采纳并应用不等式（5.1）和（5.2）于该模型。根据企业确立的产量，相应的不等式为

$$\prod (q_H^M | C_H) + \delta \prod (q_H^D | C_H) > \prod (q_L^M | C_H) + \delta \prod (q_H^M | C_H)$$
$$\prod (q_L | C_L) + \delta \prod (q_L^M | C_L) > \prod (q_H^M | C_L) + \delta \prod (q_L^D | C_L).$$

其中q^M和q^D分别是在位者像垄断者和像寡头一样行动时的产量，它们依赖

104

于它的成本。q_L是低成本在位者在博弈第一期的均衡产量。给定模型的这些细节，除了确定 q_L 时在位者的利润水平外，我们就可以找出上述参数的值。利用第4章中讨论的求解方法，我们得出下列结果

$$\prod\ (q_H{}^M \mid C_H)\ =9,$$
$$\prod\ (q_H{}^D \mid C_H)\ =4,$$
$$\prod\ (q_L{}^M \mid C_L)\ =16,$$
$$\prod\ (q_H{}^M \mid C_L)\ =15,$$
$$\prod\ (q_L{}^D \mid C_L)\ =9.$$

将这些值代入上述不等式我们得到

$$\prod\ (q_L \mid C_H)\ <7.5 \qquad \prod\ (q_L \mid C_L)\ >12.9$$
$$\therefore\ (10-q_L-4)\,q_L<7.5 \qquad \therefore\ (10-q_L-2)\,q_L>12.9$$
$$\therefore\ q_L{}^2-6q_L+7.5>0 \qquad \therefore\ q_L{}^2-8q_L+12.9<0$$
$$\therefore\ q_L>4.225\ 或\ q_L<1.775. \qquad \therefore\ 2.24<q_L<5.76.$$

为了使目标解对于高成本和低成本在位者是"激励相容"的，这两个条件必须同时被满足，所以我们得出结果为 $4.225<q_L<5.76$。相比之下，垄断者产量水平对于低成本企业来说等于4。因此一个低成本在位者需要比竞争时最优产量更高一些的产量，以求将自己与高成本在位者明确区分开。这使得进入不会发生且企业能够在博弈第二期保证垄断利润。相应地，在博弈第一期的定价对于一个低成本在位者来说要比竞争所需的要低。所以该策略也就无异于限价策略。

105

进一步阅读

Gilbert, R. (1989), 'Mobility Barriers and the Value of Incumbency', in R. Schmalensee and R. D. Willig (eds.), *Handbook of Industrial Organization*, i, Elsevier Science Pulishers.

Gravelle, H., and R. Rees (1992), *Microeconomics*, London: Longman.

Martin, S. (1992), *Advanced Industrial Economics*, Oxford: Blackwell.

Ordover, J. A., and G. Saloner (1989), 'Predation, Monopolization, and Antitrust', in R. Schmalensee and R. D. Willig (eds.), *Handbook of Industrial Organization*, i, Elsevier Science Publishers.

Tirole, J. (1988), *The Theory of Industrial Organization*, Cambridge, Mass.: MIT Press.

Wilson, R. (1992), 'Strategic Models of Entry Deterrence', in R. J. Aumann and S. Hart (eds.), *Handbook of Game Theory with Economic Applications*, New York: North-Holland.

▼
▼
▼

第六章

新古典主义宏观经济学 106

在前两章我们考察了博弈论如何被应用于将个体企业的行为模型化，它们本质上是微观经济学博弈。在本章和下一章中我们将展示一系列宏观经济学模型。本章我们分析新古典主义经济学模型，它们基于完全竞争和理性预期的核心假设而建立。我们将给这些模型以博弈论的解释，并证明它们如何改变以前模型的结果。有人认为着眼于最优政策制定的宏观经济学模型可以被看作是政府和私人部门之间的博弈。从这个视角来看，认为博弈双方都会尝试和预期另一方的行动并作出最优回应，就是顺理成章的事了。新古典主义宏观经济学和新凯恩斯主义宏观经济学都尝试以排除政府和私人部门不理性行为的方式，来引入这种视角。在代理人确定其预期的方式上，这两个经济学流派都采用了理性预期假设（Rational Expectations Hypothesis）。

理性预期假设最初由 Muth 在 1961 年提出。内容为："由于预期是对未来的事件作出的展望，所以它们本质上与相关的经济学学说作出的预期一致。"在这个关于理性预期假设的强解释版本中，代理人对经济变量的预期与相关经济学理论所得出的相同，它取决于代理人目前所能得到的信息。理性预期假设的论点假设：不仅个体能最大化运用其手中的信息，而且正确的经济模型尤其是博弈者的共同知识。这样，代理人会运用他们对经济模型的正确知识来修正他们的预期，这并不是说个体的预期总会被证明是对的。如果存在对经济的随机冲击，代理人的预期就会不可避免地出错。上述观点实际是说在平均水平上，预期会是对的。理性预期学说假设这些错误没有规律。如果代理人真的会有规律的犯预测错误，那么他们一定有激励去改变自己作出预期的方式。这个过程会一直持续到代理人的预期最终收敛到理性预期上时为止。实际上理性预期假设的强解释版本假设上述认知过程已被完成。理性预期假设的一个弱解释版本是转而假设代理人只以最优途径来使用他们手中的信息。在这种表述下，代理人可能仍需认知经济的正确 107

模型，比如认识经济的结构或一些特定的参数值。尽管理性预期假设强解释版本具有一些极端性质，它仍然是新古典主义宏观经济学和新凯恩斯主义宏观经济学的典型假设。

在采用理性预期假设方面，新古典主义宏观经济学强调了这样一个因素，即先前模型的结果依赖于代理人的主观预期。特别是新古典主义宏观经济学显著地修正了关于政府经济政策以前模型的预期。为了证实这些进步，我们首先考察两个具体的例子。第一是需求政策在稳定经济中的作用，它在 6.1 节中被论述。在那里我们给出新古典主义经济学政策的中性结论，即一种有规律的需求管理政策对实际变量，比如对产量和就业量没有产生作用。第二个例子是政治商业周期的特征，论述于 6.2 节。该节我们给出一个新古典主义经济学结论：即政府长期的最优货币政策会存在时间不一致性，其结果是经济受到通货膨胀偏倚的影响。在 6.3 节中我们研究时间不一致性如何能被规避。在这个对新古典主义经济学政治商业周期的讨论中，我们要关注与政策中立结论相反的一个论点——由于不完全信息，有规律的需求管理可以对实际变量产生短期影响。

6.1 稳定化政策

新古典主义经济学的特征是两个核心假设。一是所有市场上都存在完全竞争，特别是所有私人部门的代理人都是价格接受者，并且市场能够即时出清。该假设说明私人部门的代理人互不依赖，但政府和私人部门各自作为一个整体相互依赖。另一个核心假设是代理人理性地确定其预期。在早期的新古典主义经济学模型中，诸如 Lucas 在 1972 年、Sargent 在 1973 年和 Sargent、Wallace 在 1975 年构建的模型，其得出的主要结果就是一个名义需求的冲击只有在未被预期到时，才会影响经济实际变量。如果一个需求冲击被预期到了，那么代理人就会立即调整工资和价格使得实际经济变量不会改变。这个结果如图 6.1 所示。

在图 6.1 中，价格总水平（P）和国家实际收入（Y）在总需求与总供给相等时被确定。总需求曲线（AD）被假设为向下倾斜，这是由于实际平衡的影响。由于价格水平下降了，所以实际货币供应量增加了，对商品和服务的总需求也相应增加。对于供给方一边，该图清晰地区分了长期和短期总需求曲线，当代理人正确地预期到价格为 P^e 时，经济就处于长期均衡，即 $P^e = P$。在这种情况下所有实际因素都被假定为在其正常值上。这表明长期总供给曲线（LRAS）垂直过正常产量点（Y^N）。实际变量只有在对价格的预期不正确时才会偏离其正常值。该图又给我们一条短期总供给曲线（SRAS）。它被假设为向上倾斜。如果价格水平比预期的高，企业就会提高产量，从而实际国家收入就会上升。这类供给曲线被

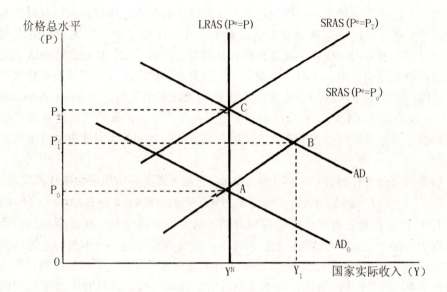

图 6.1　新古典主义经济学模型中的需求震动

称作"卢卡斯供给曲线"（Lucas supply curve）。最后，该模型假设代理人以理性预期假设来确定其预期。图 6.1 表示了一个正的需求冲击产生的影响。

　　首先假设经济处于 A 点的长期均衡中。此时价格水平为 P_0，现在假设总需求增加，在图中表示为总需求曲线由 AD_0 上升到 AD_1。这可能由于政府扩张了其财政政策或是货币政策，或是其他外因冲击。它对经济产生的影响依赖于该冲击是否被预期到。如果该冲击被预期到了，那么代理人会在总需求上升的同时调整其预期。在这种情况下，对价格水平新的预期为 P_2。因为这是唯一符合长期均衡的价格水平。由于总需求曲线向上移动了，所以短期总供给曲线在同一幅度上向上移动。价格水平上升到 P_2。而其他变量保持其正常值。这时经济从 A 点转移到 C 点。被预期到的需求冲击无论在长期还是在短期都对实际变量没有任何影响。另一方面，如果需求冲击没有被预期到，那么代理人的预期不会立即被调整。在对价格水平的预期仍为 P_0 的情况下，经济中短期供给曲线会从初始状态向上移至 B 点，而产量扩大到 Y_1。代理人只有在发现总需求上升之后才会调整他们的预期，然后实际变量才回归其正常值。在没有持续影响阻止实际变量调整的情况下，当代理人认识到总需求上升到 AD_1 时，经济将转向 C 点。与被预见到的冲击相反，未被预见到的需求冲击使得实际变量暂时偏离它们的正常值。

　　这是新古典主义经济学的核心结论，即只有未被预期到的需求冲击才能影响实际变量。这个结论被用来挑战凯恩斯主义经济学的观点，即政府能用有规律的需求政策来稳定经济。这种政策在新古典主义经济学模型中一定无效率的原因是：如果它们被采用，代理人就能预期到被政策引起的需求，从而将这种认识应用于对价格的预期当中。在理性预期下，任何有规律的需求政策都将被充分预期到，所以就不会对实际变量产生影响。这被称为政策中立结论（policy neutrality result）。政府的稳定化政策在这些模型中，只有在代理人的预期出错时才会产生实际影响。上述结果可以用下面这个政府与私人部门之间的无穷次重复政策博弈来证明。

假设国家收入在博弈第 t 期时为 (Y_t)，它被下面的卢卡斯供给曲线所决定

$$Y_t = (1 - \lambda) Y^N + \lambda Y_{t-1} + \beta (M_t - M_t^e) + \varepsilon_t; \ 0 \leqslant \lambda \leqslant 1 \ \text{和} \ \beta > 0, \qquad (6.1)$$

其中 Y^N 是产量正常值，M_t 是在博弈第 t 期的货币供给量，M_t^e 是第 t 期的货币预期供给量，ε_t 是对产量随机的需求冲击，这种随机的需求冲击被假定为均值为零和序列不相关的。因此，博弈者在任何一期对这些冲击发生可能性的预期值都被设为0。式（6.1）与新古典主义经济学的观点一致，即只有未被预期到的需求冲击才会对实际变量产生影响。特别是该式表明，如果货币供应量高于预期值，它会对产量产生正的影响。我们进一步假设，基于持续的影响，产量会逐渐调整回它的正常值，调整的速度取决于规模 λ。如果 $\lambda = 0$，那么就没有持续影响存在，当预期正确时产量会立即回到它的正常值上。如果 $\lambda = 1$ 那么就不会有这种调整存在，所以当预期正确时，产量与上一期相等。

政府和私人部门的策略变量分别为货币供给及其预期值。应特别注意在每期博弈分析开始时，当 ε_t 被观察到之前，政府会确定其供应的货币值并对其进行完全控制，与此同时，私人部门确定其对货币的供应预期，从而确定其在该期博弈中的工资和价格水平。本期之前博弈中所有的变量都被政府和私人部门观察到。

让我们来确定每个博弈者的得益。假定它们有如下的效用函数，政府的效用等于 $V_t^G = - (Y^N - Y_t)^2$，在这个效用函数之下，政府要最小化得益偏离正常值的幅度。而私人部门的效用函数等于 $V_t^P = - (M_t^e - M_t)^2$，因此私人部门目的是最小化货币供给预期的错误。

虽然政府有激励将得益尽量稳定于其正常值之内，但是在本博弈中，只有代理人非理性并且犯下有规律的预期错误时，这种情况才会发生。为了说明上述结论的真实性，我们首先假设代理人采用了一个非理性的预期，比如说假设代理人采用了一个自然预期，认为博弈中本期货币供应量下货币值与博弈上期相等，即 $M_t^e = M_{t-1}$，在这个自然预期下，式（6.1）可被写为

$$Y_t = (1 - \lambda) Y^N + Y_{t-1} + \beta (M_t - M_{t-1}) + \varepsilon_t \qquad (6.2)$$

为了最大化其效用，政府将把货币值定在使产量的期望值等于其正常值的水

平上。从式（6.2）中可知，该产量的期望值等于

$$E(Y_t) = (1-\lambda)Y^N + Y_{t-1} + \beta(M_t - M_{t-1}). \tag{6.3}$$

令其等于 Y^N 并整理，我们得到下边这个最优货币供应规则：

$$M_t = (\lambda(Y^N - Y_{t-1})/\beta) + M_{t-1}. \tag{6.4}$$

已知 λ 大于 0，当产量低于正常水平时，政府将增加货币供应量；而产量高于正常水平时，政府就减少货币供应量。该等式与积极的需求政策含义相同，该政策中，货币的供应量也是取决于一个依赖于博弈上期中产量的最优反馈规则。将式（6.4）代回式（6.1），我们得出政府采用最优货币政策时产量变化的轨迹，在上述假设之下，产量等于

$$Y_t = Y^N + \varepsilon_t. \tag{6.5}$$

等式（6.5）描述，在自然预期下，政府完全可以将产量稳定于其正常水平，除非博弈期内出现了经济震荡。该等式证实了凯恩斯的观点，即政府可以用积极的需求政策将经济向好的方向调整。但是，新古典主义经济学的观点是：这个结论依赖于一个条件，就是代理人作出有规律的——因而可以预见的——预期错误。比如，要是政府根据凯恩斯主义经济学说，按式（6.4）制定其货币政策，那么私人部门的预期错误就会等于

$$M_t^e - M_t = -\lambda(Y^N - Y_{t-1})/\beta = -\lambda\varepsilon_{t-1}/\beta. \tag{6.6}$$

由于我们假设代理人能够观察到上一期随机的需求冲击 ε_{t-1}，那么一般来讲，这种预期错误的期望值不等于 0。既然可知私人部门会有意犯有规律的预期错误，采用自然预期就意味着私人部门在非理性行动，因为这样不会最大化其效用。理性使代理人认识到：政府会为了稳定经济而操纵货币供应，这会影响代理人的相应预期。私人部门避免作出有规律的错误预期的唯一途径是：采用理性预期。顾名思义，理性预期是唯一能确定与博弈中理性相符的预期的方法。虽然采用理性预期是私人部门的最优策略，但它也意味着有规律的货币政策不会再对现实变化产生影响。这就是新古典主义经济学的无效率结果。如果有最佳政策规则，那么私人部门就将根据该规则确定其预期，因而其预期总会被证明是正确的，在这种情况下，产量轨迹以下面等式表示

$$Y_t = (1-\lambda)Y^N + \lambda Y_{t-1} + \varepsilon_t. \tag{6.7}$$

将式（6.7）与式（6.1）作比较，我们可以清楚地看到货币政策现在已经对产量没有影响了。因而稳定化政策也就无用武之地。基于这个政策中立结论，新古典主义经济学家假设政府的货币政策不会将实际变量定为目标，比如产量和失业率；但是它会将一些名义变量定为目标，比如通货膨胀率。进一步讲，为了使货币供给尽可能地可预期，这些经济学家们主张政府应当采用一个简单而固定的政策规则。因而，上述论证可以被用来证实 Milton Fridman 在 1968 年提出的

主张，即应当允许货币供应以一个固定的比率逐期上涨，并且政府应当放弃稳定经济的尝试。该政策研究结论在练习 6.1 中被进一步论证。

练习 6.1

（1）画出课文中描述的稳定政策博弈的扩展形式。

（2）新古典主义经济学家主张该模型支持了这样一个观点，即政府应当放弃稳定政策，并且保持一个恒定的货币扩张比率。解释为什么该政策建议在一般情况下不是该博弈的纳什均衡。

（3）解释为什么如果政府能在代理人作出对货币供应的预期前预先承诺其货币政策，本练习（2）中的政策建议就能成为一个纳什均衡，这种可能性会如何改变（1）中的博弈扩展形式？

112 　　正如我们上面讨论的，新古典主义经济学政策中立结论与凯恩斯主义经济学家关于需求政策影响的预期相反。在凯恩斯主义经济学模型中，有规律的需求政策能够影响实际变量，在这种成效的基础上，我们通常假设政府以需求政策将经济稳定于充分就业的水平上。早期的凯恩斯主义经济学模型假设代理人具有非理性预期，从而证明了上述观点。不过我们应该认识到，代理人会对政府需求政策作出最优反应的假设违反了它自身的结论，即这种政策不会对实际变量产生影响。在此我们讨论能使需求政策有效率的几种方法，前提还是假设代理人都理性行事。

　　信息优势（Information advantage）

　　使有规律的需求政策能够影响实际变量的一种途径是允许政府具有信息优势。信息优势的一个例子是政府能够比私人部门更快地观察到经济运行中出现的事件。在这种情况下，如果没有政府干预，经济会在代理人正确认识相关冲击并相应调整其工资和价格之前，一直偏离长期均衡。政府有了这种信息优势，就能比私人部门更快地消除外来冲击的影响，从而促使经济回到长期均衡上来。这样，稳定政策就再一次发挥效力。新古典主义经济学对这个观察的典型反应就是质疑为什么政府不与私人部门共享信息优势。这样政府就可以避免被迫实行反周期需求政策，将回到长期均衡的调整任务留给市场力量。但 Howitt 在 1981 年的著作中却认为，让私人部门获知全部相关信息的成本太高，在这种情况下，更有效率的做法倒是政府收集有关数据，并运用适当需求政策来对这些数据作出回应，以此来稳定经济。不过我们必须看到，只有在政策对任何新的信息作出迅速正确的反应时，上述观点才能成立，如果经济中的事件具有不确定性，而政策贯彻时落后了，政府的需求政策就可能造成经济的不稳定。

不完美工资和价格调整（Imperfect wages and price adjustment）

稳定政策博弈中的政策中立结论，通过假设一条卢卡斯供给曲线而被描述。在这种供给曲线存在的条件下，只有未被预期到的总需求中的变化才能影响实际变量。然而，这种供给曲线只有在市场连续出清下的完美工资和价格调整存在时才是正确的。而在不完全工资和价格调整之下，即使预期被理性作出，名义需求冲击也会再一次产生实际影响。这种可能性已被 Gray（1976）、Fischer（1977）、Phelps 和 Maylor（1977）命名，在这些模型中。要么是工资、要么是价格会在其应用的前一期被确定。一旦工资和价格被确定下来，总需求政策就又可以对实际变量产生暂时影响，并可能被用来消除对经济的需求冲击的影响。新古典主义经济学对这些模型的质疑是：为什么不完美工资和价格调节会存在？因为在经典模型中这种不完美就意味着代理人没有完全采用最优策略，因而他们应被看作不完全符合理性假设。新凯恩斯主义宏观经济学尝试以构建其中不完全工资和价格调整的行为符合理性的模型来弥补上述批判中的缺陷，其中的一些将在下一章被考察。

认知（Learning）

用来证明政策中立结论的博弈也应用了对理性预期学说的强解释版本。它假设代理人作出预期时知道并会应用当前经济的正确模型，但是它忽视了代理人如何获取这些知识的问题。对理性预期学说的弱解释版本是说代理人作出预期时，只需最大化运用其能够得到的信息即可。该弱解释版本并未假设经济的正确模型是博弈双方的共同知识。如果个体关于经济结构或某些参数值的信息是不完美的，那就需要一个认知过程。只要代理人的预期是内生的，上述认识过程最终并不总是收敛经济的正确模型。即使这种归结已经被保证了，在代理人了解该经济模型的真正特征之前，有规律的需求政策也能够对实际变量产生影响。再次，政策中立结论不再正确，即使所有代理人理性行动。

已经被引入宏观经济学政策博弈的一种特殊形式的不确定性是关于政府得益的不确定信息。在这些模型中，私人部门不确定哪一种政府在掌权，这种不确定性将再一次使得被预见到的需求政策影响实际变量。这种理念构建起了新古典主义经济学商业周期的基础，并将在 6.3 节中被考察。

多重均衡

即使代理人采取理性行动政策政策中立结论仍可能不正确的最后一个原因是：博弈中可能存在多重理性预期均衡。在多重均衡之下，很多预期都会是自我满足因而是完全理性的。在某些这类均衡中，需求政策就可能影响实际变量，这种可能性已为很多新凯恩斯主义经济学家所研究发展，并将在下一章中被考察。

6.2 政治商业周期

上一节介绍的稳定政策博弈中，政府的目标是将经济稳定于长期均衡水平上。但是，人们早就认识到，政府最感兴趣的可能是政治目标而不是经济目标。从这个角度来讲，政策制定者会用经济工具来达到其政治目标。确认这一点的一条途径是由 Nordhaus（1975）提出的。在该模型中，政府运用货币政策来影响经济状况，并以此确立其声望。Nordhaus 模型的预期是政府会刚好在大选前改善经济状况。政府这样做是希望收买民心，并为即将到来的大选赢得更多的选票。大选之后，政府将一反常态紧缩总需求。也正是由于政府执政期间总需求的这种紧缩和扩张，使得政治商业周期产生。在此前我们从博弈论的视角对这个模型进行一个批判的考察。最基本的批判是该模型的预期又一次依赖于选民的非理性预期。如果选民努力避免犯有规律的预期错误并采用理性预期，该模型的结果就是不会再出现政治商业周期。在 6.3 节中一个被采用的对该模型的版本是，通过引入理性预期，该模型得出的是新古典主义经济学的政策结论。特别是，如果政府能自由选择其货币政策，那么它的最优长期货币政策就会具有时间不一致性，而且经济会经历通货膨胀偏倚。

Nordhaus 的模型可以被表现为下面这个在政府与选民之间进行的无穷重复博弈。政府的目标很简单，就是在下一次大选中赢得多数选票从而继续执政，而它所能赢得选票的多少取决于其执政下经济的发展水平，它是由通货膨胀率 $\overset{\circ}{P}_t$ 和目前的失业率 U_t 决定。我们假设支持现政府的选票比例以下列等式表示

$$V_t = c - d\ (\overset{\circ}{P}_t)^2 - e\ (U_t - U^*)^2;\ c,\ d,\ e \geq 0 \tag{6.8}$$

该等式在图 6.2 中表现为一系列无差异曲线。

在每条无差异曲线上，执政政府的得票率都是固定的，在该图中，每条无差异曲线都以如果马上举行大选执政政府的得票率标志。政府在通货膨胀率为 0 且失业率处于其最优水平 U^* 时最受欢迎。这一点被称作幸福点（bliss point），并在图 6.2 中以 BP 点来表示，经济离 BP 点越远，执政政府就越不受欢迎，它在大选中得票率就越低。这些无差异曲线反映了政府的选择。

由于政府能控制货币供给，所以我们假设政府能够决定通货膨胀率和失业率，并由两个因素控制，即预期扩大的菲利普斯曲线和选民对目前通货膨胀率 $\overset{\circ}{P}_t$ 的预期。预期扩大的菲利普斯曲线与 Milton Frideman（1968）提出的一致，以下列等式表示。

$$\overset{\circ}{P}_t = a - b\ U_t + \overset{\circ e}{P}_t;\ a,\ b > 0 \tag{6.9}$$

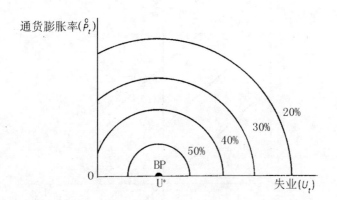

图 6.2　政府的无差异曲线

该等式符合新古典主义经济学的结论，即只有未被预期到的货币政策才会对实际变量产生影响。当预期正确时，经济将处于长期均衡且失业率将保持在正常水平，令式（6.9）中 $\dot{P}_t = \dot{P}_t^e$ 并整理，我们得出正常失业率 U^N 等于 $a/b > 0$。由于市场的不完美，我们假设失业率的正常水平高于其最优水平即 $U^N > U^*$。如果政府出其不意地增加货币供应量，那么通货膨胀率会上升而失业率会下降。在式（6.9）中，当通货膨胀率高于预期值时，失业率就会低于预期值；相反，如果政府出其不意地降低货币供给量，通货膨胀率会下降而失业率会上升。从式（6.9）中再一次可以看出当通货膨胀率低于预期值时，失业率就会高于预期值，该预期扩张的菲利普斯曲线如图 6.3 所示。

当预期正确时，经济就会处于长期菲利普斯曲线（LRPC）上，此时失业率处于正常水平，因此长期菲利普斯曲线将垂直通过该值所在点。短期菲利普斯曲线表示了对通货膨胀率的不同预期，并因上述原因而向下倾斜。当对通货膨胀率的预期值等于其实际值时，长期曲线与短期曲线相切。

对政府的第二个约束是选民对通货膨胀率的预期。Nordhaus 作出了一个简化假设，即选民采用自然预期，即认为博弈本期的通货膨胀率与上期相等，即 $\dot{P}_t^e = \dot{P}_{t-1}$。在这个选民如何确立其预期的假设下联立式（6.2）式和式（6.3），我们可以得出 Nordhaus 的政治商业周期，如图 6.4 所示。

116

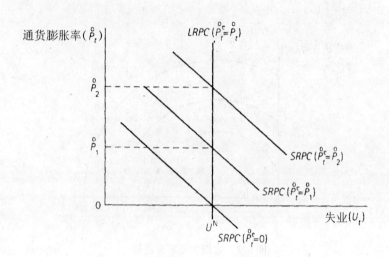

图 6.3 预期扩张的菲利普斯曲线

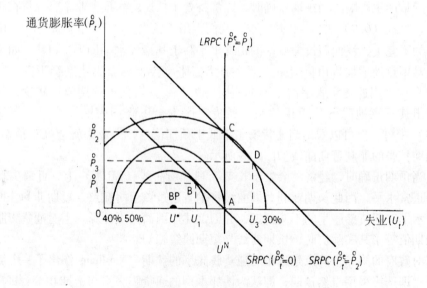

图 6.4 政治商业周期

设经济起初在 A 点，这时政府面临着即将到来的大选。在 A 点经济处于长期均衡，其通货膨胀率为零。从通过 A 点的无差异曲线我们可以看出，现在 40% 的选民会投执政府的票。但是，如果政府出其不意地增加货币供应，就会提高自身的得票率。在预期没有变化的情况下，货币供给的增加将使经济移动到过 A 点的短期菲利普斯曲线上，在给定的这条短期菲利普斯曲线上，政府能得到的最高得票率为 50%，即短期菲利普斯曲线与一条无差异曲线相切时。政府为了提高其得票率，会刚好在大选之前制造通货膨胀，经济因此移动至 B 点，此时失业率降至 U_1 而通货膨胀升至 $\dot{P}_1$。但是 B 点并不是一个长期均衡，因为在该点通货膨胀率高于预期水平，选民随后就会观察到通货膨胀率的上升并调整他们的相关预期，这种调整使得短期菲利普斯曲线向右移动，通货膨胀进一步提高而失业率回到其正常水平。这个过程会持续到经济回到长期均衡 C 点上。失业率重新正常水平而通货膨胀率等于 $\dot{P}_2$，在通货膨胀率和失业率同时提高的情况下，政府的被支持率会降低。在 C 点政府只能得到 30% 的选票。为了提高得票率并保证在下一次大选中的胜利，政府必须降低通货膨胀率，因此政府改变了目前的扩张货币政策并减少货币供应，这样通货膨胀率会下降而失业率会高于正常水平。经济沿着短期菲利普斯曲线移动到 D 点，D 点也不是长期均衡点，因此此时通货膨胀率低于预期值。由于预期改变了，所以短期菲利普斯曲线会向左移动。通货膨胀率进一步降低而失业率回归到其正常水平，经济回到 A 点。上述过程在下一期大选来临时又会重演。

从单独一届议会的生涯中，我们可以看到下列事件依次出现：政府开始采用紧缩的货币政策，减少了通货膨胀并提高了失业率，在大选来临时政府就一反常态，使得通货膨胀率上升，失业率下降。这些总需求的紧缩与扩张引发了经济围绕其正常水平的波动，因而，在这个模型中，政府是在操纵经济政策来为其政治目标服务，并引起了政治商业周期。

虽然该模型对商业循环作出了一个有趣的解释，而且从直觉上看具有一定的道理。但从博弈论的角度来看，它有值得批判的缺陷，因为它所假设的选民们的行事方式远离理性。在大选之前，他们总会惊讶于政府提高货币供给量的政策，即使模型本身已经给出了该结果！同理，在每届议会存在期间，选民们总是惊讶于减少货币供给量的政策。即使模型已经又一次给出了政府这样做的必然性！选民的预期与模型本身的预期不符。进一步说，选民好像对过去的经验没有记忆似的，模型不是让选民理性地从最大化其自身效用的角度得出预期，而是仅仅假设他们有自然预期，正如在稳定政策博弈中一样。上述假设就意味着选民会作出有规律因而可预期的预期错误。如果代理人有激励去正确预期通货膨胀，自然预期就会是非理性行为。

从博弈论角度看，自然预期这个假设不可能构成子博弈完美纳什均衡。实际上，Nordhaus 假设选民们听信了政府维持现有通货膨胀率的承诺，但是这个承诺是不可置信的。因为如果私人部门听信了这个承诺，那么政府就有激励背信弃义。为了使该博弈的解满足子博弈完美，选民们必须采用一种能够避免可预见到的预期错误的方式来作出预期。当选民们采用理性预期时，这一点就可以做到。这就表明在经济的正确模型成为共同知识的条件下，不会有政治商业周期存在。下面的论述可以证明这一点：在均衡中，政府没有激励实施一个选民预期之外的通货膨胀，如果它有这个激励，也会被选民所预期到而修正他们的通货膨胀预期，这意味着最初的状态不会是一个均衡；因而在均衡中，政府的货币政策应该被完全观察到，因而所有实际变量维持在其正常水平。这样货币政策就不会对实际变量产生有规律的影响，也就不会有政治商业周期的存在。Nordhaus 的模型不可接受的原因就在于它假设选民非理性行动，而且模型的预期不是子博弈完美的。

再次引入政治商业周期可能性的一种方法是假设代理人具有不完全信息。最近经济学家们以这种方法构建了新古典主义经济学的政治商业周期模型，这些模型将在下一节的最后讨论，在讨论它们之前，我们先来探讨一个重要概念：时间不一致性。

6.3 时间不一致性

在新古典主义宏观经济学中，如果预期正确，经济就固定在长期均衡中。只有在短期，代理人的预期才会不正确。这种区分使政府最优长期（long‐run）政策可能不同于其最优短期（short‐run）政策。政府的最优长期政策是在代理人预期正确的限制条件下作出的。但在短期，政府可能就有激励实施一个不被预期到的政策冲击，这将导致代理人预期的暂时性错误。当政府有这种激励时，我们就说长期均衡将具有时间不一致性。因此，当政府有激励短期偏离最优长期均衡的时候，该最优长期均衡就具有时间不一致性。如果私人部门拥有完全信息，他们就会预见到这种政策冲突，也就会理性地预见到政府从最优长期政策的偏离。只有在一个具有时间一致性的政策之下，政府才没有偏离的激励，从而预期也就会被证明是正确的，所以如果是一个代理人理性预期的经济，其均衡里政府必须实行具有时间一致性的政策。如果政府的最优长期政策具有时间不一致性，它就不可能是一个均衡。这意味着在均衡中，政府的状况一定会变糟。要是政府能够说服私人部门相信它总是会维持最优长期政策，就会得到更高的收益。但是，在偏离最优长期政策的激励之下，在对政策选择的自由之下，这是不可能的。私人部门总能预测到这种偏离，所以最优的长期政策不再可行。这样我们又得出了一个囚徒困境的例子，其中政府状况会变糟，因为它不能保证自己总是实行最优长期政策。

考虑时间不一致性的另一种方法是将其视为政府与私人部门之间进行的一个动态博弈。其中政府努力影响私人部门的预期。从这个角度，Mankiw（1992）将时间不一致性定义为"政策制定者预告其政策以影响私人部门预期，并在这些预期形成和被采用后，实施与其预告不同的政策的倾向。"从这个定义中我们可以用图6.5中博弈扩展形式表述时间不一致性的概念。

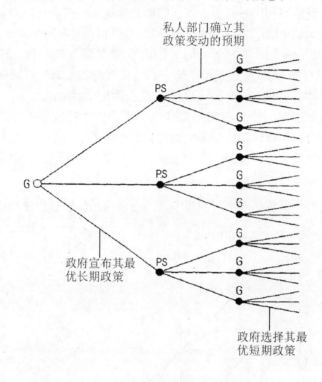

图 6.5　时间不一致性

在这个博弈中，政府首先宣布其最优长期策略来影响私人部门的预期。他们假设私人部门将预见这个最优政策并按此行动。获知政策意图后，私人部门开始确定其预期，当然他们对政府的政策公告有选择相信与否的权利。最后政府看到 120 私人部门的预期及由此采取的行动之后，据此实施能够最大化其本身得益的政策，该政策在私人部门作出的实际决策上确定。如果长期政策被私人部门相信，那么它就具有时间不一致性，政府就有激励偏离它。长期最优政策只有与短期最优政策相同时，才具有时间一致性。如果私人部门理性行动，我们就能用逆向归纳原理解出这个动态博弈。利用该原理我们可以预见到政府的短期最优政策，并看到政府有激励背离其所通报的任何具有时间不一致性的政策。在这个推理基础上，政府就不会对私人部门的预期施加任何影响，所以它可能就会通报具有时间一致性的政策。也就是说政府不会再预告如果被采信政府还会有激励偏离的政策。因而具有时间一致性的政策是该动态博弈子博弈完美纳什均衡。其中只有可置信的威胁和承诺被作出和采信，采用一个具有时间不一致性政策的承诺是不可置信的，所以也不会被采信。

新古典主义经济学家利用时间不一致性的概念来主张：自由选择的货币政策会导致一个帕累托无效率的结果，其中经济显示出通货膨胀偏倚（inflationary bias）。这个结论可以用一个修正的 Nordhaus 的商业周期模型来解释。该模型将6.2 节中介绍的模型作下列改变而获得。第一，假设政府确实对经济目标本身而不是政策结果感兴趣，特别是式（6.8）现在代表政府效用函数，基于这个等式，政府如果使通货膨胀率和失业率偏离其最优水平，它的效用就会减少。第二，假设私人部门根据对理性预期假设的强解释版本来确定其预期，这样代理人会正确预期到本期经济模型，并理性应用现有的全部可获得的信息去确定他们的预期。第三，这个政策博弈被假定为仅进行一次，而不是无数次，这个假设条件随后被放宽，以便我们分析重复货币政策的影响。该一次性政策博弈如图 6.6 所示。

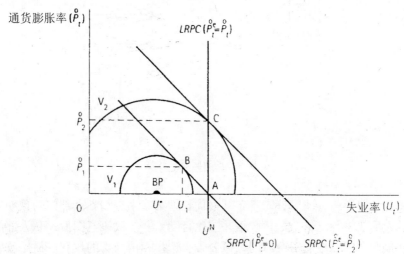

图6.6 自由倾向政策更容易导致通货膨胀

图 6.6 表示了政府选择的无差异曲线，以及短期和长期的菲利普斯曲线。从长期角度来说，私人部门的预期将是正确的，所以失业率一定会保持在正常水平上。这种情况下的长期菲利普斯曲线会对政府货币政策产生相关制约，面对这种

制约，政府会以零通货膨胀率来最大化其效用，因此政府的长期最优政策如 A 点所示。但是，在短期内，私人部门的预期可能不是正确的。私人部门如果相信政府将采用长期最优策略，它就会预期通货膨胀率为零。相关制约就是短期菲利普斯曲线一定要通过 A 点。在这个条件下，政府会用出其不意地实行通货膨胀来增加其收益，当与无差异曲线与短期菲利普斯曲线相切时，政府的效用最大化。政府的短期最优货币政策是将通货膨胀率增至 $\dot{P}_1$ 来使得失业率降至 U_1，在图 6.6 中表现为 B 点。在这种制造突如其来通货膨胀的激励下，最优长期货币政策显然具有时间不一致性。结果是无论政府对其长期货币政策作出什么承诺，私人部门都不会相信。"通货膨胀率为零"是一个不理性的预期。私人部门的理性预期应该是看到政府会采用使其得益函数最大化的政策。在均衡中政府应该无激励改变其货币政策，而对它的预期也一定是正确的。这种情况会发生于无差异曲线与相应短期菲利普斯曲线相切且在长期菲利普斯曲线上方的时候，只有 C 点满足这个条件。在该点政府没有激励改变其货币政策，且私人部门的预期也是正确的，该点正是这个一次性博弈的纳什均衡点，在均衡中，失业率处于正常水平而通货膨胀率等于 $\dot{P}_2$。与 A 点上的长期最优货币政策相比，通货膨胀率上升了，但失业率并没有相应下降，因此我们说经济会经历一个等于 $\dot{P}_2$ 的通货膨胀偏倚，这个通货膨胀偏倚减少了政府的效用也没有给私人部门带来收益，所以最后的结果是帕累托无效率的。

从上面的分析中可以看出，政府自由选择的货币政策可能带来帕累托无效率的结果和通货膨胀偏倚。对该结果作出的一个普遍的新古典主义经济学结论是：政府应当放弃自由政策转而实行固定的政策规则。这样我们就可以期望政府能够切实履行维持长期最优政策的承诺，而有效避免时间不一致性带来的消极结果。但是，这不是政府规避时间不一致性问题的唯一途径。下面我们讨论解决该问题的这种及其他途径。

6.3.1 预先承诺（Precommitment）

练习 6.2 中第一种假设符合这样一种情况：政府能够在私人部门作出预期之前，有效地承诺自身会采取其中某种特定的货币政策。如果政府能够可置信地承诺它将使经济保持在图 6.6 中的 A 点，代理人就会预期到通货膨胀为 0，从而形成新的长期均衡。从这个角度来讲，预先承诺的缺陷是时间不一致性产生的主要原因。对于政府如何预先承诺实行一种具有非时间不一致性的政策，很多建议已被提出。

练习6.2

在图6.5中我们假设政府在代理人作出其预期之后才确定其货币政策，而最后实施的政策无需与政府先前通告的一致。本练习改进了这些假设并考察政府货币政策的意义。

在下面这些情况下，图6.5中的博弈扩展形式会发生什么变化？

[1] 由于某种原因，政府不能反悔其初始公告的政策；

[2] 私人部门在政府作出政策决定的同时确定其预期。

在上述博弈的变式下，图6.6中的均衡中，通货膨胀率和失业率各是什么？

练习6.3

利用短期和长期菲利普斯曲线判断出在下列假设下，具有时间一致性的货币政策。

[1] 政府授权独立的中央银行制定货币政策，而该银行只需努力达到稳定物价目标；

[2] 失业率的正常水平等于其最优水平。

123 **立　法**

政府预先承诺它会实行特定货币政策的一个上策是通过立法达到目标。这种立法可以被看作一个可以通过两种途径去做的工作，即要么认为它是政府在明显有意地规避制定货币政策时从既定目标的偏离；要么认为这种偏离非常浪费时间且成本昂贵，所以政府无意于实行它。这种立法的一个后果是政府再也不能任意选择货币政策了，这样时间不一致性的问题就被避免了。

这种立法的例子是政府授权独立的中央银行来制定货币政策，而中央银行的目标仅是维持物价稳定。这种可能性已在练习6.3的第（1）问中得到体现和考察。如果一个货币调控机构只关注通货膨胀调控目标的达到，它就没有激励偏离价格稳定的长期政策。在这种情况下最优长期货币政策就去掉了时间不一致性，也就不会有通货膨胀偏倚的出现。

但是，立法途径除了实践困难和政治家是否同意限制自身权利的问题之外，还有一点需要质疑，那就是对政府权力如此严格的限制是否可行。例如，如果货币政策被限定为只能遵循一个简单的货币政策规则来制定，那么它将有关稳定政策的可接受政策制定为法律的功能就要受到限制。虽然通货膨胀偏倚的问题可能被克服，但它的成效可能被接下来的其他问题所抵销，比如失业中的工资降低波动。

货币政策目标

政府预先承诺实施非时间不一致的货币政策的另一条途径是：宣布政府所要达到的货币政策目标。显然，公告本身并不能使目标可置信。这里的意思是，当货币政策目标已经被印发而随后再偏离它对政府来说就太麻烦了。从博弈论的预期来看，政府如果偏离它已经公告的货币政策目标，它的得益就会减少。这样对货币政策的公告就可能变得可置信从而被采信，而且私人部门继而会按其行事。

对此的一个例子是英联邦政府（1980）以这种方式利用了货币政策目标，即撒切尔夫人当政时的政府这样发布了年度中期财政政策（MTFS）。它确定了政府的公共事业投入和货币供应增长比例的目标。该目标被期待能为公众所相信，从而使政府的反通货膨胀政策不致引发大规模失业。不幸的是经济随后在三百万人失业之下进入一个严重的衰退时期。从这个事实证据可以看出，政治家们仅仅说他们会采用某种特定政策，并不能使该政策更加可置信。原因之一是政府不可避免地将其货币政策的未达到政策目标的原因归咎于其控制范围之外的某种因素。政府以此尝试减少其政治难题，但是如果代理人预期到政府会这样做，政策目标最初的可信性就会被破坏。

汇率水平目标

对政府通告货币政策目标观点的一种推广是转而宣布汇率水平目标。在一个固定的汇率水平交易制度之下，政府就难以实施一种独立的货币政策，取而代之的是利率居于目标汇率的辅助地位。在不能自由选择的条件下，有论点说维持汇率稳定政策能够克服时间不一致性问题。但是如果这样，可置信性的问题仅仅是从货币政策目标转变为汇率水平目标上来。要是政府有激励从货币政策目标中偏离，那么我们就有理由认为政府也有激励偏离其已公布的汇率水平目标。但是，如果偏离汇率水平目标会给政府带来更大的政策难题，那么该目标就可能比政府通报的货币政策目标更可信。

这些分析可以与英国 20 世纪 90 年代在欧洲汇率机构（ERM）的经历联系起来。其间英国政府尝试在参照欧洲其他国家现行汇率的基础上，将本国汇率维持在一个可预见的范围之内。英国政府希望通过维持一个高汇率来增强政府反通货膨胀政策的可置信性，从而降低减少通货膨胀的成本。但是，经济却再一次经历了一次严重的衰退。即使政府不断公布它将维持现行汇率水平的承诺，即使政府投入几十亿英镑来支持英国货币，但政府维持汇率的承诺仍然越来越不可信。终于，那些将宝押在政府会改变汇率水平目标上的投机者，迫使英国政府离开了 ERM 并允许货币贬值。政府政策又一次被证明具有时间不一致性而不可置信。

124

看来我们有理由下这样一个结论：在缺乏立法保障的情况下，预先承诺难以克服随货币政策而来的时间不一致性问题。

6.3.2　供给学派政策（Supply – side policies）

练习 6.3 中的第（2）部分表明，政府的最优长期货币政策只有在最优失业率与正常失业率不一致时，才具有时间不一致性。如果二者之间有差异，那么政府就有激励偏离其稳定价格的承诺。正常失业率可能高于最优失业率的原因是劳动力市场的不完美的存在，比如所得税与失业福利之间的权衡减少了人们劳动的积极性。

避免货币政策中这种时间不一致性问题出现的一种方法是：直接着手处理劳动力市场的这种不完美。这样做的好处不仅在于减少了均衡中失业率，而且减少了通货膨胀偏倚。即使劳动力市场的不完美不能完全消除，任何降低最优失业和正常失业的差距的办法将降低通货膨胀偏倚。但是，与这些好处相对的是采用这些供给学派政策带来的可能成本，这些成本的性质一般既有经济的，也有政治的。

6.3.3　重复货币政策

迄今为止，我们只考察了在一次性博弈条件下，时间不一致性问题如何被避免。当然在现实中政府与私人部门之间进行的是重复的相互作用。这改变了它们之间博弈的基本结构，特别是政府与私人部门之间重复的相互作用会引入这样一种可能性：如果政府偏离了其稳定价格的最优长期政策，私人部门就能可置信地惩罚政府。要是这种惩罚足够严厉，政府作出暂时通货膨胀的行为就被有效地阻止，政府不再有激励制造不被预期的政策冲击，因而时间不一致性的问题也就被避免了。当这种情况出现时，政府的最优长期政策就是子博弈完美的。

一个证明该结论的模型被 Barro 和 Gordon（1983）建立。在这个模型中，前面的一次性博弈被无穷次重复，且假设私人部门采用了一个每次实施一期的惩罚策略。如果政府维持价格稳定，那么私人部门就保持预期通货膨胀率为 0。但是，如果政府被观察到偏离了该政策，那么私人部门将在下一期用一次性博弈的时间一致性纳什均衡预测通货膨胀率；如果这个预期被满足，那么私人部门在博弈下一期又会预期通货膨胀率为 0，否则它的预期不会改变。因此，在惩罚时期结束以后过去的就让它过去了。政府也有可能将通货膨胀率降低至 0，并将失业率调整回至正常水平。面对这种将来惩罚的预期，偏离最优长期政策并不总是政府的偏好。如果上面的论述成立，那么时间不一致问题就又可以被避免，为了证明这个结论，我们需要比较偏离的得益和未来惩罚的成本。

如果政府不实行通货膨胀，那么它得到的效用等于社会福利函数。在图 6.6
中的 A 点，令其等于 $V^G(A)$。政府每期都会得到该量的收益，设 δ 表示相应的
贴现率，那么政府不偏离 PV_{ND} 所得的现值为

$$PV_{ND} = V^G(A) + \delta V^G(A) + \delta^2 V^G(A) + \delta^3 V^G(A) + \cdots = V^G(A)/(1-\delta).$$

相反，如果政府偏离了最优长期策略，那么偏离的第一期收益最多为 V^G
(B)，第二期为 V^G (C) 在图中即分别以 B 点和 C 点各自表示偏离的第一、第
二期的效率水平，如果政府从一开始就偏离是其最优策略，那么它也会在博弈中
继续偏离，贴现的现值这时就等于

$$PV_D = V^G(B) + \delta V^G(C) + \delta^2 V^G(C) + \delta^3 V^G(B) + \cdots = [V^G(B) + \delta V^G(C)]/(1-\delta^2)$$

时间不一致性的问题只有在政府没有激励偏离长期政策时才会得到解决，即
只有在 $PV_{ND} \geqslant PV_D$ 时才能解决。这意味着

$$V^G(A)/(1-\delta) \geqslant [V^G(B) + \delta V^G(C)]/(1-\delta^2)$$

$$\therefore \delta[V^G(A) - V^G(C)] \geqslant V^G(B) - V^G(A).$$

在私人部门采用单期惩罚的策略之下，那么政府在下一期贴现值 $\delta[V^G(A) -$
$V^G(C)]$ 大于或等于偏离现值 $V^G(B) - V^G(A)$ 时是否维持其最优长期策略就
与政府选择的三个方面有关，第一，该条件依赖于政府的贴现因子 δ，政府未来
效用的贴现率越小，最优长期政策就越不能具有时间一致性。在政府认为未来收
益完全无贴现即 $\delta = 0$ 的情况下，现值不受未来威胁的影响，所以政府总是会选
择偏离，这与上面讨论的一次性博弈结论一致。第二，该条件依赖于政府眼中通
货膨胀的地位。这又决定了惩罚的影响，因为"通货膨胀率下期高于应有值"
是私人部门威胁的惩罚策略。这种惩罚策略的影响依赖于政府将通货膨胀看得有
多严重，它决定了 $V^G(A) - V^G(C)$ 的值。如果政府将通货膨胀看得稀松平
常，私人部门所威胁的惩罚策略在阻止政府偏离方面就不会有什么成效，所以时
间不一致性的问题就仍会存在。比如，要是 $V^G(A) - V^G(C) = 0$，那么它表
明政府对通货膨胀不关心而只关心就业率，所以通货膨胀当然会出现。第三，如
上所示，政府如何看待失业率降低也决定了上述结论是否被满足。它与增加通货
膨胀的成本一起，决定了 $V^G(B) - V^G(A)$ 的值。正如前面我们论述的，如
果政府不关心失业率水平，时间不一致的问题也不会存在。

这个结论表明，如果上述条件被满足，那么时间不一致的问题就可以被避
免。但是，该模型有两个显著问题，第一是多重均衡问题，它与无穷次重复博弈
的民间定理一致。上面的分析表明，如果私人部门采用了假设的单期惩罚策略，
那么时间不一致性的问题就可以被避免。但是，当贴现因子取正值时，可置信的
惩罚策略并不是产生该结果的唯一原因。例如私人部门可能可置信地威胁要延长

惩罚时期，或加大惩罚力度，或者两者兼施。这方面的多重纳什均衡，在第4章关于维持寡头联合的课文中作了更为详尽的讨论。但在目前的情况下，由多重均衡带来的不明确性可以被视为对该模型更强烈的批评。这要部分归因于潜在的上百万人将其行动统一到某一特定惩罚策略上的难度的加大，而且私人部门是由个人组成的，它如何集体行动适用惩罚策略也是个问题。在这种情况下，没有任何单独的个体能影响博弈的结果，所以我们讨论个体如何选择它的最优策略，就变得没什么意义了。

对于 Barro 和 Gordon 模型的第二个批评是针对博弈进行无穷次假设的，由于任何议会的寿命都是有限的，该假设也就显得越发不切实际。如果政治博弈不是无穷重复的，那么对时间不一致性问题的这种解决办法就会由于逆向归纳法推出的矛盾而顷刻瓦解。为了看清这一点，我们假设博弈只进行一个有限的次数，我们从博弈的最后一期开始应用逆向归纳法。在该期未来的惩罚不复存在，所以政府一定会搞通货膨胀而偏离其最优长期策略。私人部门将预期到这一行动，所以该期博弈的唯一解就是阶段博弈的纳什均衡。现在来看最后一期之前的博弈，由于政府知道在最后一期会出现纳什均衡，那么我们又一次没有了对抗偏离的有效惩罚策略。无论政府在倒数第二期做什么，纳什均衡都会在博弈的最后一期出现，所以政府能在倒数第二期中选择偏离，私人部门再一次预期到了这一点，因而倒数第二期唯一的结果仍然是纳什均衡。在接下来的连续逆推中应用这一逻辑，直到我们溯至博弈的第一期，逆向归纳的结论就是政府在该博弈的第一期就偏离，而私人部门会预期到这一点，经济就会在每期都表现出通货膨胀偏倚。

上述应用过的逆向归纳法带来的这个问题可以用引入博弈结果时间不确定性的方法来解决。这也包括对贴现率重新解释如下：

128

$$\delta = (1 - Prob) / (1 + \gamma),$$

其中 Prob 是博弈在某一期结束的可能性，r 是时间偏好率。在这种不确定性引入模型的情况下，我们难以确定应用逆向归纳法的起点。那么 Barro 和 Gordon 的惩罚策略就可能再一次有效地解决时间不一致性的问题。

6.3.4 不完全信息与声誉

就像我们在第三章中讨论过的，解决逆向归纳法带来的矛盾的一条途径是让博弈者拥有不完全信息，新古典主义经济学家已经应用这个假设来说明时间不一致性的问题——即使是部分的——能够如何避免。这些模型也给政治商业周期提供了一个新古典主义经济学的解释，将不完全信息与政府和私人部门进行的政治博弈结合起来的一条普遍途径是：假设私人部门不知道当权政府是何等类型的，特别是私人部门不能从政府的效用曲线来判断其政策选择。该假设已经被 Backus 和 Driffel（1985）以及 Barro（1986）采用。在此我们将考察一个相关的简单例子，来证明这种结论。

假设只有两种类型的政府。"强政府"只关注通货膨胀，所以其无差异曲线是一条水平线；"弱政府"既关心通货膨胀也关心失业率，其无差异曲线如图6.2所示，我们假设两种政府都努力最大化其效用，同时私人部门也致力于正确回应未来的货币政策，也就是要正确预期通货膨胀率。再假设这个政策博弈进行有限次，如果博弈中信息是完全的，那么我们应用逆向归纳原理，在博弈的每一期都会看到两种结果。博弈结果如图6.7所示。

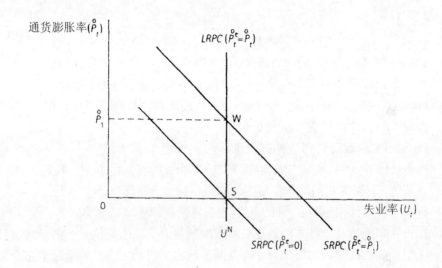

图 6.7 完全信息下的强政府与弱政府

如果执政的是"强政府"，那么政府就不会有偏离最优长期政策的激励。在这种情况下，我们会看到通货膨胀为 0，而失业率处于正常水平，如图6.7中以点 S 表示。但是如果执政的是"弱政府"，那么政府就有激励偏离最优长期政策。在完全信息之下，私人部门会对此作出最优回应，那唯一可能的均衡就是通货膨胀偏倚下具有时间一致性的货币政策。在图6.7中，这种情况以点 W 表示，这种结果也能在博弈的每一期中被观察到。

这两种政府，只有"弱政府"会面对时间不一致性的问题，这表明"弱政府"有激励表现为"强政府"来避免通货膨胀偏倚。但是这种把戏只有在不完全信息之下才有可能奏效，在不完全信息之下，"弱政府"会通过看似"强政府"的行为来建立"强政府"的声誉。比如"弱政府"放弃制造通货膨胀的机会并维持零通货膨胀，或者放弃增加其短期效用的机会，以此建立"强"声誉。在这种语境下，"声誉"一词特指私人部门对政府"强"的可能性的评价。为了尝试作出对未来货币政策的正确预期，私人部门将辨认哪一种政府在执政，他们的方法就是观察政府行为。解决不完全信息动态博弈常用的均衡概念是 Kreps 和 wilson（1982b）提出的序贯均衡概念。正如我们在第 3 章中讨论的，这种均衡有两个特征，第一，政府策略是子博弈完美的，即没有不可置信的威胁或预期被作出或相信；第二，私人部门以贝叶斯理论修正其预期，特别地，在适用附录 3.1 的等式之后，政府"强"的声誉以如下等式确定：

$$\text{Prob} \ (S \mid \overset{\circ}{P}_{t-1} = 0) \ =$$

$$\frac{\text{Prob} \ (S \mid \overset{\circ}{P}_{t-1} = 0 \mid S). \ \text{Prob} \ (S)}{\text{Prob} \ (S \mid \overset{\circ}{P}_{t-1} = 0 \mid S). \ \text{Prob} \ (S) + \text{Prob} \ (\overset{\circ}{P}_{t-1} = 0 \mid W). \ \text{Prob} \ (W)},$$

其中 S 指政府"强"，W 指"弱"。因此等式中概率有如下解释：

$\text{Prob} \ (S \mid \overset{\circ}{P}_{t-1} = 0)$：如果以前没有通货膨胀冲击，政府"强"的概率。

$\text{Prob} \ (S)$：政府"强"的初始概率。

$\text{Prob} \ (W)$：政府"弱"的初始概率。

$\text{Prob} \ (\overset{\circ}{P}_{t-1} = 0 \mid S)$："强政府"实行零通货膨胀率的概率，在我们的例子中，该值为 1，因为我们的条件是强政府从不制造通货膨胀。

$\text{Prob} \ (\overset{\circ}{P}_{t-1} = 0 \mid W)$："弱政府"实行零通货膨胀率的概率。

这种认知的另一个极端的例子是弱政府制造通货膨胀的情况，由于政府只有两种类型，那么此时私人部门会立即判断出政府是弱的，在这种情况下完全失掉了它"强"的任何可置信性，要是通货膨胀没有被观察到，那么私人部门就会增加政府强可能性的估计，这样政府就增加了它的声誉。

这种模型的典型结果如下：一方面，一个"强政府"将连续维持其零通货膨胀的长期最优政策；另一方面，一个"弱政府"将相机行动，在博弈的早期阶段它不制造通货膨胀，以期为以后博弈建立一个"强"声誉，在接下来的博弈中，它将以一个正值可能性制造通货膨胀，虽然这个正值小于 1，在博弈的最后阶段它一定会搞通货膨胀，以此来使失业率降低至正常水平以下，一个"弱政府"最优政策的分布如图 6.8 所示。

在博弈的第一阶段无论是"强政府"还是"弱政府"都不会搞通货膨胀，这样政府的声誉保持不变，这一阶段博弈的特点是：两种政府的均衡是共同的。在此两种政府采用相同的最优政策，在这种政策下，私人部门得不到有用的信息来确定究竟是哪一种政府在执政。在混合策略阶段，政府"强"声誉要更加靠没有通货膨胀冲击来树立，在该阶段博弈的最后"弱政府"一定会搞通货膨胀。

在混合策略阶段的最后，"弱政府"会以通货膨胀来降低失业率，如果通货膨胀的冲击被观察到，私人部门就会确定政府是弱的。另一方面，如果在这一阶段的最后还没有通货膨胀冲击被观察到，私人部门就会知道政府是强的。博弈的最后一个阶段特点是两种政府均衡不同，在此不同种类的政府以应用不同的最优政策显示了它们的身份。

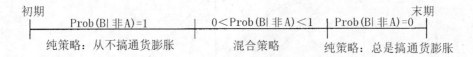

图 6.8 弱政府的均衡策略

为了完整描述这个博弈，我们来说明均衡政策对通货膨胀和失业率的影响。在图 6.9 中的预期扩张菲利普斯曲线表示出，开始私人部门正确地预期到无论是"强政府"还是"弱政府"都不会搞通货膨胀。因此，预期中的和实际上的通货膨胀都是零，并且失业率处于正常水平。在这个共同的均衡阶段中，经济处于 S 点上，而时间不一致性问题也被避免。在混合策略阶段，政府有可能搞通货膨胀。因此私人部门对通货膨胀的预期水平上升，短期菲利普斯曲线向上移动。如果没有通货膨胀出现，那么失业率就会因此上升。在图 6.9 中，我们移动到 A 点这样的位置上。在没有通货膨胀冲击时，政府"强"的声誉上升了。下一步会发生什么依赖于执政的是哪一种政府。如果政府弱，它最后就会搞通货膨胀，这表现为经济从 A 点跳到 B 点，也就是政府在相应短期菲利普斯曲线上最大化其效用的点。一旦私人部门确定了冲击发生，他们就会知道政府是弱的。这样私人部门就拥有了完全信息，而经济跳转并固定于"弱政府"具有时间一致性的结果上，这就是 W 点。如果政府是强的，它就不会引发一个正值的需求冲击。当博弈达到分离均衡的阶段时，私人部门就会知道政府是强的，这样私人部门又有了完全信息，经济回到 S 点。

从这种描述中我们可以看到，时间不一致性的问题从一开始就被避免了，但是经济最后会经历一个暂时的失业率高于正常水平的时期。通货膨胀的轨迹依赖于哪一种政府在执政。对于"弱政府"，被预期的事件顺序严格偏好于政府在开始以刺激需求表现其意图。结果是不完全信息下弱政府的状况得到改善。相反，一个"强政府"在不完全信息之下往往变得更糟，这是因为这样它会经历一个失业率激增。这种模型在 20 世纪 80 年代早期被用来解释失业率激增的现象。在这种解释之下，新选出的英国保守党政府承诺降低通货膨胀率，即使它已经开始

131

132

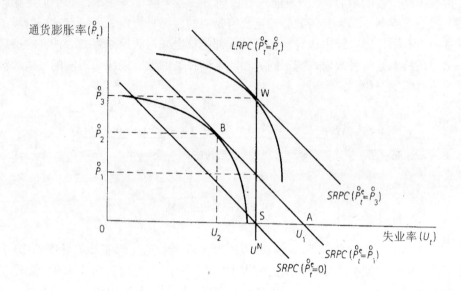

图6.9 新古典主义政治商业周期

133 树立"反通货膨胀"的声誉。但其结果是预期通货膨胀率高于实际通货膨胀率，且失业率升高到其正常水平以上。只有政府声誉随时间而增加之后，私人部门对通货膨胀的预期水平和失业率才降下来。即使代理人理性地确定其预期，并且工资和价格都在市场出清水平，我们也仍然能看到政治商业周期的存在。这是因为政府尝试树立反通货膨胀声誉的缘故。

6.4 结 论

新古典主义宏观经济学有两个基本假设，第一，所有代理人都是理性地确定他们的预期；第二，所有市场都是完全竞争市场，在早期的新古典主义经济学模型中，我们假设经济的正确模型是共同知识，这是对理性预期假设的强解释版本。这些模型被用来挑战先前凯恩斯主义经济学关于政府需求政策有效性的结论。本章中我们分析了两个例子，第一个反驳了稳定政策有效率的说法。第二个否定了政治商业周期的可能性。在两个例子中凯恩斯主义经济学的结论都依赖于代理人相信并按政府不可置信的政策行事。退一万步说：这种假设也不是作出政策建设的良好基础。

练习6.4*

在课文中我们论证了一个"弱政府"会利用私人部门对政府选择的不完全信息，来部分地避免由具有时间不一致性的货币政策带来的通货膨胀偏倚。在本练习中，我们以一个简单的模型来说明这一结果。

假设政府通过其货币政策，能够完美地操控通货膨胀。进一步假设政府有可能是下面两种类型：要么强，要么弱，一个强政府只关注通货膨胀率，因此从不搞通货膨胀，但是一个弱政府关注通货膨胀也关注失业率，特别是，它在博弈每一期的得益由下面这个等式决定：

$$V_t^G = c - d\ (\overset{\circ}{P}_t)^2 - eU_t,$$

其中 P_t° 和 U_t 分别表示博弈每一期的通货膨胀和失业率，而 c，d，e 都是正值参数。假设政府的未来得益没有贴现，因而一个弱政府会通过最大化现期得益来最大化总得盖。政府面对的约束为预期扩张菲利普斯曲线。写作：

$$\overset{\circ}{P}_t = a - bU_t + \overset{\circ e}{P}_t,$$

其中 $P_t^{\circ e}$ 是在博弈第 t 期的开始确定的对该期通货膨胀率的预期，a 与 b 都是正值参数，私人部门根据贝叶斯理论理性地确定其预期。最后我们假设博弈只重复进行两期。

（1）如果政府弱成为共同知识，求出子博弈完美的通货膨胀轨迹。

（2）如果存在不完全信息，私人部门对政府强的概率的最初预期为0.2，求出通货膨胀的序贯均衡路径。（提示：先求出弱政府在是否通货膨胀之间无差异的必要条件。）

本章的第三节中，我们引入了时间一致性的重要概念，我们用一个一次性博弈证明：如果政府的最优长期政策具有时间不一致性，那么经济就会受到通货膨胀偏倚的影响。在这种情况下，子博弈完美纳什均衡将是帕累托无效率的。对于如何避免这种无效率结果的出现，很多建议被提出。在本章我们讨论了预先承诺、供给方政策以及重复的货币政策，在课文的最后我们也考量了最近基于不完全信息的新古典主义经济学模型。在这些模型中，我们不再假设经济的正确模型是共同知识，这是对理性预期学说的弱解释版本。而这些模型都趋向于反驳早间的新古典主义经济学结论。特别是在不完全信息之下，有规律的需求政策可能得以影响实际变量，那么政治商业周期的可能性就再一次出现了。在起初驳斥了很多凯恩斯主义经济学结论后，最近的新古典主义经济模型可以被看作在支持这些结论，并严密地建立两者赖以得出的根本假设的一致性。这种进步之所以有可能出现，要归功于博弈论概念与主流宏观经济学的结合。这个过程还在继续，我们期待它能带来以后进一步的探究。

134

6.5 练习答案

练习6.1

（1）对于政府（G）与私人部门（PS）之间一次性政策博弈的一种可能的扩展博弈表示如图6.10。政府与私人部门同时确定其策略选择。这意味着两个博弈者的每一个决策节点都在同一个信息集里，为了将无规律需求冲击引入经济，我们引入第三个博弈者"自然"（N）。在博弈的扩展形式中。每个博弈者都被限定只能有三种行为，得益由政府和私人部门各自的效用函数 V_D^G 和 V_t^P 表示。

135
（2）如果没有对产量随机的需求冲击，那么政府维持货币供应量以恒定比例增长就是本博弈唯一的纳什均衡，在没有随机需求冲击及货币政策被完全预期的情况下，产量将维持正常水平上。在这种情况下任何有规律的货币政策都将是纳什均衡。但是如果需求冲击使得产量偏离了正常水平，那么政府就有激励尝试并设定高于或低于私人部门预期的货币供应量。在这种情况下，政府就有激励偏离任何有规律的货币政策，以此来稳定经济并增加自身的效用。如果对货币供应值不做任何限制，就不会有任何有规律货币政策成为纳什均衡。

（3）避免没有纳什均衡成为该无穷博弈解的结果出现的途径是：让政府预先承诺其货币政策。这样私人部门就能在确定其预期之前观察到政府的货币政策。在图6.10所示的博弈扩展形式中，私人部门的决策节点不在同一个信息集中，所以虚线就消失了。由于现在预期总是正确的，所以政府就不再能影响产量轨迹，也对其自身的效用水平不再有任何影响。因而任何水平的货币供应都将是纳什均衡。为了证明这个特别的新古典主义经济学建议，其他概念，比如更高通货膨胀率的福利成本，必须纳入我们的考虑范围。

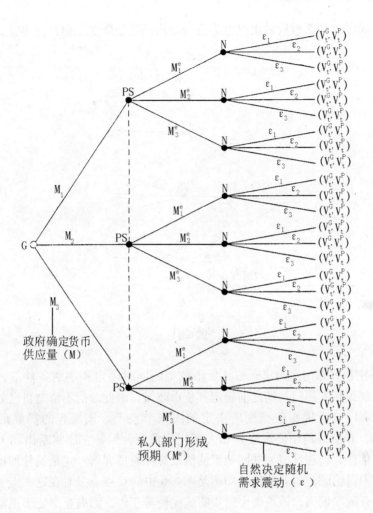

图 6.10

练习 6.2

（1）在政府不能反悔其最初公布的政策的条件下，它就扮演着斯塔克伯格博弈中领头羊的角色。在这种情况下，通报的政策与实际的政策之间无差异。政府对于通报政策和实际政策，无需再做选择——两种政策这时已经统一了。首先行动的政府只面对着一个决策点，这个博弈的扩展形式如图 6.11 所示，在政府承诺采用其预先通报政策的条件下，它将采用的就是最优长期货币政策，表示为图 6.6 中的 A 点。通货膨胀率将为零，失业率将处于其正常水平，一旦私人部门预期被确定，那么政府就更愿意为自身效用搞通货膨胀，但是它不能这样做。

136

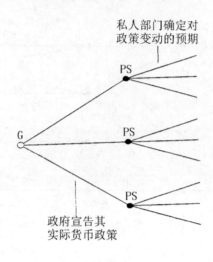

私人部门确定对
政策变动的预期

政府宣告其
实际货币政策

图 6.11

（2）在私人部门在国家颁布其货币政策的同时确定预期的条件下，可知政府要在观察到私人部门预期之前确定其货币政策，因此政府不清楚自己处于哪一个由私人部门对通货膨胀预期所决定的决策节点上。该博弈的扩展形式如图6.12 所示。虽然政府不能观察到私人部门的预期，但是它能判断出私人部门的理性预期是什么，理性成为共同知识的假设意味着博弈解一定是纳什均衡。正如我们课文中讨论的，博弈的纳什均衡是图6.6 中的 C 点，只有在这一点上，才没有博弈者有激励偏离，该均衡中通货膨胀偏倚等于$\dot{P}_2$，而失业率处于正常水平。

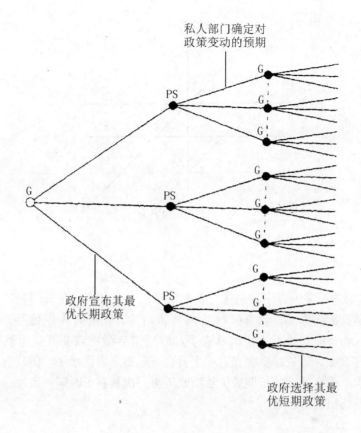

图 6.12

练习 6.3

（1）由于中央银行只关心通货膨胀率，那么它的无差异曲线就表现为一条 137 水平的直线。如图 6.13 所示。在这种情况下，维持价格稳定的最优长期政策具有时间一致性，通货膨胀偏倚也不会存在。货币管理机构这时也就没有将经济从 A 点移走的激励，因为这样做会减少其得益。

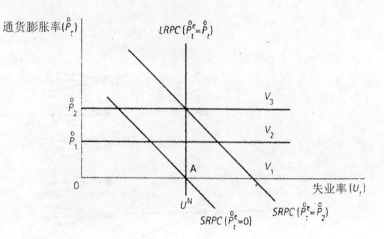

图 6.13

（2）如果正常失业率与最优失业率相等，那么幸福点在长期菲利普斯曲线上，此时通货膨胀为零，如图 6.14 中的 A 点所示。经济离 A 点越远，政府得益就越低。在经济最初处于 A 点的状态下，政府没有激励改变其货币政策，要是它真准备这么做，通货膨胀率和失业率就会一起偏离最优水平，而政府的效用就会因此减少。那么政府的长期最优货币政策再一次具有了时间一致性，也就没有通货膨胀偏倚出现了。

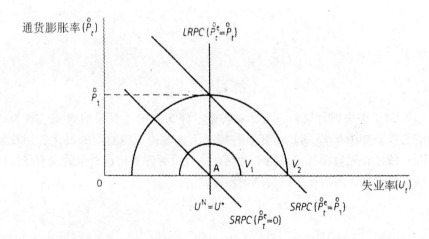

图 6.14

练习6.4

（1）为了确定满足子博弈完美的通货膨胀轨迹，我们首先从博弈的最后一期开始应用逆向归纳法，在博弈的第二期，"弱政府"采用能在其该期博弈中得益最大的货币政策。从模型中得知它等于

$$V_2^G = c - d\ (\overset{\circ}{P}_2)^2 - eU_2.$$

整理这个预期增加的菲利普斯曲线表达式并代入 U_2，它可以写作

$$V_2^G = c - d\ (\overset{\circ}{P}_2)^2 - e\ (a + \overset{\circ e}{P}_2 - \overset{\circ}{P}_2)\ /b$$

政府在给定 $\overset{\circ e}{P}_2$ 值下最大化该函数。令 $\overset{\circ}{P}_2$ 为 0，并对该方程微分。我们得到博弈第二期的最优通货膨胀率 e/2bd。这与该期的纳什均衡一致，并表现了由时间一致性带来的通货膨胀偏倚，这个均衡中的通货膨胀为 $\overset{\circ}{P}$，由逆向归纳原理我们得知，这个唯一的纳什均衡也是博弈第一期的结果。因此在两期博弈的均衡中通货膨胀率都是 $\overset{\circ}{P}$。

（2）为了确定这个不完全信息博弈的序贯均衡，我们再一次从该博弈最后一期开始应用逆向归纳法，在博弈的最后一期"弱政府"采用了给定的私人部门对通货膨胀的预期来最大化博弈本期得益。解法与（1）中的解法一致。因此该期政府确定了通货膨胀率 $\overset{\circ}{P}* = e/2bd$。但是求博弈第一期的解变得更复杂了。现在政府有激励尝试使私人部门误认为政府"强"。做到这一点的唯一办法是采用混合策略，制造通货膨胀的可能性大于0。在这个混合策略阶段，如果政府采用零通货膨胀率，那么它"强"的声誉就会上升。但如果它搞通货膨胀，私人部门就会知道它是弱的。在这种情况下，博弈第二期的得益已经完全确定。因而政府努力最大化博弈第一期的福利，它再一次采用给定的私人部门对通货膨胀的预期。因此，如果政府在博弈第一期搞通货膨胀，通货膨胀率将为 $\overset{\circ}{P}$。由于随后第二期中的通货膨胀率为 $\overset{\circ}{P}$，所以第一期中有可能的均衡结果只能是 0 或 $\overset{\circ}{P}$。它成为序贯均衡的一个必要条件是政府在混合策略的两个纯策略选择之间是无差异的。为了确定这个条件，我们令两种纯策略带来的得益水平相等。

如果政府在博弈第一期采用零通货膨胀，那么它的总得益水平等于

$$c - e\ (a + \overset{\circ e}{P}_1)\ /b + c - d\ (\overset{\circ}{P}_2)^2 - e\ (a + \overset{\circ e}{P}_2 - \overset{\circ}{P}_2)\ /b$$

另一方面，如果政府在两期内都采用 $\overset{\circ}{P}*$ 的通货膨胀率，那么总得益水平等于

$$c - d(\overset{\circ}{P}*)^2 - e(a + \overset{\circ e}{P}_2 - \overset{\circ}{P}_2)/b + c - d(\overset{\circ}{P}_2)^2 - ae/b.$$

我们能够确定只有在 $\overset{\circ e}{P}_2 = \overset{\circ}{P}*/2$ 时，两个表达式才相等。利用这个结果，我们可以得出博弈第一期中纯策略的概率分布。该结果由如下方法获得：我们知道博弈

第二期中对预期通货膨胀率等于政府弱可能性与 $\overset{\circ}{P}{}^{*}$ 的乘积,即 $\overset{\circ}{P}{}^{*}_2 = \text{Prob}(W \mid \overset{\circ}{P}_1 = 0) \cdot \overset{\circ}{P}{}^{*}$。在均衡中它一定等于 $\overset{\circ}{P}{}^{*}/2$,利用贝叶斯理论该条件可以被重写为:

$$[\text{Prob}\ (\overset{\circ}{P}_1 = 0 \mid W) \cdot \text{Prob}\ (W)] \cdot \overset{\circ}{P}{}^{*} / [\ (\text{Prob}\ (P^{\circ}_1 = 0 \mid W) \cdot \text{Prob}\ (W) + \text{Prob}\ (\overset{\circ}{P}_1 = 0 \mid S) \cdot \text{Prob}\ (S)]\ = \overset{\circ}{P}{}^{*}/2$$

$$\therefore [\text{Prob}(\overset{\circ}{P}_1 = 0 \mid W) \cdot 0.8] / [\ (\text{Prob}(\overset{\circ}{P}_1 = 0 \mid W) \cdot 0.8 + 0.2] = 1/2.$$

从这个条件,我们可以求出在均衡中, $\text{Prob}\ (\overset{\circ}{P}_1 = 0 \mid W) = 0.25$。唯一的序贯均衡是"弱政府"在博弈第一期采用混合策略,其中采用零通货膨胀的概率为 0.25,采用 $\overset{\circ}{P}$ 通货膨胀率的概率为 0.75,第二期采用通货膨胀率为 $\overset{\circ}{P}{}^{*}$ 的纯策略。

进一步阅读

Blackburn, K. (1992), 'Credibility and Time Consistency in Monetary Policy', in K. Dowd and M. K. Lewis (eds.), *Current Issues in Financial and Monetary Economics*, London: Macmillan.

Hargreaves Heap, S. P. (1992), *The New Keynesian Macroeconomics Time*, Belief and Social Interdependence, Aldershot: Edward Elgar.

Hoover, K. D. (1988), *The New Classical Macroeconomics*, Oxford: Blackwell.

Leslie, D. (1993), *Advanced Macroeconomics*, London: Mcgrawhill.

Levine. P. (1990), 'Monetary Policy and Credibility', in T. Bandyopadhyay and S. Clutah (eds.), *Current Issues in Monetary Economics*, London: Macmillan.

Peel, D. (1989), New Classical macroeconomics' in D. Greenaway (ed.) *Current Issues in Macroeconomics*, London: Macmillan.

Phels, E. S. (1992), 'Expectations in Macroeconomics and the Rational Expectations Debate', in A. Vercelli and N. Dimitri (eds.), *Macroeconomiec: A Survey of Research Strategies*, Oxford: Oxford Uniuervity Press.

Romer, D. (1996), *Advanced Macroeconomics*, New York: McGraw-Hill.

Schaling E. (1995), *Institutions and Monetary Policy*, Aldershot: Edward Elgar.

Snowdon, B., H. Vane, and P. Wynarczyk (1994), *A Modern Guide to Macroeconomics: An Introduction to Competing Schools of Thought*, Aldershot: Edward Elgar.

▼
▼
▼

第七章

新凯恩斯主义宏观经济学

140

在其 1936 年的著作《就业、利息与货币通论》里，凯恩斯试图说明：在总需求不足引起的"失业均衡"中，经济会停滞不前。在这样的一个均衡中，市场不能凭其自身力量回到完全就业的状态。此时，应该提倡积极的需求管理的政府干预形式。根据 Hick（1937）对《通论》的解释，凯恩斯的结论最初在"收入水平和价格缓慢调整到市场出清的水平"这一假设上得出。这使需求冲击对经济产生真正的影响，又满足了政府稳定化政策的需要。20 世纪 70 年代不完美工资和价格调整的基本假设因其本质上不具有普遍性（ad hoc），与理性人最大化行为不符而受到越来越多的批评。进一步，像在上一章所讨论的，代理人形成他们的预期的方法被看作与完全理性不一致。这些批评的影响力是如此之大，以至于新古典主义的经济学家，如 Lucas，甚至在 1980 年写出关于"凯恩斯主义经济学的死亡"这个话题的著作。然而近来，凯恩斯经济学却发生了一个令人瞩目的复苏，这主要是归功于新凯恩斯主义经济学家的工作。新凯恩斯主义宏观经济学的目标是从代理人充分最大化的模型中推导出凯恩斯主义经济学得出过的结论。新凯恩斯主义经济学模型常常致力于解释为什么代理人可能理性地拒绝变化工资或价格，即使市场并未出清。在其他一些新凯恩斯主义经济学模型中，即使工资和物价都完全有弹性，非自愿失业也有可能发生。这些新凯恩斯主义模型的一个普遍特点是私人部门的代理人互相依赖，这与新古典主义经济模型形成鲜明对比。两者的不同点是新古典主义经济学模型的前提是：由于完全竞争，私人部门（非政府组织、私人主体）的代理人之间互不相干。在本章，我们考察几个新凯恩斯主义经济学的模型，并对它们作出博弈论的解释。

在 7.1 节，我们考察效率工资模型。在这些模型中，实际工资越高，工人的工作效率就越高，这使得企业有给它们的员工增加工资的激励。在所有企业都提高其实际工资的情况下，持续的非自愿失业将会出现。效率工资模型因此成了为什么工资可能不会调整到市场出清水平的一个原因。这些模型支持了凯恩斯主义

141

经济学得出的结论，即由于实际工资的刚性，经济可能会达到失业均衡。7.2 节继续批判性讨论新凯恩斯主义模型，在这些模型中代理人由于需求的冲击而难以调整名义工资和价格。由于这种名义工资的刚性，需求冲击将导致实际变量偏离其正常值，这些波动能够用来证明凯恩斯的理论，即政府的需求管理对稳定经济是必要的。在 7.3 节中，我们分析具有多重均衡的新凯恩斯主义模型，特别要考察协调失败的问题。一个经济内的代理人在一个帕累托占优均衡上合作时，合作失败将发生，再一次，被选中的那个均衡具有非自愿失业的特点，它对稳定化政策的合理性进一步进行了辩护。我们将论证，即使当工资水平和价格都具有完全弹性，并且代理人都具有理性预期时，协调失败仍然会发生。

7.1　效率工资模型

当工人在目前工资水平下愿意工作，但没有企业会雇用他们时，非自愿失业就发生了，这种情况如图 7.1 所示。

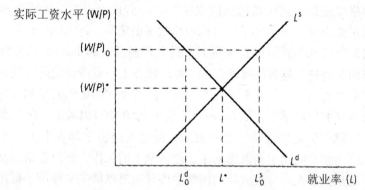

图 7.1　非自愿失业

在该图中，市场出清的实际工资率（wage rate，有时译为"工资水平"）为 $(W/P)^*$。在该实际工资价格之下，劳动力需求量 L^d 等于劳动力供应量 L^s，就业水平为 L^*。在市场出清的实际工资率之下，每个想工作的人都能找到一个乐于雇用他的企业。这个价格下任何无工作的人一定是自愿不工作。不过，如果实际工资率高于市场出清水平，即在 $(W/P)_0$ 上时，劳动力供给过剩。在这种实际工资率下，工人们愿意供应 L_0^s 的劳动量，但企业却只愿意雇用 L_0^d。工作将被定额供给，而非自愿失业量等于 $L_0^s - L_0^d$。如果实际工资刚性使得工资水平难以回落到市场出清水平，非自愿失业就会持续下去。

关于为什么实际工资不能出清劳动力市场有两个原因：一是联邦致力于维持其成员生活标准的行为，二是政府通过最低工资立法。效率工资模型也提出了关于为什么实际工资难以回落，而使劳动力过剩问题难以缓解的另一个可能的原因，在这些模型中企业自身拒绝降低实际工资，这是因为降低实际工资水平的同时就会降低劳动力的工作效率，从而降低企业利润。在这种情况下，企业为了最大化其利润而支付高于市场出清水平的一个效率工资率的做法都是理性的。所有效率工资模型中的一个决定性假设是工人的生产能力水平与其实际工资水平正相关，很多原因被用来支持这个假设。

开小差（Shirking）

很多工人有某种能力去选择他们投入工作的努力水平。说得更直白一些，就是他们的行动不会总是直接被其老板观察到，这可能是因为不间断的监督管理的成本太昂贵或是因为生产率依赖于工人群体的贡献。在这种情况下，经营者不可能给每个工人的生产率"打分"而发给他们相应的工资。然而，如果增加了的工作减少了工人的效用，企业就得寻找一些途径来激励员工去工作而不是开小差。Shapiro 和 Stiglitz（1984）说明，企业给付市场出清水平以上的效率工资能够促使其员工不去开小差，从而增加企业利润。这个模型的一个简化形式随后将在本节被考察。

劳动力流动（labour turnover）

工人"跳槽"的原因多种多样，它所引起的劳动力流转常常给企业带来高成本，包括雇佣和培训新工人的费用，企业想通过减少劳动力流转速度的方法来节约这种开销，使现有工作更具吸引力的一种方法是支付更高的工资。Salop（1979）构建了一个效率工资模型，其中企业提高工资率的目的是节约劳动力流转的成本。

逆向选择（Adverse selection）

企业可能有激励支付效率工资的另一个原因与吸引和维持高素质劳动力有关。Weiss（1980）给出了一个模型，其中给付高工资的企业能得到更多且素质更高的求职者。支付低工资的企业将经历一次逆向选择，也就是说，只有低素质的工人来求职。为了节省雇用低素质工人的成本，比如培训费或是工人与工作不对口所造成的损失，一个企业就会以支付高于市场出清水平工资的办法增加其利润。

143

社会学因素（Sociological factors）

工人的生产效率为什么正相关于实际工资的最后一个原因是社会学因素，这一类解释的共同主题是：工人的道德受工资水平的影响。拿着更高的工资，工人会觉得更受企业重视了，从而也提高了自身的道德水平。反过来，工人的工作效率与其职业道德水平正相关，这可能因为团队协作增强了；或是因为工人与工作压力相关的疾病更少，从而会请更少的病假。

由于这么多原因，提高的工资能够促进工人的生产率，从而可能增加企业利润。为了揭示这种关系的意义，我们考察 Shapiro 和 Stiglitz（1984）提出的模型中一个简化博弈形式。在这个模型中，我们假设有很多无差异的企业和工人，他们就是博弈中的策略参与者，由于所有的企业都被设作无差异的，所以它们的均衡策略也相同，对所有工人来说也是这样。企业首先决定要雇用多少工人以及其所愿意支付的工资，当观察到企业提供的工资以后，工人决定是否接受和如果接受的情况下付出何种努力，这就是参与者的策略集，企业和工人互相依赖。因为企业利润 $\prod$，和工人效用 V 依赖于实际工资率 w，以及工人供给的劳动量 e，为了简便，我们假设工人能离散地选择其劳动量供给水平，特别是他们可以在所有时间都努力工作，也可以在所有时间都不工作。这分别通过 e = 1 或 e = 0 表示。如果一个工人开小差，那么我们假设他有一个固定概率 Prob 被抓住并解雇。如果一个工人拒绝了一个企业提供的工资，或是因开小差被炒了鱿鱼，那他就会希望挣到其他企业的工资或保留工资（reservation wage）w_r，即如果一个工人去其他地方找工作时的预期收入。

我们假设企业最大化其期望利润和工人最大化其期望效用，并假设对一个有代表性的企业和工人有下面具体的得益函数，那么企业的利润等于

$$\prod = TR \ (N, \ e) \ - Nw. \tag{7.1}$$

这里 TR 是企业的总收入，N 是企业雇佣的工人数量。设总收入在相关的生产范围内与工人数量和工人的努力程度正相关，对所有工人在 N = 0 或 e = 0 的情况下，我们假设总收入为 0，一个工人努力工作的效用等于

$$V_{(e=1)} = w - 1. \tag{7.2}$$

一个开小差工人的效用取决于他们是否被抓住并被解雇，要是他们没有被抓住，那么他们的效用等于

$$V_{(e=0)} = w. \tag{7.3}$$

如果他们被抓住并被解雇了，那么他们的效用等于保留工资，且

$$V_{(e=0)} = w_r. \tag{7.4}$$

确定了博弈者、策略变量、得益函数、决策何时作出以及每个博弈者能得到的信息，我们可以将这个模型表现为一个典型企业和一个典型工人之间的扩展形式博弈。

这个扩展模式博弈表明：典型企业首先确定其最优工资给付价格。在图 7.2 中，三种可能的工资给付被描绘出来，即 w_1、w_2、w_3。在观察到企业的工资价格后，工人随后决定是否接受其工作，以及供给出的劳动效率。最后，根据给定

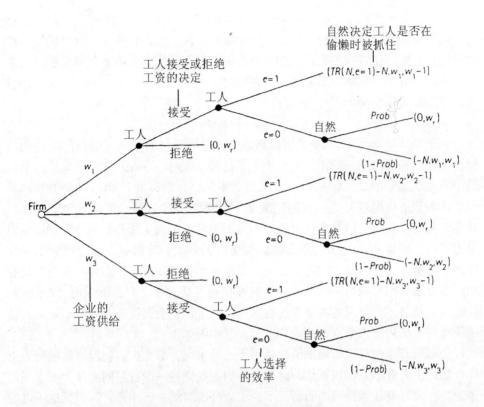

图7.2　开小差模型的扩展形式博弈

的概率分布，"自然"决定一个开小差的工人是否被抓住而被炒鱿鱼。为了找出这个博弈的子博弈完美纳什均衡，我们应用逆向归纳法。倒后推理中第一个需要作出的决策是工人在现有可接受实际工资率下所要付出的最优劳动量。如果工人努力工作，那么其效用即如式（7.2）所给出的。相反，根据式（7.3）和式（7.4），开小差工人的期望效用如下

$$EV_{(e=0)} = (1-Prob) \ w + Probw_r \qquad (7.5)$$

工人将努力工作，如果

$$w-1 \geq (1-Prob) \ w + Probw_r \qquad (7.6)$$

整理这个不等式，我们得出工人将努力工作，如果

$$w \geq w_r + 1/Prob \qquad (7.7)$$

工人将努力工作

雇主为了促使其工人努力工作，他们就必须支付比其保留工资高的价格。然而，保留工资部分地决定于其他企业支付的工资水平，我们确定保留工资如下：

$$w_r = (1 - U) w + Ub, \tag{7.8}$$

这里 U 是失业率，而 b 是失业后的福利水平，保留工资等于找到其他工作的可能性与实际工资率的乘积，加上继续失业的可能性与失业福利的乘积。上述二乘积之和等于预期的"其他收入"的水平，将式（7.8）代入式（7.7）并整理，得出工人只会努力工作的条件。即

$$w \geqslant b + 1/ProbU \tag{7.9}$$

如果 ProbU = 1，那么企业为提高效率而必须给付的最低工资与失业福利和努力工作的补偿之和。然而，当开小差总是被发现时，ProbU = 1，结果是，个体处于失业状态。不过，Prob < 1（比如监督不完全）时，或 U < 1（比如有找到其他工作的积极可能性）时，实际工资水平就必须定在最低工资水平之上以促进效率的提高。在这种情况下，企业将不得不支付给工人工资外的奖金来促使他们努力工作。如果 ProbU = 0，那么奖金就变得无穷大，且没有任何有限的工资能促使工人努力工作，这是因为要么开小差永远不会被发现（Prob = 0），要么是有相同实际工资水平的另一份工作总是能被找到（U = 0）。为了使等式（7.9）能被满足，就必须有可观的失业率存在。这证明了，企业要提高工人劳动效率，就必须支付市场出清水平以上的效率工资，其原因如下：

如果所有企业都以市场出清价格水平支付工资，那么工人就没有激励努力工作。如果工人开小差时被抓住并解雇，他们能找到另一个有相同实际工资水平的企业。在没有有效惩罚措施的情况下，工人理所当然会开小差。认识到这一点的企业就会支付高于市场出清价格的效率工资，结果就是一个正水平的非自愿失业出现。对一个开小差并被抓住的工人的有效惩罚是：面临着某一天失业的正值概率。在所有企业同样行动的情况下，促使工人努力工作的不是工资的差别，而是工人对如果开小差被抓住，自己就会被炒鱿鱼并且持续失业状态，只能拿到失业救济的预期。失业以这种方式充当了一个对工人的惩罚策略。

迄今为止，我们只解决了工人是否工作的决策。为了完全解出这个模型，我们必须朝企业关于其最佳工资水平的最初决策回溯。在此之前，我们先确认是什么决定了一个工人可接受的工资要约，第一是工人们总会接受一个满足等式（7.9）的工资要约，这是因为这种工资水平，在过滤掉工作中的无效用之后，一定会比工人拒绝本工作的保留工资高。同理，如果该实际工资水平不满足等式（7.9），但它比保留工资高，那么工人又会接受该工作，但是不会有效率地工作。这表明工人将接受实际工资高于 b 的工作，如果工资水平小于 b，工人就拒绝工作，这就使工人的均衡策略的描述完整了。

在企业也能够确定对工人的最优策略的情况下，它的决策是简单的。如果其工资水平定在 b + 1/PrU 之下，它的利润总是小于或等于 0（要么是没人为其工

作，从而使其利润等于 0，要么是工人光拿工资不干活从而造成亏损）。企业的最优策略就是提供一个等于 b + 1/ProbU 的实际工资水平，因为它能带来正利润或零利润。在一个正实际工资水平之下，企业就雇用工人，直到其边际生产率等于实际工资率。在没有工资提供的情况下，企业不雇用工人，什么也不生产，这就是效率工资博弈完整的解。

练习　7.1

课文中介绍的效率工资模型有两个简化的假设：第一，工人对其付出的劳动量只有离散地选择，设其为 0 或 1；第二，工人开小差时是否被抓住并解雇有一个固定的概率，它等于 Prob。本练习放宽了这两个假设。确定课文中的模型被下列假设改变后的模型：（1）工人对其付出的劳动量有一个连续的选择，即 e 能在 0 到 1 的闭区间内取值；（2）工人开小差被抓住并解雇的概率依赖于努力水平：Prob = 1 − e。

这些改进的假设也改变了保留工资下效用的相关界定，在眼下的模型中，一个工人即使付出了一个正的努力水平，他还是有可能在开小差时被抓住，其他收入带来的效用必然会影响可能的工作中的无效用，因此保留效用等于：

$$wr = (1 - U)(w - e) + Ub$$

用这个模型回答以下问题：

（1）什么样的实际工资价格刚好使得工人接受该工作？

（2）确定一个方程，表示工人在实际工资率下的最优努力水平变化，并画出这个函数图（提示：找出一个关于 e 的等式，使其最大化工人接受工作要约时的效用。）

（3）企业的最优效率工资率是什么？（提示：企业为了最大化其利润，会努力最大化其每单位工资的效率，即 w/e）。

7.2 名义刚性与商业周期

正如我们在上一节所讨论的，效率工资模型提供了一个对非自愿失业的可能解释。然而，这种模型本身并不能解释凯恩斯一个更重要的结论，那就是名义需求冲击真正能对经济产生影响。为了使名义需求冲击影响实际变量，我们需要某种名义的不完美。新古典主义宏观经济学试图用将关于市场总价格水平的不完全信息引入完全竞争模型的方法来解释名义需求冲击引起的波动。与之相反，新凯恩斯主义里一个流派的经济学家在不完全竞争的环境下分析名义工资和价格刚性

147 带来的影响。在名义刚性之下，工资和价格不会即刻消除对经济的冲击。这些冲击因而会导致实际变量的波动，该研究的主要发现是：小的名义刚性在不完全竞争下能够导致实际变量较大的波动，依次会引发社会总福利的较大变动。这个理论由 Akerlof 和 Yellen（1985）、Mankiw（1985）以及 Parkin（1986）分别得出，被称为"PAYM 视角"。

名义刚性通过两条途径被引入新凯恩斯主义经济模型。Parkin 和 Manki 假设变化的工资和价格会带来小额成本，它们因此被称为"菜单成本"（menu cost）。它包括诸如打印目录和新价格表这些调整价格的物质成本，也包括计算和协商制定新价格的成本。另一种方式是 Akerlof 和 Yellen 将"准理性"（near rationality）

148 这一概念引入，这包括个体选择次最优，从而未按完全理性行事。但只在成本很低时才选择次最优。PAYM 结论是重要的，因为它总的来说同意了这样一个观点，即调整工资和价格的成本也好，"准理性"带来的成本也好，都不能太大。为了说明这个结果，我们讨论 Mankiw（1985）提出的观点，并给它们一个博弈论解释。

7.2.1 小菜单成本

在下面的论述中，我们假设所有企业是无差异的，所以结论从一个能代表经济中所有企业的典型企业中得出。在不完全竞争中，企业面临着向下倾斜的需求和边际总收益曲线，如图 7.3 所示。

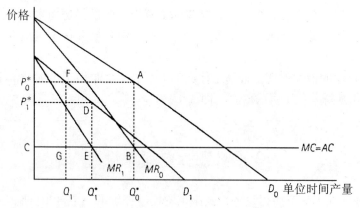

图 7.3 不完全竞争和小菜单成本

起初的需求和边际总收益曲线分别由 D_0 和 MR_0 表示，我们假设边际成本 MC 恒定，企业将通过确定边际收益等于边际成本时的产量来最大化其利润，然后确定与销售该产量产品一致的价格。企业最初将确定其产量为 Q_0^*，而价格为 P_0^*。这给了它们一些超额利润，其数量为 P_0^*ABC。

试想如果现在名义总需求下降，将会发生什么。比方说下降的原因可能是货币供应的紧缩，在物价不变的情况下，它会导致市场上对商品和服务需求的下降。这时需求和边际总收益曲线向左移动，新的需求和边际总收益曲线各表示为 D_1 和 MR_1。在其他企业保持其现有价格的条件下，如果一个企业改变其价格的成本大于收益，价格刚性就会成为一个纳什均衡。在这样一个均衡中，没有一个在隔离状态下行动的企业会改变它的价格。在这种情况下，价格总水平保持不变。因而，如果一个企业单边改变其价格的成本高于收益，价格刚性便是一个纳什均衡。它也包括企业比较改变或维持现行价格这两种策略下的预期收益水平。

如果一个企业保持 P_0^* 的价格，那么它会以生产量 Q_1 来最大化其利润。在这个确定的价格政策下，该企业获得数量为 P_0^*FGC 的超额利润。然而，在该产量时，边际总收益大于边际成本，所以利润（除去调整成本）在企业提高产量、降低价格时会上升。在企业产量为 Q_1^*，而价格降低至 P_1^* 时，其利润实现最大化。降低的得益即企业所得的数量为区域 $P^{*1}DEC$ 的利润。这个策略的成本就是调整价格的小菜单成本。如果该成本高于利润增加额，企业就维持其现行价格。如果成本大于 $P_1^*DEC - P_0^*FGC$，价格刚性就会成为纳什均衡。当这个必要条件被满足时，一个名义需求冲击的所有影响，都会落在数量调整上。在这个均衡中，所有企业都表现出了利润下降和消费者剩余减少。社会福利因此随名义总需求的减少而显著下降，以上就是传统凯恩斯主义经济学的结论。

上述价格刚性只有在不完全竞争的条件被满足时才能成为纳什均衡的条件。认识到这一点是很重要的。在不完全竞争中，一个企业降低价格的收益只能作为一个二阶量级（second－order magnitude）（即：小）。销售额的增长引起了利润的增长，但利润的增长被价格的下跌部分抵销了。但在完全竞争中，情况则不是这样的。它可以用下列论述证明：再一次假设名义总需求下降了。在完全竞争之下，给定其他企业都会维持其当前价格的预期。每个企业都相信只要自己稍稍降低一下价格，就会赢得整个市场。这无疑将极大地增加企业利润，其收益会超过任何可能的菜单成本。因此，每个企业都会单边降低其价格，这又同所有其他企业都维持其当前价格的假设矛盾。在完全竞争中，价格刚性不可能是纳什均衡。取而代之成为完全竞争纳什均衡的是所有企业即时和完全的价格调节。基于这个原因，小菜单成本只能解释在不完全竞争时名义需求冲击如何给经济带来现实影响。

7.2.2 总需求外部性

使我们能将 PAYM 结论在博弈论中应用得更透彻的另一个解释是 Blanchard 和 Kigotaki（1987）提出来的。他们主张，即使所有个体企业都不愿改变自己的价格，名义价格刚性带来的高额社会成本依然会存在。这是因为有一种基本的总需求外部性，这种外部性在不完全竞争中的条件下产生。

练习 7.2

考虑到调整价格的成本，求解针对下面的反向需求震动完全价格刚性成为纳什均衡的必要条件。假定有 n 个同样的企业，用 $i = 1$，……n 表示，并且所有这些企业起初是最大化利润。起初的需求曲线为 $p_i（£）= 250 - q_i$，其中 p_i 和 q_i 是企业 i 的要价和生产量。需求震动后需求曲线变为 $p_i（£）= 230 - q_i$，企业 i 的总成本为 TC_i，$TC_i（£）= 50q_i$，画图说明你的结果。

在新凯恩斯主义经济学中，这种不完全竞争被典型地模型化，即垄断竞争（monopolistic competition）。它是由 Chamberlaim（1933）提出来的。在这种竞争中，有许多企业在出售有差异的商品，商品的差异性导致企业的产品都是其他企业产品的不完全替代品，因而每个企业都有一定的市场势力。这种竞争下的总需求外部性可以作如下解释：如果一个企业对名义需求的下降作出价格调整，它就对价格总水平造成了一个小的负面影响，这意味着名义总需求的下降已变成了实际总需求的下降，它将引发经济衰退。但是，如果数量可观的企业都降低其商品的价格，就会显著降低价格总水平，因而会部分抵销总需求的下降。在这种情况下，随之而来的经济衰退不会那么严重。所以企业状况变糟的程度就相应减轻了。正是这种不完全竞争下的互相依赖造成了外部性。正在考量最优价格策略的企业们将会忽视自己的政策给其他企业带来的影响，因而结果得出的均衡将是帕累托无效率的。该结果表示在图 7.4 中。正如我们所见，该图中的货币供应量减少了。

在图 7.4 中，我们假设有很多无差异企业在进行不完全竞争。其横轴表示整个经济的加权价格指数 P，它被经济中名义货币总量 M 分割。该横轴表示实际货币供应的倒数。纵轴表示代表性企业的价格，它还是与名义货币供应有关。该图表示了数个企业 i 的等利润曲线，它们以该企业的利润水平 Ⅱ 为标准标志，等利润曲线向右移动表示对企业产品需求的减少，从而也就是利润的减少。我们假设每个企业都只关注其自身利益的最大化，而无视其价格在实际总需求方面的影响，这意味着企业将实际货币供应量作为给定的值，并以此确定其最优价格。将

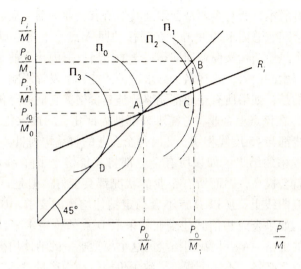

图 7.4　不完全竞争和总需求外部性

这些利润最大化的条件综合起来，我们得到企业 i 的反应函数 R_i。该曲线表明企业的最佳价格是如何与实际货币供应的倒数相关。在图 7.4 中，我们假设反应曲线是向上倾斜的（反应曲线也有可能向下倾斜，但这不会明显改变本章的结论），所有企业是无差异的，均衡中每个企业采用相同的价格水平。这种均衡叫做对称纳什均衡。这表明最终的纳什均衡会在 45 度线上。在所有企业一开始就确定其利润最大化价格的情况下，均衡将在 A 点，即反应曲线与 45 度线相交处。在纳什均衡中，所有企业的价格均为 P_{i0}。此时，名义货币供应量为 M_0，而利润水平为 Π_0。

现在让我们来看看，如果名义货币供给紧缩后将会发生什么。要是经济中的货币供应紧缩至 M_1，那么在固定价格之下，实际货币供应量就相应减少。在固定价格条件下，经济将移至 B。企业的利润水平下降至 Π_1。然而，这个点没有在任何一个企业的反应曲线上，所以略去价格成本，企业都未能达到最优。在每个企业都对价格总水平产生一些消极影响时，企业就以降低至 P_{i1} 的方式最大化其利润，并垂直向下移动至 C 点。这个降价把利润升高到了 Π_2。然而，独立行动的企业只有在利润的增加高于调整价格的菜单成本时，才会这样做。如果菜单成本大于二阶利润所得（second-order gain in profit），企业就会维持其初始价格 P_{i0}，从而 B 点也就成为了新的纳什均衡点。在缺乏有效合作的情况下，哪个企业也没有激励去调整其价格，经济就会因总需求减少而衰退。这就支持了凯恩斯的观点，即政府应该制定总需求目标以稳定经济，并避免实际经济生活中的波动。如果调整没有成本，所有企业都会跟上其他所有企业的潮流立即降价。在这种情况下，经济会随着总需求的冲击，立刻移动回 A 点。不完全竞争本身并不能有效地证明一个凯恩斯主义商业周期是科学的，所以取而代之的是一种更深层次的市场不完美因素的引入，这样名义需求冲击才能真正发挥影响。

最后要注意的是，如果所有企业都能够调整其价格，它们的降价范围就能使经济移动到 D 点，在该点上企业将总需求外部性内部化，并最大化企业间收益，它们的等利润曲线都与 45 度线相切，此时每个企业的收益均为 $\prod_3$，这就是上述对称的帕累托有效率的结果。如果所有企业都将其价格水平降到 D 点水平上，实际商品总需求就会提高，因而所有企业的状况都会变好。但是，由于 D 点未在任何企业的反应曲线上，所以 D 点不合稳定纳什均衡的要求。D 点不是纳什均衡的原因在于：如果企业相信其他企业将采取 D 点的价格水平，它就会有激励采取一个更高的价格。A 点是我们描绘的这个模型唯一的纳什均衡。它符合经济学上的囚徒困境之必然，不完全竞争导致了价格过高而产量过低，结果就是帕累托无效率。在有效率的名义价格刚性之下，扩张的货币政策可能会缓解上述问题，并增加社会福利，这样货币供应量的增加等价于所有企业的合作降价，实际总需求上升会使所有企业的状况变好。

7.2.3 融合实际刚性和名义刚性

上面的分析表明：在不完全竞争的条件下，小幅度的名义刚性会导致对实际变量和福利产生显著影响的经济波动出现。然而，对这些模型的一种批判是：价格刚性只有在一个难以置信的参数值下，才会成为纳什均衡。最重要的是，若价格刚性是纳什均衡，则劳动力供给应是有高度弹性的，但正如绝大多数实验结果所表明的，劳动力供给恰恰高度缺乏弹性，这就对上面的结果提出了严峻的挑战。这些挑战来源于我们上面的部分均衡分析（其中我们孤立地分析了商品市场）与一个均衡的普通基准体系相结合。使用一个均衡的普通基准体系的好处是市场间的相互影响能被清晰地模型化表示出来。例如，设想将劳动力市场与上述模型相结合，在一个反向的需求冲击和名义价格刚性之下，企业将缩减它们的产量，从而缩小它们对劳动力的需求量。在弹性较差的劳动力供给之下，这将导致实际工资水平的下降，反过来又以边际成本的降低影响商品市场，由于边际成本降低，企业就更有激励降低价格。在可置信的参数值之下，这种降价激励的上升将压倒一切小菜单成本。在弹性较差的劳动力供给之下，小菜单成本本身就不再是商业周期波动的一个可置信解释了。

为了反驳这种批判，Ball 和 Romer（1990）证明了仅通过将名义刚性和实际刚性结合起来的办法。凯恩斯主义经济学的结果就可以再一次被证实，而无需再去假设非实际的参数值，实际刚性是重要的，因为只有在单个企业相信其他企业会维持价格不变而不改变自身产品的价格时，名义价格刚性才会使纳什均衡。企业在上述信念之下，会预期到改变自身价格就意味着它实际价格的一种改变，而这种改变会引起实际需求的波动。如果实际价格刚性存在，它就会增加名义价格调整所带来的成本，为了证明这个观点，我们将考察一系列实际刚性，并说明它们如何减少企业根据反向需求冲击降价的激励。

效率工资（Efficiency wages）

在上述批判中，企业降价激励的提高源于劳动市场上实际工资的下降。但是，正如我们在 7.1 节中看到的，如果企业支付高于市场出清水平的效率工资，那么劳动力就会偏离它的供给曲线。在这种情况下，劳动力需求的降低会减少工作岗位，这种减少对实际工资价格影响甚微，如果这种减少发生，边际成本不会大幅下降，而小菜单成本会阻止企业降价的进程，在效率工资制下，价格刚性会在参数值可置信时成为纳什均衡。

这种解释说明：商品市场和劳动力市场的相互影响加强了工资刚性和价格刚性的地位。例如，要是企业估计工资会下降，他们可以根据一个反向的需求冲击来准备降低其价位。然而，如果他们认为工资水平会固定不变，那么在小菜单成本存在时，他们可能会维持现有价格。在劳动力市场上，企业如果预期价格会下降，他们就会降低工资。但如果他们认为价格会保持不变，出于效率工资的考虑，他们就会拒绝降低其名义工资水平。这样，结果得出的纳什均衡就有可能与完全的工资刚性和价格刚性一致，需求波动也可能导致产量、就业和福利较大波动。

密集市场的外部性（Thick market externality）

有贸易摩擦存在，就有进行互利贸易而带来的成本存在，这意味着买卖双方只有在承受很多的（多种搜寻）成本之后才会走到一起，例如，消费者需要花费时间在市场上寻找最棒的商品，同时企业得付出广告和促销成本去吸引新客户。Diamond（1982）提出，这些成本与经济的活跃水平是负相关的，当很多潜在的贸易伙伴存在——正如经济繁荣时期那样；这种调查成本要比在贸易伙伴很少时——正如经济衰退时那样——要低。随着更多人参与到经济活动中来，搜寻成本在其他代理人之间就会减少，这种相互依赖被称为"密集市场的外部性"。由于这种外部性，调查成本会反周期性地移动，使得企业在名义需求的冲击下，更倾向于维持其原有价格。

消费者市场

与密集市场的外部性紧密相关的是消费者会节约搜寻成本的说法。消费者节约搜寻成本的办法是减少调查的频率，也就是隔多久才购买一次商品。根据Okum（1975、1981）的学说，具有这种特征的市场叫做消费者市场。在这种行为原则下，消费者只有相信他们付出的价格合理时，才会继续购买一个企业的产品。如果消费者认为一个企业索要的价格明显高于其他企业可能的价格，他们就会停止购买该企业的商品，转而向其他企业寻求所需。这表明价格上涨时需求的弹性要大于价格降低时，因此该需求曲线扭结于现有价格上。如果一个企业涨价，那么它的销量就会下降，因为一部分消费者转而购买其他企业的产品，而余下的消费者也降低购买量。如果企业降价，当前的消费者会购买更多产品，但它不会立即吸引到其他企业的顾客，因为他们没有立即察觉到价格的变化。要变动价格，仅有企业知道名义需求的变动就不够了，消费者也必须获知同样的信息。这就会缓解价格波动，并将一个新程度的价格刚性引入经济。

以价格判断质量

消费者拥有不完美信息的市场可能出现的另一个结果是他们将以商品的价格判断其质量，在这种行动原则下，消费者（或潜在消费者）认为：商品价格上涨的原因是质量的上升，而价格的下降意味着品质的下降。Stiglitz 在 1987 年指出这种情形下的企业在消极需求冲击下不愿降价，因为它们害怕被消费者误认为产品质量下降了。

共谋垄断（Collusive oligopoly）

Stiglitz（1984）进一步指出，不完美信息下联合垄断的得益可能使有意在消极需求冲击下降价的企业继续留在卡特尔当中，如果企业对卡特尔中其他企业面临的需求具有不完全信息，这种情况就会发生。在这种情况下维持共谋结果使其对每个企业都有利的一个可能的纳什均衡是：以改变价格作为触发策略。每个企业维持共谋价格的条件是其他企业也这样做，否则企业就采取帕累托无效率的纳什均衡价格。以这种策略，企业就可能不会因需求降低而降价，因为它害怕这样做会被误解而使卡特尔中的其他成员回到非共谋的结果上，这将使所有企业的状况变得更糟。实际价格刚性成为均衡的条件是：维持价格的预期得益高于其在需求冲击下不调整价格的成本。

Rotembeng 和 Woodford（1991）以联合垄断来考察价格刚性，他们指出价格高于成本的幅度在经济繁荣时期会下降，而在经济萧条时会上升。这是因为在经济繁荣时期，竞争的激烈会使卡特尔更难以维持。如果真是这样，那么企业就有更小的激励去在经济萧条中降价，它又按价格刚性行事。

交错的工资和价格调整

价格为什么可能是固定的？关于这个问题的最后一种学说是：企业间的价格

调整不是同步的，而是交错的（在交错的价格调整下，经济对名义需求冲击的调整适应过程要大大长于个体企业保持价格不变的过程）这是因为在交错价格调整之下，价格的变化与企业实际价格的变化是一致的。如果企业致力于规避相关价格的调整，他们就会希望避免大规模的一次性价格变动。每次需求冲击下连续的价格调整只能向新的长期均衡作出部分改良。由于经济中的所有企业都只作出部分改良，那么整个经济的改良过程就会延缓。结果得出的价格水平惯性表明：名义需求的冲击会给经济带来实际影响，即使个体企业迅速地改变其价格，上述结论也是正确的。Blanchard（1983）进一步指出：如果交错在一个产业链条中处于不同环节的企业间发生，完全的调整过程将进一步推迟。

类似的观点也可适用于工资调整。例如，工人们在一次反向需求冲击后会准备好接受工资的降低——如果所有其他工人都同时被相应地降低工资。不过在交错的工资紧缩中，调整意味着相关工资的变动。如果工人们关注于与他人相比较的个人工资，即使工资迅速地变化，那么调整的过程就会是渐进的。

上述每一种价格刚性都会增加名义价格调整的成本，这将提高企业在需求波动下维持现有价格并调整产量的可能性。看来经验主义的似是而非的菜单成本、其他实际刚性和不完全竞争的结合会导致名义需求冲击带来实际的影响。它支持基本的凯恩斯主义经济学论点，即商业周期以需求为动力，政府通过控制需求实行的经济稳定政策具有潜在的提高福利的空间。

7.3 协调失败

156

上一节论证了工资刚性和价格刚性在不完全竞争的宏观经济学博弈中可能构成纳什均衡，本节我们要证明的是相互依赖如何引起多重均衡的出现。进一步，我们说这些均衡是帕累托分级的。这意味着从社会福利角度预期，一些均衡要优于其他均衡，这就引发了协调失败的可能性。经济在一个次优于其他均衡的均衡上形成稳定状态，这种情况就是协调失败。

多重均衡和协调失败的可能性有几个显著意义。首先，它使政府政策有了潜在的重要地位。政府政策包括政府尝试促进经济向一个帕累托有效率的结果发展，也有可能包括政府以积极的需求政策使经济免于受到失业均衡的冲击。同理，具有多重均衡的模型显示一种滞后的影响，此时对经济的冲击具有永久性影响。例如，Howitt 和 McAfee（1988）以及 Durlauf（1999）都说明，在众多均衡中，经济最终稳定于哪一个均衡依赖于初始条件。

另一个意义是由于预期的变化，经济会在几个均衡中变动。看来这个结论会支持凯恩斯的观点，即"活力"（animal spirits）会对经济的活跃水平产生重要影响。从这个预期来看这些模型与"重叠代际"（overcapping – generation）模型中得出的"黑子均衡"（sunspot – equilibria）一致。这里的逻辑是：由于经济不会只经历唯一的均衡，代理人将使用一系列非本能的重要性——比如"黑子"——去将他们的理念协调于一个特定的均衡上。这样，一些无关紧要的事件就会影响了代理人的预期而对经济产生实际影响。在这种可能性之下，经济的运行可能较大程度地脱离其基础。个体企业协调于一个特定均衡的一种途径是接受一个共同的条约。这些条约接下来又与特定的组织机构相关联，比如对工资合同的集中控制。有趣的是，合作条约也必须为一种特定的经济学理论所容。Hargreaves Heap 在 1972 年提出了一个重要代际模型。其中如果代理人以古典主义经济学理论确定其预期，那么最终均衡也会符合这一学说。或者如果代理人以凯恩斯主义学说确定其预期，那么结果均衡也会有凯恩斯主义经济学的特征。所有确定预期的途径都是自我满足的，因而也都是理性的（一个具有类似特点，基于垄断竞争建立起来的模型在练习 7.3 中被给出）。

157　　为了考察这一类问题，我们先来确定一个对存在着宏观经济学博弈的多重均衡一个一般的要求，这是建立在 Cooper 和 John（1988）工作的基础上的，然后讨论在不同的经济背景下，各条件如何被满足。

7.3.1　多重均衡和策略相互依赖

Cooper 和 John（1988）证明：上述博弈具有多重对称纳什均衡的一个必要条件是经济要表现出策略相互依赖。正如我们在第 4 章中讨论的策略性，相互依赖是指这样一种情况：一个博弈者策略变量的增加会使其他博弈者增加他们的策略变量。将它图示出来，则表示为一条向上倾斜的反应曲线。相反，策略的可替换性表示为一条向下倾斜的放映曲线，为了观察这种策略的相互依赖是多重对称纳什均衡的必要条件，我们来看图 7.5。

该图的纵轴表示一个典型的个体变量值 e_i。该变量的性质依赖于考虑的经济模型。横轴表示策略变量的总值 e。它是经济中所有个体 e_i 的加权平均。我们假设：由于经济中个体数量非常大，所以每个个体对经济的影响都是微不足道的。一个对称的纳什均衡一定在 45 度线上。图 7.5 中有三个对称纳什均衡即点 A、B 和 C。给定反应曲线是一条连续的曲线，那么很明显，只有在反应曲线——至少

158　是部分——向上倾斜时，它才可能与 45 度线有多个交点，因此 Cooper 和 John 强调：多重均衡的一个必要条件是策略相互依赖。我们也要看到，策略相互依赖也为凯恩斯主义乘数效应（Keynesian multiplier）过程提供了一个常规解释。比如，如果策略变量与企业的产量选择相一致，那么策略相互依赖就意味着，如果一些企业提高产量，那么其他企业也会照此办理。这样，策略相互依赖能够解释国家

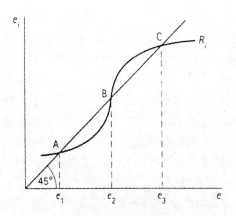

图 7.5 策略补充与混合策略纳什均衡

产量的多重扩张或紧缩。现在我们来讨论该一般条件如何被满足以及新凯恩斯主义经济学模型如何造成纳什均衡和协调失败。

7.3.2 策略相互依赖的可能原因

总需求外部性

经济能表现出策略相互依赖的一条途径是通过总需求外部性。这已被 Rotemberg 和 Saloner（1986、1987）、Blanchard 和 Kiyotaki（1987）、Ball 和 Romer（1991）以及 Alvi（1993）证明。在这些模型中。出现策略相互依赖是因为：价格水平的普遍提高使得个体企业在没有小菜单成本的情况下提高其最优价格，这种情况可以作如下解释：价格水平的普遍提高与个体企业的价格保持同步，这就会使企业提高价格，第二，价格的普遍提高会减少实际货币的供应量与实际总需求量，结果是企业产生了降低激励，那么对个体企业价格的"净影响"就难以清楚确定了。如果相关价格影响大于总需求影响，那么策略相互依赖就会出现，但是，如果总需求与实际价格水平的比例弹性大于1，那么总需求影响就大于相关价格影响，此时出现的就是策略互补性。正如我们前面讨论的，策略相互依赖是多重均衡和协调失败必要的，下面的论证表明这种情况如何在总需求外部和小菜单成本发生，尤其是我们要论证价格刚性本身就是一种协调失败。

假设政府减少了名义货币供应，那么在策略相互依赖之下，每个企业如果预见到其他企业会降价，它自己也就会决定降价。但是，如果由于小菜单成本的存在，一个企业预期其他企业不会降价，那么相关价格影响就不会存在，每个企业降价的激励就会变小。由此可以推出，个体企业在利润减少时期不调价的成本使更多其他企业改变价格。在菜单成本取特定值的情况下，多重纳什均衡即将出现。其中一个可能的均衡是所有企业都预期其他企业会调整价格。在这个预期下，企业认识到不调整的成本会很高，所以每个企业都将调整价格。另一个可能的均衡是所有企业都预期其他企业会维持价格，在此不调价的成本被认为很低，可能比菜单成本还小。如果这个条件满足，那么没有企业会调整其价格。在这两个均衡中预期都是自我满足，并且是理性的。在第二个均衡中，企业维持其初始价格并调整产量，在货币供应量减少之后，该均衡会使经济进入萧条，经济福利减少，该论证表明，总需求外部性的存在而引起的策略相互依赖与小菜单成本共同引发了帕累托分级多重纳什均衡的出现。

在讨论如何使经济显示出多重均衡的可能途径之前，我们有必要看到上述论证也能在一定程度上回应对于"小菜单成本是名义价格刚性的正当化"这一论点的两种批评。第一种批评认为，关于小菜单成本的著作只关注价格调整的成本而忽略了产量调整的成本。他们的观点与小菜单成本相关著作的观点相反，主张企业在名义需要冲击之后会比较每种调整的成本。如果调整产量也有成本，那么企业偏好保持价格方允许产量调整是不清楚的。第二种批评认为，关于菜单成本如何导致名义价格刚性的标准陈述忽视了动态考虑。其观点是企业不调整价格的成本将随着时间的延长而累积。在企业关注未来贴现后收益的条件下，累积成本将会提高他们根据一个名义需求冲击立即调整价格的激励。

上述把小菜单成本与纳什均衡联系起来的观点引发这些批评的原因是，企业对于自身将面对什么样的冲击的预期，与博弈最终协调到哪一个纳什均衡上是有关系的。如果企业预期其他企业会调整价格，他们就会预期冲击是名义的，这样企业就确实有可能调整价格。然而，如果企业预期其他企业会维持价格，他们就会认为冲击是实际的。这样企业就会认定产量调整才是重新确定纳什均衡所必需的，如此企业就会拒绝调整价格，转而调整产量，这种对名义价格刚性的解释就无须再假设企业忽略产量调整成本，或是不调整价格的累积长期影响。

密集市场的外部性（Thick market externality）：

正如我们在7.2节中讨论过的，当潜在的商业伙伴的联系成本与总体经济活动负相关时，密集市场的外部性就会出现。在经济繁荣期的调查成本小于经济萧条期，而这又为企业提高产量提供了进一步激励。这样我们又一次迎来了策略相互依赖，它给"其他企业"提供了积极生产的激励，这就引入了多重纳什均衡的可能性。如果企业预期经济的活跃程度很高使得调查成本很低，那么每个企业的最优产业选择就是高产量。但是，如果企业预期经济的低活跃程度会带来高调查成本，他们就会选择低产量。这两种情况都会产生自我满足的预期并描述出可能的纳什均衡。由于总需求外部性的存在，这些均衡会被不同的经济活跃水平区分开来。因而帕累托分级的协调失败的潜在可能性再一次出现。

递增回报（Increasing returns）：

对协调失败的最后一个解决途径是提高生产产品的回报。在递增回报下，随着产量的扩张，生产成本随之下降。这样商品在其高需求下就更有竞争力，我们再一次看到，如果企业预期总需求量很高，它们就会扩大产量。如果它们预期总需求量很低，他们就会降低产量。那么帕累托分级多重均衡的可能性再次出现，其中每个均衡都被不同的自我满足预期区分开来。递增回报的意义被 Kiyotaki（1988）Shleifer（1986）以及 Murphy、Shleifer 和 Vishny（1989b）进行了论述。

我们应看到，在凯恩斯主义经济学模型中造成多重纳什均衡的后两种方法没有依靠不完美的工资或价格调整。因此这些模型证明，即使工资和价格都具有完全弹性时，协调失败也可能发生。确实，基于协调失败和名义刚性的模型有时会以另一种样式表现出来。但是基于总需求外部性的模型表明这两种途径是紧密相连的。正如上面所论证的，在某些模型中，名义价格刚性本身就表现出协调失败。

练习　7.3[*]

在课文中我们讨论了价格刚性在名义需求冲击下本身就可能成为协调失败，本练习要给出一个模型，其结果均衡依赖于代理人预期其他人会对名义货币供应量的减少做何样反应，如果代理人持"古典主义"预期，他们就会预期协调失败会出现，经济会进入萧条时期，假设经济中有 n 个企业，编号为 $i = 1, 2, \cdots, n$。他们相互之间进行寡头竞争，每个企业的需求趋向相同，以下面的等式表示。

$$d_i = (p_i/P)^{-2} (M/P)/n,$$

其中 d_i 和 p_i 分别表示企业产品的需求量，价格 m 是名义货币供应量，p 是所有企业家各的加权平均数，确定为

$$P \equiv \sum_{i=1}^{n} p_i d_i \Big/ \sum_{i=1}^{n} d_i.$$

每个企业的总成本（TC_i）以下列等式表示：

$$TC_i = cPd_i^2$$

企业都尝试最大化其利润，并无视其价格和产量的决策对总价格水平 P 的影响，我们首先加设改变价格没有菜单成本。

（1）求出每个企业的最优产量和价格的表达式。

（2）求纳什均衡中每个企业的价格和产量。

（3）如果企业最大化整体利益，求出每个企业的价格和产量的表达式，并求出它们之间同等的产量水平。解释为什么得出的表达式不同于（2）的结果。

以上问题相关参数的取值为 $n = 20$，$c = 0.5$。

（4）如果 $M = 100$，纳什均衡中每个企业的产量价格的值是什么？

（5）假设政府货币供应量降低 10%，在下面条件下，算出每个企业的最优价格和产量，以及由此得出的企业预期利润水平。

（a）每个企业预期其他企业降价 10%。

（b）每个企业预期其他企业维持初始价格。

（6）假设企业不采用（5）中的优化策略而是维持其初始价格水平，在（5）题中（a）（b）两个条件下，算出每个企业的产量与其利润水平。

（7）从你的（5）（6）题答案中求出当货币供应量下降 10% 时，调整价格成本带来的价值范围使下面两种情况都会成为均衡。

（a）所有企业都降价 10%。

（b）所有企业都维持其初始价格。

7.4 结论

新凯恩斯宏观主义经济学尝试以所有代理人理性行动的模型来得出传统凯恩斯主义经济学的结论，这部分出于新古典主义经济学对传统凯恩斯主义经济学的批判，即其结论依赖于特定的假设。特别是如上一章中讨论的，很多凯恩斯主义经济学的结论最初是从代理人并未完全理性地确定其预期的模型中得出来的，为了弥补这个缺陷，新凯恩斯主义经济学家们建立了博弈论模型，其中代理人根据理性预期假设来确定其预期，在本章中我们讨论了尽管互有关联但却各自独立的新凯恩斯主义经济学的三个流派的模型。它们是效率工资模型、基于名义刚性建立的模型和由于多重均衡存在协调失败风险的模型，在每种情况下都有持续的非自愿失业的可能性，政府的稳定政策也常常占据明显地位。这些结果不再依赖于代理人非理性行为的假设，相反，所有模型的核心假设都是私人部门相互依赖，这与新古典主义宏观经济学中由于完全竞争，私人部门互不相干的假设相反（在新古典主义宏观经济学中政府与私人部门之间依然有相互依赖性）。从这个角度来看，在哪种学说提供了最有用的政策建议这个问题上面，对代理人理性行为与否的依赖就不是那么强了。但它强烈依赖于企业认同的经济结构。在某些经济中新古典主义经济学被认为最有用，在另一些经济中就凯恩斯主义经济学的观点可能是正确的。随着博弈论在新古典主义经济学和新凯恩斯主义经济学中的应用都有扩大的情况下，我们越来越没有理由以建立在关于代理人理性或是工资价格调整的特定假设上为原因否认其中任何一种。相反，我们必须根据不同的标准评价两个学说的思想，特别是竞争模型的经验主义相关性再一次被认为具有重要意义。

7.5　练习答案

练习　7.1

（1）工人接受工作的预期效用等于

$$V_A = (1 - Prob)(w - e) + Probw_r.$$

相反，拒绝工作的预期效用等于

$$V_R = w_r.$$

一个工人将接受工作要约，如果

$$(1 - Prob)(w - e) + Probw_r \geq w_r.$$

所以一个要约被接受，如果

$$w - e \geq w_r.$$

将它们代入关于 w_r 的等式，得出可接受的工资供给条件

$$w > b + e.$$

当工资减去工作的负效用后所大于失业补贴，工人将接受提供的工作。因为工人总是令 $e = 0$，那么最小可接受的工资为 b。

（2）如果提供的工资给被接受，那么工人将通过最大化其效用 V_A 来确定其最有效率水平，将 $Prob = 1 - e$ 代入 V_A 的表达式我们得到

$$V_A = e(w - e) + (1 - e)[(1 - U)(w - e) + Ub].$$

微分令其等于 0 并整理，我们得到工人如何确定最有效率水平的等式

$$e(w) = (U(1 + w - b) - 1)/2U.$$

该函数如图 7.6 所示。

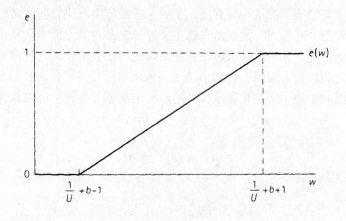

图 7.6

（3）给定利润为正值那么企业就会寻求最小化每单位工人效率的工资，即最小化 w/e 的值，这对应 e/w 的最大值，该值表示为从原点到函数 $e(w)$ 的一条斜线，从上图可知当 $e=1$ 时 w/e 值最小，这样企业确定其实际工资水平为 $1/U+b+1$。如果 $u=0$，那么企业总是有激励提高其工资水平，因此，这不可能是一个均衡，因为在课文中的模型之下均衡中的非自愿失业率必须是正值，以提高工人的效率水平。

练习 7.2

将企业 i 的最初需求曲线与企业产量水平相乘并微分，我们得到企业 i 的边际收益曲线

$$MR_i = 250 - 2q_i.$$

令其等于边际成本 £ 50，我们可以得到企业最初利润最大化的产量是 100。当企业定价为 £ 150 时其销售就会等于 100，每个企业的最初利润为 £ 10000。

在反向需求冲击之后，边际收益曲线变成

$$MR_i = 230 - 2q_i.$$

令其等于边际成本，我们得到新的利润最大化产量为 £ 90，价格为 £ 140，在调整价格中每个企业得益 £ 100。但是，这个利润还必须减掉调整价格的成本即小菜单成本，另外，如果企业保持其初始价格为 £ 150，那么它最多只能销售 80 单位的产品，带来 £ 8000 的利益。

因此价格刚性成为纳什均衡的必要条件是：所有企业调整价格的成本大于 £ 100。如果这个条件被满足，就没有企业有激励改变价格，而是降低 20% 的产

量，以作为对需求冲击的回应。如图 7.7 所示。

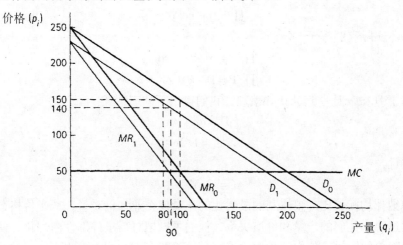

图 7.7

练习　7.3

165

（1）整理需求函数，我们可以得到企业 i 的反需求函数

$$p_i = (MP/nd_i)^{1/2}.$$

从该表达式中我们能确定企业 i 的利润函数

$$\Pi_i = d_i (MP/nd_i)^{1/2} - cPd_{i2}.$$

令该式对 d_i 微分等于 0 并整理，我们可得企业最优价格和产量表达式

$$d_i^* = (M/(16c^2Np))^{1/3}$$

$$p_i^* = (4cMP^2/n)^{1/3}.$$

（2）该模型的均衡有两个特征

（a）企业都在它们的反应曲线上，所以其确定的产量和价格将符合（1）中得出的等式。

（b）企业将采用相同的产量和价格，所以对于所有 i 值都有 $p_i = P$（因为所有企业都面对相同的限制条件，均衡将是对称纳什均衡）。

从这两种观察我们得出纳什均衡中关于 p_i 和 d_i 的等式

$$d_i = 1/4c$$

$$p_i = 4Mc/n.$$

（3）在这个问题中企业试图最大化其整体利润 Π，条件是所有企业都采用相同的价格和产量，这样我们就能令 $P = p_i$ 和 $D = nd_i = M/P$。

在这个条件下整体名义利润等于

$$\Pi = M - ncPd_i^2$$

整体实际利润等于

$$\Pi/P = M/P - ncd_i^2$$

$$\Pi/P = D - cD^2/n.$$

166

关于 D 微分且令其为 0 并整理，我们得出下列表达式

$$D = n/2c$$

$$\therefore d_i = 1/2c$$

并且

$$p_i = 2cM/n.$$

与纳什均衡相比，整体利润最大化的产量使企业加倍产量，减半价格，这是因为通过协调他们的产量和价格决策，他们可以把总需求外部性内部化，使企业认识到降价的同时，他们的相关价格保持不变，但是实际货币供应量却增加了，这增加了所有企业产品的需求量，并使它们状况变好。

（4）从（2）中得出的等式，纳什均衡中每个企业的产量等于 0.5 而定价为 10。

（5）和（6）这两个问题的答案在表 7.1 中给出，其中 Π_i/P^e 是企业对平均价格水平的预期。Π_i/P^e 是其对实际利润水平的预期。

（7）从对（5）（6）两个答案的考察中，我们可以得出下面两个结论。

（a）如果企业预期其他企业都降价 10%，那么在给定的调整价格成本（菜单成本）小于 0.375 - 0.368 = 0.007 条件下，降价就是所有企业的最优策略。

（b）如果企业预期其他企业将维持初始价格，那么在给定的菜单成本大于 0.350 - 0.349 = 0.001 条件下，维持就是所有企业的最佳策略。

只要下列条件被满足这些方案中的两个将是纳什均衡：

$$0.001 < 菜单成本 < 0.007$$

在上述条件被满足时，博弈均衡的确定依赖于企业的预期。例如，如果企业预期其他企业会按古典经济学学说行事并按名义货币需求的降低比例降低价格，那么经济最终就会协调于第一均衡上。或者如果企业预期其他企业会按凯恩斯主义经济学学说行事，那么经济最终会归于第二个均衡。在这种意义下，经济学理论本身就成为企业协调它们预期的方法。两种类型的预期因为它们自我实现时都是理性的，结果是：要么价格降低 10%，要么产量降低 10%。

167

表 7.1

	p^e	d_i	p_i	Π_i/P^e
问题 (5a)	9.0	0.50	9.0	0.375
问题 (5b)	10.0	0.48	9.7	0.350
问题 (6a)	9.0	0.41	10.0	0.368
问题 (6b)	10.0	0.45	10.0	0.349

进一步阅读

Akerlof, G. , and J. Yellen (1986), *Efficiency Wage Models of the Labor Market*, Cambridge: Cambridge University Press.

Hargreaves Heap, S. P. (1992), *The New Keynesian Macroeconomics Time*, Belief and Social Interdependence, Aldershot: Edward Elgar.

Leslie, D. (1993), *Advanced Macroeconomics*, London: Mcgrawhill.

Mankiw, N. G. , and D. Romer (1991), *New Keynesian Economics*: 1 *and* 11, Cambridge, Mass: MIT Press.

Romer, D. (1996), *Advanced Macroeconomics*, New York: McGraw – Hill.

Snowdon, B. , H. Vane, and P. Wynarczyk (1994), *A Modern Guide to Macroeconomics*: *An Introduction to Competing Schools of Thought*, Aldershot: Edward Elgar.

Weiss, A. (1991), *Efficiency Wages*: *Models of Unemployment*, Layoffs and Wage Dispersim. Oxford: Clarendon Press.

▼
▼
▼

第八章

168

国际政策协调

在前面的两章中，我们从一个纯粹国内视角讨论了宏观经济政策的作用。特别地，我们忽略了一国经济政策可能对其他国家产生的影响，这一点在被讨论国家很小时是有道理的。在"小国"假设下，我们能够忽略一国宏观经济政策可能给另一国带来的任何溢出效应，因为它们是微不足道的。然而，如果我们研究的是大规模经济，这些溢出效应就会凸现出来，并且需要明确地模型化。在溢出效应下，不同的国家之间是相互依赖的。本章证明国家在溢出效应存在时，能够通过政策合作而不是单边政策来获益。基于这个原因，政策协调的预期对七国联盟（美国、德国、日本、英国、意大利、法国和加拿大）特别有吸引力，尤其是其中三国（美国、德国和日本）。

当各国同意签署的条约中含有促进参与国福利共同发展的经济政策时，政策协调就产生了。将本国政策对国外施加的影响纳入注意范围的国家都成为政策协调的成员。当一国的经济政策影响其他至少一国的经济活动时，"溢出效应"（spillover effect）就会产生。在没有政策协调的情况下，每个国家都无视外部性的存在，而努力追求其自身利益的最大化。在所有国家各自为战的情况下，博弈结果将是一个纳什均衡。但在"溢出效应"存在的情况下，该均衡会是帕累托无效率的，这就给国家提供了一个协调其政策的激励。因此，政策协调是用来防止帕累托无效率的结果出现的。

当没有"超国家"的机构能强迫主权国家之间达成公约时，分析经济政策协调的最好工具就是非合作博弈理论。从这个观点看来，每个国家都只会同意与其本国偏好相符的政策协调，所以所有的公约都一定有自我约束力。为了分析政策协调中的一些问题，我们将聚焦于货币政策。简而言之，本章各节都分别分析了其中的一个问题。我们在 8.1 节中提出这样一个问题：货币政策的主要"溢出效应"是什么？在此，我们讨论了一个国家的需求总量如何溢出影响其他国

169

家福利的三种方式。这些溢出效应通过一个 Mundell – Fleming 模型的变式，分别在绝对固定汇率和绝对可变汇率的假设下被证明。我们在 8.2 节中提出的问题是：这些"溢出效应"的结果是什么？该节通过利用一个两国模型并对比在非合作和完全合作两个不同假设下的可能收益，证明了协调货币政策国家的潜在利益。尽管合作经常有潜在利益，但在国家认识到这些利益的过程中，也会遇到很多问题。这些问题中的一部分及其解决途径在 8.3 节中被讨论。因此该节回答了：货币政策协调存在哪些问题？我们在 8.4 节中质疑：政策协调能得到的潜在利益有多大？为了回答这一问题，我们回顾一些尝试确定政策协调可能收益的研究。

8.1　货币政策的溢出效应

正如引言中介绍的，溢出效应发生于一国的经济政策至少影响另一国家的经济福利时。本节我们讨论货币政策可能带来的溢出效应。一国的总需求政策波及出去而影响另一国的途径共有 3 条，它们是实际收入效应、货币效应和相对价格效应。我们依次讨论这三种途径。

8.1.1　实际收入效应

国家间的联系通过支付平衡（balance of payment）的现值实现。它发生于一国国家收入的变化使得其对另一国进口产品的需要增加时，这将刺激另一国的产品总需求增大，并改变其经济福利水平。例如：如果英国增加了其货币供应量，就将刺激国内产品总需求。这就导致英国对其他国家的总需求也进一步扩大，因为英国居民开始需要更多的进口产品。显然，溢出效应的规模极大地依赖于进口的边际倾向。

8.1.2　货币效应

170

如果国家致力于进入他国的外汇市场，那么除了实际收入效应之外，它还会产生货币效应。政府这样做的根本原因是要影响其本国货币的汇率，这个目标的达到是通过买卖外汇完成的。但是，由于外汇构成了一国高效力货币供给的一部分，所以上述方法会影响经济生活中的货币流通量。在稳定而非多变的汇率下，买卖外汇是国家间联系的又一条纽带。再思考英国扩大其货币供应量引发进口数额增加的例子，它将促进英国海外合作伙伴的支付平衡。在没有引入汇率干预时，外国通货对英国通货的比例将上涨。如果这被看作是不可行的，那么外国政府就将在国际外汇市场上抛售本国现行货币而买入英国货币，其影响就是外国囤积英国货币，使得英国在本国的高效力货币政策又一次影响到了其他国家中的总需求和经济福利。只有在汇率完全有弹性时，货币效应才会不存在。

8.1.3 相对价格效应

当两国之间的汇率可以变化时发生相对价格效应。它将导致国家间相关物品和服务的价格的改变，从而影响进出口需求。在这种联系下，英国货币供应量的提高将导致其贸易伙伴经历一次货币增涨。这就将使得外国产品和服务竞争力变小，而外国就将减少出口，增加进口。这种效应只在固定汇率完全不存在时才发生。

正如上面阐释的，这三种效应中哪个发挥作用、哪个占优势地位依赖于国家汇率是稳定的还是可变的。为了明确这一点，我们所称的溢出效应特别地代指货币政策的溢出效应，并将其放到一个 Mundell – Fleming 模型的变式中展示。为了展示与货币政策相伴而生的各种溢出效应，我们利用 IS/LM 模型（这个模型在大多数中级经济学教材中都有介绍。不过，如果读者还不熟悉这个模型，可以跳过本章余下的部分）。

基本的两国 Mundell – Fleming 模型采用了数个简化的假设，特别是它假设了两个国家都是小国。我们将其假设改变为两个国家都是大国。只有在这种改变下，溢出效应才能被模型化，而政策协调的问题才能被讨论。不过 Mundell – Fleming 模型中的其他假设不变。特别是，我们假设有一种完美的资本可变性，而且它在总需求中的增长带来了国家收入的增加，而不是通货膨胀。

图 8.1 和图 8.2 表现了两个强国中的一个实行扩张的货币政策所带来的溢出效应。第一张图表示两国实行固定汇率的情况，而第二张图表示汇率完全有弹性时的情况。开始，货币扩张的影响在双方政府中相同。在货币政策变化之前，两国被假设为在两图中的 A 点达到均衡。只有在这一点，商品市场和货币市场才同时达到均衡。在 A 国，利息率（r）和国家收入（Y）开始分别等于 r_0 和 Y_0；同理，在 B 图中，他们分别等于 r_0^* 和 Y_0^*。我们现在假设 A 国扩大其货币供应量，表现为 A 国经济曲线 LM 从 LM_0 右移至 LM_1。这个货币供应量的增长将导致国内利率下降，并刺激了投资和总需求。它使得 A 国国家收入增加，表现为经济移动到 B 点，在该点上 LM_1^* 曲线与 IS_0 相交。产量扩大到 Y_1 而国内利率下降到 r_1。由于经济很庞大，所以 A 国货币供应量的增加会同时显著增加国际货币供应量，它会导致全球范围内的利率下降。我们假设世界利率下降到 r_2，因而在 B 点，国内利率比世界利率低。所以 A 国要经历一次早期收支赤字。由于 A 国

※ 译者注：原书为 LM，疑为印刷错误。

的国家收入增加了，我们就假设其对进口商品的需求也增加了，在两国模型中这意味着 B 国产品的需求量增加了，表现为 B 国的 IS 曲线由 IS_0^* 移动到了 IS_1^*。这导致了 B 国经济在国家收入和利率都升高的情况下移至 B 点。在 B 点，国外的利率高于世界利率，因此 B 国将经历一次早期的收支剩余。在 B 点两国均未达到收支平衡，这个不均衡将催生进一步的调节和溢出效应，其性质依赖于两国之间的外汇政策。

固定外汇汇率

在一个固定汇率之下，长期纳什均衡的变动通过货币效应实现。该效应已经图示于图 8.1 中。在 B 点，A 国在经历初始对外贸易赤字。为了止住其汇率下跌的趋势，A 国的货币管理部门必须买入本国通货，卖掉外国货币。这将减少经济运行中高效力货币的流通量，并导致本国货币供应的多重紧缩，表现为图中 LM 曲线向左移动。在 B 图这个过程被倒过来，导致了其本国货币量增大且图中 LM 曲线向右移动。这种调节一直持续到两国经济在 C 点达到长期平衡。在该点，两国都实现了收支平衡，且其国内利率和世界利率也平衡。在收支平衡之下，两国都无需再对另一国的外汇市场施加任何干涉，所以每国国内货币的供应量保持不变。

172

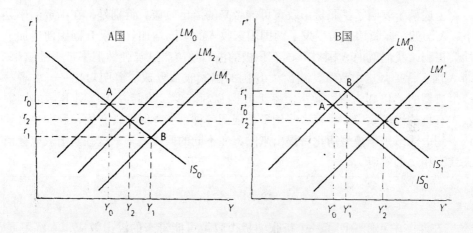

图 8.1　固定汇率下的扩张货币政策

弹性外汇汇率

在弹性汇率之下，向长期均衡的调节通过相对价格的改变而发生，该效应如图 8.2 所示。在 B 点，A 国经历初始对外贸易赤字，在弹性汇率下，A 国通货将贬值。同理，B 国通货将升值。贸易期间的这种变化，使得 A 国产品竞争力上升，B 国产品竞争力下降。这在调整不延缓的情况下将导致 A 国商品需求量上升，且它的 IS 曲线向右移动。在 B 国，需求总量下降了，且其 IS 曲线向左移动，这种调整直到两国经济在 C 点达到长期均衡为止。

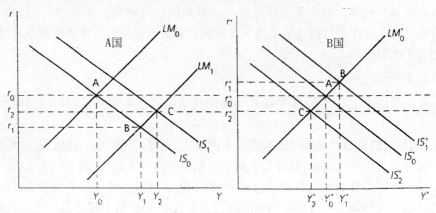

图 8.2 弹性汇率下的扩张货币政策

上述例子表明了扩张货币政策可能带来的溢出效应，特别是，在固定汇率之下，A 国的扩张货币政策引发了两国国家收入的共同增加。如果 B 国因此增加了社会福利，我们就说 A 国对 B 国有积极的溢出效应。这与弹性汇率带来的结果，即 A 国实行扩张货币政策，减少了 B 国的国家收入形成了鲜明对比——后者是一个典型的"以邻为壑"政策。鉴于 B 国福利减少，我们说 A 国对 B 国的国家收入有负的溢出效应。尽管这些例子在强调各种可能性时非常有用，我们也必须认识到上述结果是模型简化后提出来的，在不同的假设之下，这些溢出效应会消失或有相反的效应。

练习 8.1

在课文中我们说明了一个扩张的货币政策可能带来的溢出效应，本练习展示当一国政府采取扩张的财政政策时，溢出效应会是怎样的。

（1）利用课文中改进后的 Mundell - Fleming 模型，说明在一个固定汇率下，一国政府采取扩张财政政策时的溢出效应。

（2）在弹性汇率条件下，用（1）中的假设分析溢出效应。

8.2 来自政策协调的潜在得益

我们在上一节说明了大国一般怎样面对总需求政策带来的积极或消极的溢出效应，这使得各国经济之间相互依赖。在各国单方确定其货币政策的条件下，最终的博弈结果很可能是帕累托无效率的，它发生在政府的政策目标多于政策工具时。如果政府至少拥有和政策目标一样多的独立政策工具，那么如果必要条件被满足了，它们就能同时达到其所有目标。这是 Minbergen（1952）提出的学说中的一个观点，它说明政府要达到其所有的政策目标，必须至少拥有与目标一样多的独立政策工具。从理论上来说，政府在一个国际环境下，可以消除自他国而来的负面溢出效应。如果政策工具比目标少，消除溢出效应是不可能的，而且帕累托无效率的结果会因扩张性或紧缩性偏倚而出现。它们之中到底哪个出现依赖于溢出效应是积极的还是消极的。政府的目标、国际政策协调提供了这样一种预期：当每个国家的最优货币政策确定时，将溢出效应明确纳入决策范围能提高所有国家的福利。为了讨论这些可能性，我们聚焦于一个静态两国模型并应用 Hamada 图（1974、1976、1979）。首先，我们考察最终竞争结果为衰退性偏倚的模型，然后将注意力转移到扩张型偏倚的模型。两个例子都假设两国之间汇率是稳定不变的。

8.2.1 衰退性偏倚

为了说明衰退性偏倚的可能性，我们假设两国都有两个政策目标，但只有一个政策工具，政策目标被设为与国家收入的最优水平和国家贸易剩余相关。第二个目标假设两国都因为某种原因都努力至少在短期囤积外国货币。政策工具再一次假定为货币政策，它特别与一国国内货币供应量有关。图 8.3* 画出了这些假设下的 Hamada 图。

横轴表示国内经济中的货币供应增长率$\mathring{M}^S$，纵轴表示国外经济中的货币供应增长率$\mathring{M}^{S*}$。在溢出效应之下，国家得益将由两国的政策决定。特别是两国要想达到贸易剩余，只有一条途径可行，那就是使其货币供应量的扩张慢于另外一国。显然，在这个两国模型中两国不能同时实现贸易剩余，这就产生了一个严重的偏好冲突。这通过图中两国公开的"幸福点"来表示。一国的"幸福点"是指给该国带来的最多福利货币增发的效率。本国福利点设为 B 点，它在 45 度线上方，表示它理性地要求另一国货币增长速度高于本国，从而确保本国会得到贸

---

* 译者注：原书漏画阴影部分，此为译者所补添。

175 易剩余。同理，外国幸福点设为 B*，它在 45 度线下方，又是因为它期望另一国有更高的货币膨胀速度，各国离其幸福点越远，所得福利就越低。所以各国的无差异曲线以幸福点为中心分布。其中有一些表示在图 8.3 中。在各国无视其货币政策带来的溢出效应情况下，我们能预期博弈的最终结果是帕累托无效率的，这从图 8.3 中可以看出。

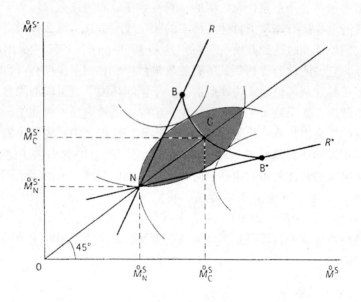

图 8.3　衰退性偏倚

在没有政策协调的情况下，每个国家都尝试在另一国货币政策已给定的情况下最大化其本身得益。这表明两国都努力保持在自己的反应曲线上。它们分别以 R 和 R* 表示。由于本国反应曲线与无差异曲线在水平处相交，因此反应曲线表示本国得益能在很多种外国货币政策被采用时达到最大化，而外国的反应曲线与无差异曲线在垂直处相交。两条反应曲线都是向上倾斜的，在纳什均衡中，两国基于对另一国行动的预期同时最大化其福利。这只有在两条反应曲线相交的 N 点上才能实现，在 N 点两国确定同样的货币供应量增长速度，并实现收支平衡。

尽管两国都不能在各自为战时实现纳什均衡，但如果它们能协调其货币政策，两国的情况都会得到改善，这是因为纳什均衡的帕累托无效率。从图中可知在平衡点上，两国的无差异曲线并没相切，因而上述观点得到佐证。在图 8.3 中阴影内的任何一点，两国的情况比在 N 点时都要好。一个有帕累托效率的纳什均衡必须使两国的无差异曲线在该均衡点相切。这些结果的确立是通过连接两个幸福点的契约曲线表现出来的。我们可以设想政策协调旨在避免帕累托无效率的结果出现，而在契约曲线上寻求一个博弈结果。在无差异的两国之间，政策协调的一个显而易见的焦点是 C 点。在这一点，两国实行相同的货币政策，而且没有国家在国际贸易中出现赤字或剩余。相比于纳什均衡，政策协调使两国都有了一个更高的货币供应量增长速度。从这个观点来看，纳什均衡表现了一个衰退性偏倚，这个结果源于国家间为了出超而进行的竞争。在 C 点，每个国家都有激励降低自身的货币供给量，试图以此增加国际贸易中的剩余。但是，两国都无视其货币政策给另一国带来的负面影响，结果得到的纳什均衡会使两国的状况都变坏。合作是有利的，因而它能有效避免"以邻为壑"政策所带来的负面影响。

8.2.2　扩展性偏倚

为了说明另一种偏倚——扩展性偏倚的可能性，我们只需把上一小节的模型做一个微小的变动，即现在假设两国经历贸易赤字（balance – of – payments defi-cit），而不是剩余，其他假设条件不变。这个模型的 Hamada 图在图 8.4* 中给出。

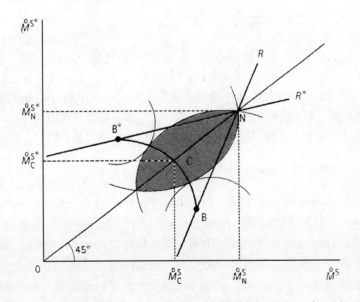

图 8.4　扩展性偏倚

在两国都寻求贸易赤字的条件下，他们会努力使本国货币膨胀速度超过另一

---

* 译者注：原书漏画阴影部分，此为译者所补添。

177 国。本国的幸福点 B 现在处于 45 度线以下，而外国幸福点（B*）处于 45 度线上方。本国反应曲线表示为 R，外国反应曲线表示为 R*。纳什均衡就在两条曲线的交点 N 上，它是帕累托无效率的，阴影部分中任何一点都能使两国情况比纳什均衡时改善。政策协调的焦点还是在 C 上，它是无差异两国唯一的帕累托有效率结果。与这个结果相比，纳什均衡中的两国都选择了过快的国内货币膨胀速度，这发生于两国都哄抬通货膨胀率，而又无视其给另一国带来的负面效应时。在这种情况下，"以邻为壑"政策带来了扩展性偏倚。

练习 8.2

利用课文中的两国 Hamada 图描绘下列几种情况，并求出每种情况中的纳什均衡是否是无效率的：

（1）两国之间没有溢出效应。

（2）溢出效应存在，但两国幸福点一致。

（3）溢出效应存在，但两国都只有一个政策目标。

8.3 国际政策协调问题

前面一节介绍了国家怎样通过协调其货币政策而不是单边行动来战胜帕累托无效率的问题。除了看到合作的潜在受益，我们还应该看到要真正得到这些收益还须解决很多问题。在本节中，我们看看这些问题是如何产生的以及它们怎么解决。

8.3.1 可持续性（sustainability）

国际政策协调中的一个主要问题是协议中的结果是否可持续。正如我们从前面的 Hamada 图中看到的，契约曲线上所有的点（除了幸福点），都在两个国家的反应曲线之外。的确，货币政策协调在纳什均衡之外达到的任何一点都意味着至少有一个国家有激励去偏离这个协定。一旦这一点被认识到，那么没有国家会

178 再加入什么政策协调了。在 8.2 节的静态博弈中，我们看到唯一的结果是一个纳什均衡。承受性问题在动态博弈中也会出现，这时的问题是时间的不一致性（time – inconsistency），这个问题在前面 6.3 节中被讨论过。它产生于一个政府产生背离长期最优政策的短期激励中。在图 8.3 和 8.4 中，政府的最优长期策略是在 C 点达成政策协调。然而，在该静态博弈模型中，政府可能有短期利益的激励去背离这个结果。当博弈已知将会重复某个有限次数时，这个问题就尤为严重。在这种情况下，逆向归纳法得出每个国家都会在博弈的每一期采取纳什均衡

策略，因为这是博弈唯一的子博弈完美纳什均衡。这个预期排除了有效率合作的可能性。不过幸运的是，有很多途径已被提出去战胜可持续性问题。它们之中的很多与讨论国内货币政策的时间不一致性时提出的观点非常接近，包括预先承诺的重要性，对破坏国际契约主体有效的惩罚策略（主体既指政府又指私人部门），以及国家致力于树立的合作声誉。在国际货币政策的语境下，一种预先承诺吸引到了很多关注的目光。它是说在数个国家中有一个国家当"头羊"，而其他国家当"羊群"，这种办法本质上与第 4 章提到的斯塔克伯格垄断模型是一致的。图 8.5 展示了以上一节讨论的衰退性偏倚为例的该模型的结果。在该例中，两国维持一个固定汇率并且追求国际贸易剩余。

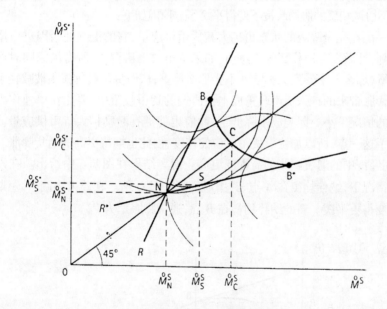

图 8.5　斯塔克伯格均衡

在该图中，本国扮演领头羊角色，而另一国充当跟随者。像斯塔克伯格双寡头垄断模型中一样，领头羊在其无差异曲线与反应曲线的切点确定其货币政策。也就是说其货币膨胀速度为 $\overset{\circ}{M}{}^s_s$，跟随者同此点的货币政策一致，所以它的增长率等于 $\overset{\circ}{M}{}^{s*}_s$。正如图 8.5 所示，领头羊的情况相比于纳什均衡会得到改善。然而跟随者状况变好还是变坏需要由模型结构来确定。即使跟随者从博弈中得益了，它也未必能和领头羊均分得益。因此，一般来说，在谁打头、谁断后这个问题上经常有一些冲突，因为领头者会使得均衡不可接受。即使均衡被维持，它也只能部分解决时间不一致性问题，因为它也会带来帕累托无效率的结果。

8.3.2 通货膨胀偏倚

货币政策协调的另一个潜在问题是，它可能使两国的通货膨胀偏倚恶化。如果国家加剧了的通货膨胀带来的成本高于政策协调的得益，各国就将选择单边行动。正如我们在第 6 章中讨论的，如果一个国家的最优长期货币政策存在时间不一致性，它就会经受通货膨胀偏倚。Rogoff（1985）表明，政策协调可能会增加一个国家偏离其最优货币政策的可能性。如果私人部门预期到这一点，它就会由于均衡中通货膨胀的增加而提高其对通货膨胀结果的预期。政府有激励偏离最优长期政策的原因是合作会使轮番出现在政府面前的通货膨胀和失业数量增加。从图中可以看到，短期菲利普斯曲线在与不协调相反的协调政策下变得平缓了。原因如下：

如果一国在完全隔离的状态再扩大其货币供应量，它的汇率就会因进口增加的成本而下降，并激发了通货膨胀。然而，如果货币政策协调了，所有国家同时增加其货币供应量，那么汇率受到的影响就不会那么严重，从而货币通货膨胀被减轻了。由高度通货膨胀带来的扩张货币政策成本在协调的货币政策中，要比在单独作出货币政策选择的情况下小。因为成本降低了，政府也就更有激励扩大货币供应量。代理人预期到了这一点，所以加快了货币供应的速度，由此也期待更高的通货膨胀。在均衡中，现期经济中的通货膨胀偏倚程度更高。博弈结果在图 8.6 中给出。在没有政策协调的情况下，纳什均衡在 A 点，其中通货膨胀率为 $\mathring{P}_A$。在政策协调下，短期菲利普斯曲线变得更平缓。新的纳什均衡在 B 点，通货膨胀率为 $\mathring{P}_B$。

180

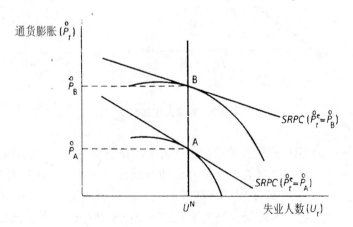

图 8.6　政策协调下的通货膨胀偏倚

8.3.3 不确定性

迄今为止,我们的分析都假设了所有的政府都准确地知道它的经济模型。但是,由于一般情况下政府的前瞻都建立在不同的模型上,所以上述假设不可能是真实的。进一步讲,我们可以肯定地说,没人知道经济的"真实"模型。这种基本的不确定性显然会导致政府在尝试协调其政策时出现问题。由于不同政府运用不同经济模型,所以他们可能难以在最适当的政策上达成协调,而联盟会因此而瓦解。

这个模型不确定性的问题已经被 Frenkel 和 Rochett(1988)分析过,他们促成了美国和其他 OECD 国家的合作。为了说明不确定性模型,他们让每个假设的国家领导者在十个模型中选择一个政府在其所选模型的基础上决定其货币政策,共有 100 组政策公式。然后随机选择哪一个模型是真实的,即一共有 1000 个可能组合。Frenkel 和 Rochett 随后确定在每个可能出现的情况中,政策协调是否会带来潜在利益。他们发现政策协调只在 546 例中增加了美国的福利,而且在 OECD 的其他国家中,只有 539 例增加了社会福利。在三分之一以上的实例中,协调使国家变得更糟。但是,这个结果已被很多著作挑战。例如 Ghosh 和 Mass(1988)提出,基于决策者的结果是非理性的,他们主张决策者在制定政策公式时会明确考虑不确定性,而不是仅仅选择一个可选模型。这种行为包括两个部分,第一,政府将认为所有可选模型本质上都是似是而非的,从而将它们的政策选择建立在他们预期中的偏好上。第二,他们将努力认识哪一个是正确的。这包括政府不断以其对宏观经济的变化的观察更新其对正确模型的认识。给定这些与不确定模型有关的条件,那么采取协调政策而不是非协调政策的经济活动就变得可接受了。确实,这些观点能够很好地反驳 Frenkel 和 Rochett 的理论,并说明了在不确定性模型存在的情况下,政策协调更有优势。

181

8.3.4 其他国家的反应

关于政策协调的最后一个问题是未加入政策协调的国家可能会以抵销这种主动中的所得的方式作出反应。例如,如果欧洲和美国紧缩通货,他们会给日本带来一种负面影响。因而日本可能会以其贸易禁令进行报复,使得欧盟和美国只要不停止紧缩通货,它们的状况就会更糟。这意味着一国在不知另一国如何反应的情况下,不能决定其最优政策是什么。这使决定实施哪类政策的过程复杂化了,可能会导致国家的单边行动。

8.4 来自协调之得益的实践估计

从上面介绍的观点中，我们可以明显地看到，国际政策协调可能促进或降低其成员国的社会福利，而其归根结底会是一个经验的问题，这个领域的问题不能仅用直接比较合作时和非合作时的国家收益的办法来解决。原因很简单，一个国家不可能同时采用两种政策。鉴于这个原因，我们可以用两种方法来确定合作得益的实验证据。第一种，采用模拟试验的方法，它基于一个"大规模宏观经济模型"。这个模型建立在对国际贸易中主要的溢出效应的精确计量经济学结果上。第二种，利用"小型理论模型"，它仅包含寥寥几个等式。在这种途径中，参数一般都是设定在模型上的，而不是计量经济学精确计算出来的。在独立政策行为假设下产生的经济福利以上述两种办法与政策协调的结果进行对比。在此，我们回顾以这种方法论进行的几个研究。

182

在早期的研究中，人们尝试用一个经验的宏观经济学模型来确定政策协调的得益。这个模型是由 Oudiz 和 Sachis（1984）提出的。在该研究中，Oudiz 和 Sachis 确认了三国联盟的潜在利益，条件是同盟中的三国在 20 世纪 70 年代中期协调其宏观经济政策。这个研究首先确定各国在纳什均衡时的最优策略并将其与合作策略进行比较。总的来说，得益甚微。每国得益只相当于当年国家收入的 0.5%。接下来的实验也支持这一发现。例如，Hughes Hallet（1987）在允许动态决策的条件下，确定了美国、欧洲共同体和日本从合作中的得益仅相当于其 GNP 的 0.5% ~ 1.5%。另一些基于经验模型而得出合作国家收益较小的有 Canzoneri 和 Minford（1986）、Currie、Levine 和 Vidalis（1987）以及 Minford 和 Canzoneri（1987）的实验。

尽管应用了一个不同的方法，我们的结果——合作得益一般很小，已经被基于小型理论模型的研究基本确定。其中一个研究源自 1985 年的 Curric 和 Lelime。他们运用了一个包含八个等式的两国模型，假设两国的溢出效应恒定且对称。合作收益又一次被发现很小。Miller 和 Salmon 在 1985 年应用了一个更小的理论模型——每国只有三个等式。有趣的是，在这个模型中，不存在国家间的长期政策冲突。因为它假设长期的产量会回归自然水平，且汇率是有弹性的。政策协调依然会通过调节国家行为到长期均衡点的方式实现净福利收益。但是，Miller 和 Salmon 在报告中指出这一收益还是非常小的，其他得出相似结论的理论研究包括 Oudiz 和 Sachs（1985）、Taylor（1985）以及 Levine 和 Currie（1987）的研究。

从各种研究中，我们有理由下结论说，政策协调能带来福利收益，但是这些收益一般都很小。但是我们必须强调，这些结果表明的是确定能从合作中得到的潜在收益,特别是这些结果只能被看作是试验性质的。原因有二,第一,它们只在其所建立的条件上才发挥模型的说明效力。在此,这一点非常重要,因为国家间联系的一条主要纽带就是汇率。但这种可怜的机制,只有经济学家懂得。第二,这些结果一般假定国家知道准确的经济结构,正如上面讨论过的,依赖于国家在多大程度上不确定其经济模型,政策协调可能增加,也可能减少合作得到的收益。

8.5　结　论

用博弈论来分析政策协调的办法最初被 Hamada(1974、1976、1979)发表的一系列重要文章中采用。利用简单的对称两国模型,Hamda 证明了在国际溢出效应存在的情况下,博弈的最终结果是帕累托无效率的。这一结果表明,政策协调可以被用来解决这些问题。在近几年,更多复杂的模型被研究出来,来检验这个结果的力度。一般来讲,这些模型都赞同前人观点。比如,将模型扩大使其不再局限于两国政府之间,而是与相应私人部门之间进行。它的结论是树立了强大的反通货膨胀声誉政府参与的政策协调的缺失,会使经济福利减少。相似的结论可以从带有不确定性和非合作国家反应的模型中得出。

作为对理论研究的补充,实验结果经常被用于尝试评估政策协调的可能性。从这些模型中得出的主要发现是,当合作得益确定存在时,它们的数额一般很小。不过,这些结论大都基于政府确切知道世界经济模型的假设。在模型不确定的情况下,政策协调能使国家收益大幅度提升,这是未来研究的一个重要领域。这些研究包括尝试将政府对不确定性的反应及其随时间发展而更新观念的行动模型化。

8.6　练习答案

练习　8.1

图 8.7 描述了 A 国实行扩张财政政策并与 B 国保持固定汇率的情况。开始,两国都在 A 点的长期均衡上。当 A 国实行扩张的货币政策时, 其 IS 曲线从 IS_0 移动到 IS_1。这使需求总量和两国收入都增加了, 并且使国内利率上升。在国家收入增加的情况下, B 国对进口物品的需求也增加了, 这刺激了 B 国的需求总量上升。所以 B 国的 IS 曲线从 IS_0^* 移动到 IS_1^*。B 国的国家收入和利率都上升了。在两国国家收入都增加的情况下, 世界利率上升。该利率将是两国国内利率的加权平均值, 我们设其为 r_2, 从图中可知 A 国的利率高于世界利率。所以, 它的经济起初经历了一个贸易剩余的过程。反之对 B 也是正确的, 它在 B 点经历了一

次贸易赤字。在这种国际收支不平衡之下，货币管理部门需要介入国际外汇市场
184 以维持其所需要的汇率，这将导致 A 国的货币供应量扩大而 B 国货币供应量紧
缩。实际上，长期均衡能在 C 点被确定。在图中，两个国家的收入都将随着 A
国扩张财政政策的实施而增加。

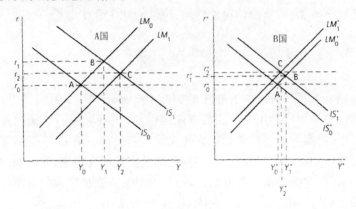

图 8.7

（2）在弹性汇率条件下，短期分析与（1）中的相同。首先，两国经济从 A
点跳到 B 点，如图 8.8 所示，由于货币政策的存在。接下来的过程与固定汇率下
的情况相反。现在 A 国通货上涨，B 国通货下跌。这个贸易过程的变化使 A 国
产品的竞争力减少而 B 国产品的竞争力加大。这使得 A 国的 IS 曲线向左移动，
而 B 国的 IS 曲线向右移动。这个过程一直持续到长期均衡在 C 点被确定为止。
图 8.8 又一次显示了两国收入都提高的情况。

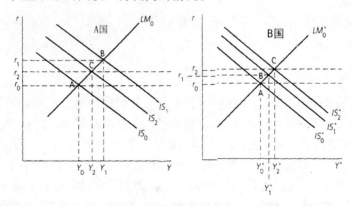

图 8.8

练习 8.2

（1）在两国间没有溢出效应的时候，每一国的得益都只由其货币政策决定，特别是，另一国货币政策的变化对本国福利没有影响。这时，图示的不是幸福点，而是一条得益曲线，这条得益线等同于国家的反应曲线，并与该国最优货币政策一致。在图 8.9 中，本国最优货币供应增长率设为 $\dot{u}_0^s$，其反应曲线为 R。同理，外国的最优货币供应增长量是 $\dot{u}_0^{s*}$，其反应曲线为 R^*。在没有溢出效应的情况下，无差异曲线就是横轴或纵轴，纳什均衡点 LM 即两条反应曲线的交点。在这个均衡中，两国已采用相同最优货币政策的方法获取它们的最大福利。在没有溢出效应的情况下，没有帕累托无效率的情况存在，从而也就无需政策协调。

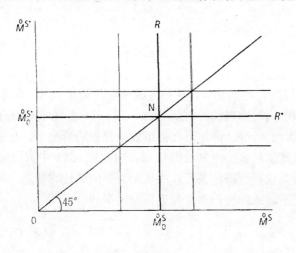

图 8.9

（2）在溢出效应存在的情况下，无差异曲线不再是横轴和纵轴。不过，由于两国的幸福点相同，所以它们之间没有本质的政策冲突。在图 8.10 中，这一点表现于两国的反应曲线相交（该图表明的是反应曲线是横轴或纵轴的特殊情况），无差异曲线以该焦点为中心分布，纳什均衡再一次处于两条反应曲线的交点上。由于均衡必须过幸福点，所以该幸福点是纳什均衡点，纳什均衡这次又是帕累托有效率的，政策协调没有必要。

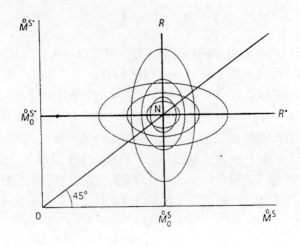

图 8.10

（3）当两国都有与其效率目标相等的独立政策工具时，他们可能在这个有完全信息的模型中同时实现其所有的目标。图 8.11 表现了政府有一个政策目标和一种政策工具时的情况。即使是在溢出效应存在的情况下，两个国家也可以通过调整各自的政策工具来实现其政策目标。因此图 8.11 中的反应曲线表示了每一国能得到的最高福利，即两条反应曲线相交处的纳什均衡点。在均衡中，没有政策冲突的情况下，该均衡仍然是帕累托有效率的。

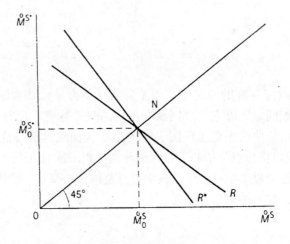

图 8.11

进一步阅读

Bladen – hovellRC (1992), 'International Monetary Policy', i in K. Dowd and M. K. Lewis (eds.), *Current Issues in Financial and Monetary Economics*, London: Macmillan.

Buiter, W. H., and R. C. Marston (1985), *International Monetary Policy Coordination*, Cambridge: Cambridge University Press.

Currie, D. A. (1990), 'International Policy Coordination,' in D. T. Llewellyn and C. Milner (eds.), *Current Issues in International Monetary Economics*, London: Macmillan.

Currie, D. A. and P. Levine (1991), International Policy Coordination – A Survey', in C. J. Green and D. T. Llewellyn (eds.), *Surveys in Monetary Economics*, i, Oxford: Basil Blackwell; repr. In D. currie and P. Levine (1993), *Rules, Reputation and Macroeconomic Policy*, Cambridge: Cambridge University Press.

Hallwood, C. P., and R. Macdonald (1994), *International Money and Finance*, Oxford: Blackwell.

Hughes Hallet, A. J. (1989), 'Macroeconomic Interdependence and the Cooperation of Economic Policy', in D. Greenaway (ed.), *Current Issues in Macroeconomics*, London: Macmillan.

187

▼
▼
▼

第九章

战略性贸易政策

贸易政策意指一国之政府经详细研究后，改变国际贸易的地位，提高国内整体福利或经济中某一特殊群体的福利的政策。战略性贸易政策是指考虑贸易政策的国家明确将其他可能影响最终结果的代理人的可能行动纳入考虑范围而制定出的贸易政策。本章分析政府采用战略性贸易政策提高社会福利的两种基本方法。第一种当国际市场为完全竞争市场的时候可采用。第二种在不完全竞争国际市场的条件下使用。由于至今还没有一个国际组织能够强制国家间达成协定，我们只好使用非合作而不是合作博弈论的工具来分析战略性贸易政策。

在完全竞争下，政府干预国际贸易的情况就是广为人知的"最优关税争议"（optimal tariff argument），我们将在 9.1 节中介绍这个争议。即使一个经济中的所有代理人都是价格接受者，但如果参与国是大国，它自身也会有显著的市场势力。在这种情况下，政府可能以对贸易的限制来运用其市场势力。这一举措将增加进出口交换比率并最终以他国福利为代价，增进本国国内福利。当两个或两个以上的国家热衷于这种"以邻为壑"（beggar-my-neighbour）政策时，我们从博弈论角度看到了策略的相互影响。第一个关于战略性税制设计的正式模型是由 Johnson（1954）提出的，它设定了一种两国同时一次性制定税制的情况，并展示将出现一个囚徒困境式的结果，即两国不合作，而每国都变得更糟。这种分析在最近几年已经扩展为很多研究方向，并以博弈论分析方法的应用来表现。

在 9.2 节中，我们将目光集中于实现近期对于国家为什么会努力影响国际贸易的讨论。这些观点源于"很多国际市场都是不完全竞争的且是寡头竞争的市场"这一观察结果。在这种情况下，国家可以通过承诺采用一个特殊的贸易政策来提高其国内企业的竞争状态。由于这种贸易政策是战略性的，政府就必须注意其他外国企业和（或）政府的行动。寡头竞争背景下的战略性贸易政策的学说最初由 Brander 和 Spencer（1983 - 1985）提出。同样，如今该学说也在向许多方向发展。

9.1 完全竞争

9.1.1 最优关税争议和报复

最优关税争议是指一国政府能在国际环境中利用该国的市场势力，来增加其本国的社会福利，方法是通过向进口货物课税从而增加一国的进出口交换比率。这可以图9.1[*]中的部分均衡图来表示。

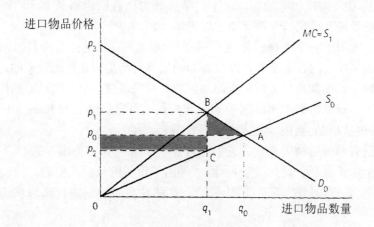

图9.1 最优关税争议

在这张图中，进口物品的需求和供给曲线在被课税前分别是 D_0 和 S_0。供给曲线向上倾斜表明所述的是大国，其企业共同拥有一个市场势力。在完全竞争之下，个体在隔离状态下作出决策。他们无视自己行为对价格的影响而继续进口货物，直至需求与供给在 A 点上达到一致。但是，政府通过设置进口税能够激励个体像垄断者那样行事，从而增加社会总福利。一个垄断者可以从供给曲线上认识到，当他增大对进口物品的购买量时，所有这种进口物品的价格都会攀升，这意味其边际成本曲线 MC 在供给曲线 S_0 的上方。这样，一个垄断买主对进口物品的购买量等于图中 B 点，即需求等于边际成本时的相应数额。政府同时可以用提高对进口物品从价（ad valorem）税率的办法激励无差异行为。在从价税率下，

---

* 译者注：原出漏画阴影部分，此为译者所补添。

进口物品价格中的一部分付给了政府。为了抵销这些额外成本，货物的进口者就需要抬高其物品的销售价格。在实施最优关税的情况下，新的供给曲线 S_1 与垄断者的边际成本曲线 MC 一致。

为了度量国内福利的变化，我们比较在税款征收前后消费者剩余和政府收益的变化。我们看到其国内经济中，消费者剩余由 P_3AP_0 降到了 P_3BP_1。但该损失又由政府收益涨到了 p_1BCp_2 得到了弥补。国内福利增长了，因为（$p_0 - p_2$）q_1 大于 1/2（$p_1 - p_0$）（$q_0 - q_1$）。它们显示了图 9.1 中的两个阴影部分。这个国内福利的增加是以外国进口商的生产者剩余减少为代价的。它从 Op_0A 降到了 Op_2C，所以外国生产者剩余下降了 p_0ACp_2。全球福利也减少了，其数量由阴影 ABC 的"蒸发"而得出。最后，由于付给海外生产者的价格从 P_0 升[*]到 P_1，我们看到国内经济在进出口交换比率上的进步。

图 9.1 表明了一个大国设置进口关税的情况。问题是：当所有国家这样做时，所有国家的情况都会变坏，而且博弈的最终均衡是帕累托无效率的。这个结果与各国报复性施加进口关税是普遍一致的。我们通过一个双向进口的模型来分析这个问题。这个模型中两国同时确定其关税，得出的结果如 Kuga（1973）所做的那样，可以扩展到很多种货物和很多国家。

假设只有两种货物 X 和 Y，它们各自被"本国"和"外国"进口。"本国"设置了一个从价关税，设其等于 t。而"外国"设置的从价关税为 t^*（这是一个负税率，意为进口补贴，其下限是 -1）。这两种商品的国内价格取决于下面两个等式。

$$P_X = p_X^* \ (1+t)$$
$$p_Y^* = p_Y \ (1+t^*), \tag{9.1}$$

其中 p_X 和 p_Y 各为 X 和 Y 的国内价格，而 p_X^* 和 p_Y^* 分别是它们的国际价格。两种货物在国际市场上的相关价格是 $p = p_X^*/p_Y^*$。p 值的上升意味着国内进口物品变得更贵，从而进出口交换比率降低。每个国家的进口水平由其进出口交换比率和关税水平决定。设 M（p, t）和 M^*（p, t^*）分别表示本国和外国的进口函数，那么贸易平衡条件是：

$$p. \ M \ (p, \ t) = M^* \ (p, \ t), \tag{9.2}$$

它确定 p 为两国税率的函数。我们假设这个函数是持续的并可微分。再假设两国税率中任何一个增长都会使该国的进出口交换比率增加。即 $dp/dt < 0$ 且 $dp/dt^* > 0$。如果 Marshall – Londer 条件被满足，而且所有的关税得益都在消费者中均分，上述假设就都成立（Marshall – Londer 条件是指进口和出口的总弹性比其

---

[*] 译者注：原文为"降"，疑为印刷错误。

中任何一个的单独弹性大）。每国的得益以本国和外国的福利函数给出，即 W = W（t，t*）和 W* = W*（t，t*）。在这些假设之下，每个国家的福利都因另一国关税率的提高而减少。我们进一步假设每一国的得益函数随着其关税从零开始向上增长，会达到一个唯一的最大值（在给定另一国关税率的情况下）。与上述社会福利相一致的无差异曲线在图9.2*中给出。

191

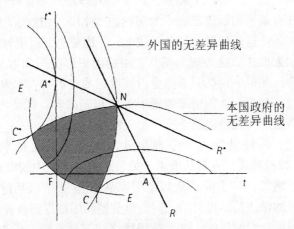

外国的无差异曲线

本国政府的无差异曲线

图9.2　最优关税和纳什均衡

在这张图内，"本国"的福利随着向下移动而增加，而"外国"的福利随着向左移动而增加。图9.2同时表明两国的反应曲线。它表示一国随另一国制定的任何关税率所定的本国最优关税水平。R 是"本国"的反应曲线，R*是外国的反应曲线。我们最后假设这些反应曲线是向下倾斜的并只相交一次。

正如上面我们所讨论的，传统的最优关税争议只假设了一国进口一种物品的情况。它制定进口关税，以此运用其市场优势最大化其社会福利。如果"外国"放弃设定关税，"本国"的最优关税就在 A 点实现。相反，如果"本国"放弃设置关税，"外国"的最优关税就在 A* 点实现。在这个静态博弈中，上述结果都不是纳什均衡。因为实施零关税未在各国的反应曲线上，而一个纳什均衡应该是反应曲线的交点，其中两个国家都采用正值的进口关税。然而，这个均衡是帕累托无效率的。因为在这一点上，两国的无差异曲线相交，而不是相切。帕累托有效率要求所有的双赢贸易都被实现，也就是说在套汇（arbitrage）过程结束后，两种货物在国际市场上的相关价格应该是相等的，即：

---

* 译者注：原书漏画阴影部分，此为译圪所补添。

$$p_x/p_y = p_x^* / p_y^*.$$

利用等式（9.1）和进出口交换比率的定义，上式可被重新表示为

$$p_x^* \ (1+t) \ /p_y = p_x^* /p_y \ (1+t^*)$$

$$\therefore p_x^* \ (1+t) = p_x^* / \ (1+t^*)$$

$$\therefore \ (1+t) \ . \ (1+t^*) \ =1.$$

这个帕累托有效率的轨迹已表示为契约曲线 EE。在这条契约曲线上两国的无差异曲线相切了。这意味着在这条曲线上，一国要想变得更好，除了使另一国变得更坏外，别无他法。这表现为图 9.2 中的阴影部分与和 N 点相比是帕累托占优的。如果合作使得关税在阴影部分内被设定或其本身在 C 和 C* 之间的契约曲线上，就会使得至少一国的情况相较于 X 点得到改善。这又产生了一个问题：曲线上有这么多点，两国将协调于哪一个呢？

一种说法是：最终结果来源于两国几次同时降低关税率的过程。Mager（1981）确定了减税模式。它与从前用于关贸总协定谈判中的模式诸如肯尼迪和东京回合一致。例如，一个模式是每个国家从 N 点开始以某种相同比例减税。这种按比例减税的做法是最可行的，同时也会使两国都得到改善。新的税率也就成为下一轮减税所针对的目标。这个过程持续到不会有帕累托改善发生时为止。这个建议看起来很简单，且在实践中也确实在应用。一个问题是不同的模式对国家福利有不同的影响，所以从选择图 9.2 中的一个点到选择不同的减税模式，就会出现讨价还价问题。一个更基本的问题是一般情况下所有模式都存在时间的不一致性。一旦协议达成，至少就有一国有激励去背离它。这一点在这里是有意义的，因为即使是关贸总协定也无权强迫某个协议达成。

另一个预期合作结果的可行办法是认识到一个引人注目的协调焦点是自由贸易的 F 点（自由贸易相比于 N 点并不总是帕累托占优的，占优只发生于两国情况相似时。Johnson（1954）阐明：进口弹性最大的国家最有可能选择 N 点的纳什均衡，而不是自由贸易。Kennan 和 Riezman（1988）阐明大国也可能选择纳什均衡）。但是，即使国家间在将自由贸易作为合作的焦点上达成一致，仍然会存在国家如何被激励去关注它的问题。9.1.2 这一小节考察了这个问题，而且特别地讨论了国家会如何寻求自由贸易——即使在上面的静态博弈中，两国都有激励设定正值税率。

练习 9.1

假设两国中只有一个有市场势力，重画图 9.2。这个静态的双向进口模型国际贸易中的纳什均衡是什么？它是帕累托有效率的吗？

9.1.2　作为非合作博弈结果的自由贸易

在上面分析的静态关税博弈中，自由贸易不是一个均衡。但是，正如我们在前面章节所见，博弈者之间重复的相互影响为非合作共谋的出现大开方便之门。在这种背景下，博弈可能以参与国都采用自由贸易政策结束。我们首先假设重复次数是无限的或未知的，而且各国未来的贴现因子为 δ。贴现因子要么影响各国在时间选择上的纯比例，要么包括博弈在本期结束的可能性。从我们在第 4 章讨论过的民间定理可知，我们知道如果贴现因子不算很小，而且博弈者都采用适当的惩罚策略，那么所有理性和可能的结果都可被认为是一个子博弈完美纳什均衡。如果贴现因子等于 1，即各国一点也不贬低未来收益，那么图 9.2 阴影部分中所有的点都能被看作是一个子博弈纳什均衡。虽然很明显，如果像上面讨论的那样，自由贸易均衡是所有国家的聚合点，那么多重均衡的问题就不会很严重。

要是贴现因子没大到能维持自由贸易为子博弈完美纳什均衡，那么另一种惩罚策略——加大背离自由贸易的成本——必须被提出来。该策略要么延长惩罚期间，要么加重每一时期的惩罚。第一种办法的局限性是一旦发现背离自由贸易的行为，设定的惩罚时期得无限继续下去。这样各国会采取触发惩罚策略，它会减少所需的国家贴现因子值，从而增加自由贸易成为均衡的可能性。第二种办法的问题是惩罚本身必须是可置信的，比如威胁说一旦发现背离，就采用 N 点对应的纳什均衡策略。当然也存在其他能被各国可置信地采取的策略，只要我们认识到自给自足是上述分析的静态博弈的另一个纳什均衡，上述结论就不难得出。Dixit（1987）首先认识到了自给自足也可成为纳什均衡。如果一个国家的关税太高，它的进口数额就会减少到 0，这样不管其他国家采用什么样的关税率，结果必然是自给自足。与 N 点上的纳什均衡相比，经济独立使两国情况都变得更糟。由于自给自足也是个纳什均衡，所以它也可以构成惩罚策略集中的一部分。那么与用 N 点纳什均衡策略作威胁相比，用自给自足当作惩罚威胁时一个更大的结果集可被认为是"超级博弈"的均衡。

即使当政府间相互影响的重复次数无限或不可知时，自由贸易可能被维持，但当博弈重复确定有限次时，逆向归纳悖论再一次出现了。在这种情况下，我们得寻找另一种方法来支持自由贸易，像博弈论的其他应用一样。主要途径集中在多重均衡、不完全信息和有限理性上。

像我们刚才认识到的，静态关税博弈有多重均衡。一个与图 9.2 中的 N 点一致。另一个是自给自足。Benoit 和 Knishna（1985）阐明了：阶段博弈中多重均衡的特性提高了非合作共谋的可能性。我们知道博弈最后一期的结果一定是一个纳什均衡。但是，如果多重均衡存在，博弈结果就不确定了。各国可能利用这种不确定可置信地促使其他国家在前面的博弈中采取自由贸易策略。例如，假设静态关税博弈将被进行两次，各国采用下列惩罚策略：

开始采取零关税。如果博弈第一期观察到了自由贸易，那么在第二期中采取图 9.2 中 N 点的纳什均衡策略，否则设定关税使得进口量降为零。

在预期其他国家也会采取该策略的条件下，一国在博弈第一期采取自由贸易政策得益的现值是：

$$V(F) + \delta V(N),$$

这里 V（F）是自由贸易下的社会福利值，V（N）是 N 点纳什均衡时的社会福利值。相反，博弈第一期若不采用自由贸易政策，则得益现值为

$$V(D) + \delta V(A),$$

这里 V（D）和 V（A）各等于该国背离自由贸易和封闭经济时的社会福利值。各国将在博弈第一期采用零关税。如果

$$V(F) + \delta V(N) \geqslant V(D) + \delta V(A)$$

$$\therefore \delta \geqslant (V(D) - V(F)) / (V(N) - V(A)).$$

由于在各国认为未来贴现后得益不算很小时满足，V（D）> V（F）> V（N）> V（A）这个条件将国家间相互影响的次数扩大，并假设各国采取适当的惩罚策略，自由贸易将在一个小一点的贴现因子上被维持很多期。

195　　自由贸易在重复博弈初期阶段维持的另一个方法由 Kreps 和 Wilson（1982）阐明，即引入不完全信息。假设博弈者有一个共同知识：可能由于意识形态的原因，各国总是采用自由贸易政策的可能性非常小，那么一国开始就说服其他国相信它本身在博弈早期会采取自由贸易政策的做法就是理性的。由此，自由贸易就在除了最后几期外其他博弈期间内成为序贯均衡的一部分。

最后，自由贸易在各国是有限理性的情况下可能被维持。正如我们在第 3 章讨论的 Rander（1980）允许博弈者采用次优策略，只要每期平均得益在最优策略的 ε 内。如果博弈重复的次数足够大，那么维持自由贸易就可以成为一个 ε 均衡——假若各国采取适当惩罚策略的话。

9.1.3 推测的误差

在结束最优关税争议这个话题前，我们最后来看看 Thursby 和 Jensen（1983）采用的推测变化法带来的一些讨论。引起争议的原因是该方法首先说明，由前面的静态博弈分析可知，关税率不应被定得如此之高。该方法试图模型化动态关税大战，大战中国家有理由预期如果他们改变关税率，其他国家会对此作出反应。例如，国家可能预期到它提高关税率会受到惩罚。相反，它们降低税

率时希望其他国家也照此办理。Thursby 和 Jenson 给出了这种信念的模型，他们通过推测的误差 $dt*dt>0$ 和 $dt/dt*>0$ 将 t 与 t^* 联系起来，反之亦然。这表明图 9.2 中的反应曲线向下移动，如图 9.3。

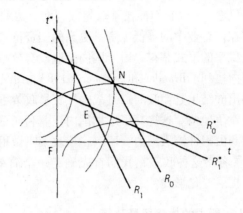

图 9.3　一个推测误差的均衡

反应曲线向下倾斜的原因是它们现在与该国的无差异曲线相交，此时其倾斜幅度与推测的误差一致。（图 9.2 是一种特殊情况，其中推测的误差被定为零。）在推测的误差值是正数的情况下，均衡是两条新反应曲线的交点，表示为图 9.3 中的 E 点。如图所示，关税值比 N 点所示纳什均衡中的低。

有两个严肃的问题使得我们否定上述分析中的方法。第一，它特别向模型中引入了一个正的推测的误差值。然而，推测需要通过一条途径证实，而这条途径要与模型的基本结构一致，以便确定理性推测误差的均衡。但 Bersnahan（1981）已确定了：在垄断状态下理性推测误差一般是负的，所以这个模型得出的均衡之中的税率比 N 点要高，而不是低。第二个也是更基本的问题是：推测变量不符合静态博弈的基本特征，因为静态博弈中各国不可能相互影响。这个批评与针对我们在第 4 章中讨论的对垄断的古诺非均衡分析方法的批评一致。为了符合实际地分析国家间的相互影响，基本博弈本身必须是动态的。这一点已经在上述对国家间重复博弈的分析中确定。

9.2　不完全竞争

上一节我们分析了战略性贸易政策的地位。这种分析的前提是所有市场都是完全竞争的，即所有的消费者和生产者都是价格接受者。在这种情况下，企业赚取常规利润，市场势力只存在于两国之间。最优关税政策即一国用以运用其市场势力而增加其国家收益的政策。在本节我们考察当生产者有市场势力而企业占垄断地位时福利增加贸易政策（walfare-enhancing trade policy）的可能性。

如果一种工业被定性为垄断行业，该行业中的企业一般能得到经济租金（economic rent），这倒不是一定说它们都在赚取超额利润。盈利也可以通过该企业员工拿到比维持其留在该企业中的最低工资额更高的工资待遇的形式获得，或者通过政府提高该行业税率的形式获得。由于国内企业没有分布在国外，所以其增加了利润就增加了国内福利。Brander 和 Spencer（1983、1984、1985）通过一系列有影响的报告所得出的结果是：政府通过战略性贸易政策可能得以提高国内企业相对于国外企业的竞争地位。这提高了增加国内企业利润总量从而增加国内福利的可能性，最终利润由国外流入国内。所以，该政策叫做租金转移政策（rent-shifting policies）。为了考察这种政策，我们首先确定一个简单的古诺垄断模型，然后再讨论它的一些扩展变化形式。

9.2.1　古诺寡头垄断中的战略贸易政策

租金转移政策的最简单例子以一个二次重复博弈模型给出。在博弈的第一期国家采取某种特定的贸易政策，比如一种出口补贴或关税。在第二期中本国企业和外国企业相互竞争。让我们假设在一个特定工业领域中只有一家本国企业和一家外国企业，它们进行着古诺竞争。为了便于与第四章得出的结果相比较，我们在该模型中使用与 4.1 节给出的具体的需求和供给假设相同的条件：两个企业生产完全相同的产品，并且两个企业都在不知道另一个企业产量的情况下制定自己的产量。市场价格已定，所以两个企业的总产量 Q 正好是市场需求量，即 $P(Q) = a - Q$。再假设生产的边际成本恒定为 c，且没有固定成本，每个企业都要最大化其得益。再设他们的货物全部销往第三国，因而消费者剩余可以被忽略。

从 4.1 节中我们知道，在没有战略性贸易政策的情况下，两个企业都会选择 $(a-c)/3$ 的产量。在这点，两国的反应曲线相交。在图 9.4 中 q 和 q^* 分别表示本国和外国的产量，而 R_0 和 R_0^* 是在没有政府贸易政策时两国的反应曲线。这些反应曲线的表达式为：$q = (a - q^* - c)/2$ 和 $q^* = (a - q - c)/2$。

正如等收益曲线所表示的，如果国内企业承诺采取一个更高产量，它就会从国外企业反应函数 R^* 的向下移动中得到经济租金。如果这种承诺是可能的，利润就会在 S 点最大化，即达到斯塔克伯格均衡。问题是国内企业难以可置信地承诺采取一个其反应曲线之外的产量。然而，如果政府在博弈的第一期确立一个适当的贸易政策，它就使预先承诺变得可置信了。当我们认识到国内企业的反应函数依赖于其边际成本水平时我们就会看到这一点。政府可以通过以货物为单位向

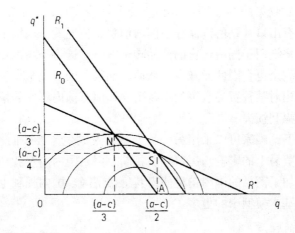

图 9.4　古诺竞争下的贸易政策

企业发放出口补贴的办法，实际上减少边际成本。这促使了国内企业扩大生产，不管其国外竞争对手采用什么样的生产量。这表现为国内企业的反应曲线向右移动。在最优出口补贴下，国内企业的反应曲线能够移动，所以它与外国企业反应曲线相交于 S 点，S 点即成为第二期的博弈均衡。国内企业经济租金在国外企业经济租金减少的基础上增加了。

该模型和相似模型已被用来解释和判断国家通过贸易政策鼓励出口，从而扶植特定行业。例如，我们经常可以看到关于法国和日本政府特别扶植其经济中的某一部分，以使得它们在面对国外竞争者时更具有优势的观点。不过，学术上的这个问题本身及其结果到了实际操作中，成了很多批评的众矢之的。我们用前面古诺垄断模型变化后的扩展形式来讨论这些批评。

练习　9.2

在上述课文中分析的二次重复博弈模型中，求出每个企业的最优产量及政府给本国企业的单位出口补贴。在政府补贴的政策下，国内福利将有多大幅度的增长？

9.2.2　古诺寡头垄断基本模型的扩展

国内消费

在上面分析过的基本垄断模型中，我们假设了模型中的商品没有国内消费。

它意味着出口补贴政策的存在不会引起消费者剩余变化，从而简化了我们的分析。但是，如果有出口补贴的商品存在国内消费，情况就不一样了。由于有出口补贴，国内企业将把用于国内销售的商品转销海外。这将提高该货物在国内市场的价格，消费者剩余也会因此而减少，从而又加剧了因不完全竞争引起的市场失灵。这种损失本相对某种贸易政策的得益出现，但有国内消费的情况下却可能存在整个经济的净福利损失。

在这种情况下，国家可以采用另一种办法，发放生产补贴而不是出口补贴。生产补贴在国际贸易上的影响与出口补贴相同，但是国内消费者却因生产补贴得益，因为企业增加了商品的国内销量使得其价格下降。国内福利也比前面应用于出口补贴政策的基本模型中的更多。

企业间竞争的性质

古诺寡头垄断博弈模型假设了两个企业在决定其产量的时候进行竞争，但是，正如第4章中讨论的，这不是企业间竞争的唯一形式。另外一种是伯特兰假设，企业在价格制定时期进行竞争。不幸的是，贸易政策的意义极大地依赖于企业间竞争的性质。因为在古诺寡头垄断模型中出口补贴由于能够使外国企业减少产量，所以总能提高得益。在外国企业没有减少产量的情况下，增加了的国内销售会使商品在增加范围内价格下降，从而使国内福利减少。因此，出口补贴对国内福利的影响极大地依赖于外国对此的反应，也就是说依赖于两国间的竞争的性质。这个问题已被 Eaton 和 Grossman（1986）分析过。比如，他们说明生产不同产品的两个企业进行价格战时，政府的最优政策是出口关税，而不是出口补贴。如图9.5所示。

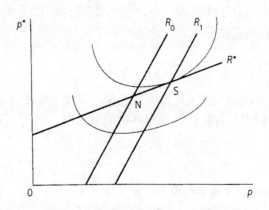

图9.5　伯特兰竞争下的贸易政策

在图中国内企业的商品价格是 P 而国外企业的是 P^*，反应曲线都是向上倾斜的。如果一个企业预期到其对手会采用高价格，那么它的最优策略也是高价格。在没有政府干预的情况下，本国和外国的反应曲线各为 R_0 和 R^*。国内企业的等利润曲线也被表示出来。等利润曲线越高，国内得益越高。在没有任何贸易政策的情况下，纳什均衡在 N 点上。如果国内企业预先承诺采用高价格，那么它的得益将在 S 点被最大化，即达到斯塔克伯格均衡。然而，如果企业同时制定商品价格，那么国内企业制定的最优价格由于偏离了反应曲线而不可置信，所以 S 点又只能在政府承诺采取一种贸易政策使国内企业反应曲线从 R_0 上升到 R_1 时才会实现。这里的适当政策是指出口关税，因为它会因额外税费成本而使国内企业提高价格的承诺变得可置信。外国企业预见到了这种承诺从而也提高了价格。由于两个企业都提高了价格，所以在市场分配中，本国企业不会受太大影响而净利润下降了，但该利润仍比国家增收的税费高。这一点如图 9.5 所示。本国企业移动到了一个较高的等利润曲线上，表示企业总体利润的上升。国内福利又一次因战略性贸易政策的实行而上升。如果一国错误地进行了出口补贴，那么国内企业的反应曲线就会向左移动，所得出的纳什均衡中国内福利就会减少。显然，政府需要确认本国和外国企业之间在进行什么性质的竞争，以此来确定合适的贸易政策。不过确认这些可并不总是一件容易的事。

企业数量

古诺寡头垄断模型被扩展的另一个途径是：改变竞争中的企业数量。一个小例子是行业中只有一个企业存在时，战略性贸易政策根本无用武之地。一个垄断企业由于没有与其他企业策略上的相互依赖性，所以在没有政府干预的情况下就能最大化其经济得益。我们更感兴趣的是竞争者多于两个企业，即本国企业或外国企业多于一个的情况。

国内企业数量的增加看来会减少出口补贴的发生。国内企业的数量越多，国内总产量越大，因为个体企业在为市场份额而竞争。在国内企业数量足够的情况下，出口补贴将对国家福利无益。在这种情况下，出口关税又能促进福利，因为它使得国内企业更像一个垄断者那样行动。这无异于最优关税争议，其中个体企业规模太小而不能运用整体联合后形成的市场势力，但政府可以站在他们的立场上做到这一点。

另一方面，如果外国企业的数量增加了，政府就更应实行出口补贴。外国企业的数量越多，在国内产量越大的条件下国外产量越小。作为对国内补贴的回应，每个国外企业都会小幅度降低产量，但是总体上产量就降得很多。这意味着出口补贴带来的国内产量的提高不会大幅度降低价格，所以外国企业越多，国内经济得益越大。

报 复

迄今为止，我们仅在只有一个政府采取战略性贸易政策的情况下考察了不完全竞争下的战略性贸易政策。在最优关税争议下，如果假设条件放宽，这种政策会发生很大改变。例如，当有很多国家实行出口关税时，设定好的企业间竞争强度就消失了，因而所有国家的情况都会变糟。我们的老朋友"囚徒困境"又会出现。出口补贴可能是个别国家乐于设定的政策，但整体上讲所有国家都会变糟。当政府间重复影响时，自由贸易能否成为一个均衡的问题使得上述介绍的观点中有很多与避免关税大战对应起来。

练习 9.3

在两国都采用最优出口补贴政策的假设下，找出上面分析过的古诺寡头垄断模型的子博弈完美纳什均衡结果和退税规模，并说明两国与其均不采用出口补贴政策相比情况都变糟了。

进入自由

战略贸易政策可用与否所依靠的另一个假设是企业进入一个行业的资格。关于出口补贴的基本策略观点是它能够将外国企业的经济租金拿到国内来。然而，只有进入某行业有明显界限时经济租金才会持续。例如，只有在其他企业难以进入某一领域的市场时，该领域内的企业才能赚取超额利润。进入的明显界限诸如高额资本要求、R&D 要求或法定界限。在这些界限不存在时，其他企业会进入该领域，而超额利润也因此消失了。在进入自由的情况下，出口补贴带来的利益只能是短期的。确实，一旦我们引入进入的可能性，出口补贴就会减少国家福利。它的发生可能基于很多原因，比如，在采用出口补贴政策的国家中，对某一行业的进入规模会更大。如果是这样，那么该国的企业数量就会增多。随着本国企业数量的增多，它们之间的竞争就会从国家利益最大化的点上逐渐加剧（在此我们假设所有生产的商品都被出口，所以消费者剩余没有增大）。如上所述，一种工业中有了更多的本国企业。此时该国的最优政策是出口关税，因为出口补贴会减少国家得益。进一步讲，补贴会引起基于达到最优经济规模理念的过量进入，这样生产成本反而要比没有补贴时高，从而使国家福利又一次被减少。

以上各种主张支持了这样一种观点：当进入自由时，出口补贴用好了充其量能够暂时给应用它的国家带来一些利益，用坏了它就会给国家福利带来实际损失。Venables（1985）给出了另一个模型，其中即使进入自由，出口补贴也能带来长远利益。Venables 作出了一个重要假设：国内消费存在，并且国内外企业不同，也就是说国内外企业的价格不必然相同。他又假设由于高额固定成本的存在，边际成本总是下降的。设此时国家开始进行出口补贴，国内企业就会增大其产量，从而降低其边际成本。相反，外国企业将降低产量，它们的边际成本提高了。如果占国内消费者购买量绝大比例的是国内产品而非国外产品，消费者的福利就会增多，因为他们购买的商品价格下降了。国内总福利也上升了，因为消费者剩余和政府收益增加了，而且生产者由于进入和退出市场决定而继续赢得常规利润。对这个模型的一种变化是引入一个显著的"边做边学"的经济模式。当生产成本下降时，企业有了更多的经验。如果企业提高生产效率，利润可以更快地获得，以这种方法贸易政策可以通过催生利润、通过鼓励国内企业提高生产效率促进"学"，这使得国内产品的成本比国外下降得更快，从而使本国企业在该行业中占有优势地位。这个过程会带来国内企业的长期效益，并增加国家得益。

　　与进入自由问题相关的是战略性贸易政策也可以用于防止外国企业进入某一工业领域，从而提高国内企业在竞争中地位的说法。如果这种政策是成功的，它就能限制外国竞争的规模，从而维持本国企业的超额利润。一个表示这种可能性的简单例子由 Laussel 和 Montet（1994）提出。它假设一个行业有两个潜在的进入者，一个本国的，一个外国的。它们会进行一个三次重复的博弈。在第一期本国企业确定合适的贸易政策，在此我们只考虑国内企业会得到的一笔补贴。第二期两个企业决定是否进入该市场。如果一个企业真的进入，它就得负担一种等于 F 的沉没成本。在第三期两个企业开始相互竞争。该竞争确切的性质未被具体说明，但得益被设为与该行业中的企业数量负相关。按两企业利润表示的得益见图9.6该博弈的标准形式所示。

203

		国外厂商	
		进入	停留在外
国内厂商	进入	$\Pi(2) - F, \Pi(2) - F$	$\Pi(1) - F, 0$
	停留在外	$0, \Pi(1) - F$	$0, 0$

图9.6　贸易政策和进入障碍

　　设 $\Pi(1) - F$ 为非负值，从而使该行业中至少有一个企业存在。Laussel 和 Montet 得出了下面两个结论：第一，当 $\Pi(2) - F < 0$ 时，在这种情况下，如果两个企业都进入市场，它们都会遭到损失。在这种情况下，博弈的最后一期会有两个纯策略纳什均衡。均衡时进入市场的一个企业盈利，另一个企业亏损甚至是

破产。如果国内企业能承诺进入该领域，它的进入就防止了外国企业进入。然而，仅有总是进入的威胁是不可置信的，所以上面的情况不是整个博弈的子博弈完美纳什均衡。政府可以用适当的补贴来保证国内企业总是进入该行业。这时政府对行业进入的最优一次性补贴量为 F－Π（2）。在这种补贴之下，国内企业总是进入的策略就是（弱）占优势的。外国企业预期到了这一点，所以它不会进入。国内企业由此所得的利润为 Π（2）－Π（1）＞0。

而当 Π（2）－F≥0 时，两个企业进入都比不进入好，所以纳什均衡是两个企业都进入并得到非负数的收益。即使是这样，本国政府尝试将外国企业排斥在市场之外从而独作垄断者的做法也仍然是最优策略。这种做法包括设置国内补贴使得进入市场的外国企业亏损。如果这是可能的，那么外国企业就会对市场避而远之，本国企业从而取得垄断地位。

204   从这两个例子中我们可以看出如果战略性贸易政策能有效地防止外国企业进入市场的话，它就能够提高本国福利。这一点可以通过影响本国企业或外国企业的进入条件达到。

要素价格

我们已经知道，战略性贸易政策带来的国内企业经济租金的增长不一定使得其利润增加。例如，该行业被一个强大集团所统治，增长了的经济租金可能以工人的高工资的形式表现。如果利润直接从管理者流到雇员手中，那么国家净收益不变。不过，如果集团或是其他机构通过迫使成本提高而成功地赢得一些经济租金，这就将影响该企业的竞争地位，这些情况将影响以后博弈的均衡结果。在成本被迫使提高的范围内，出口补贴在提高本国企业竞争力方面的作用就会减小，结果得到的相应福利也会减少。

从一个一般的均衡预期来看，要素价格的概念会导致出口补贴。例如，Dexit 和 Grossman（1986）确定了一种情形。其中享受补贴的行业享受一种定额供应的资源，比如说科学家或工程师。在这种条件下只有另一个行业产量缩小时这个行业产量才可能扩大。为了使这样一种贸易政策成为优化政策，补贴就必须发给能赚得最多利润的行业。如果所有的行业都有同样的获得国外经济租金的能力，最优政策就是政府不干涉。如果政府没有有效信息来比较相关盈利，那么出口补贴就会减少国家得益。

确定目标行业（Identifying industries to target）

最后一个对于以贸易政策激励目标行业的批评是：确定扶植哪一个行业殊非易事。其中一个方面是考量一个行业经济租金多少的困难，比如像上面所说的进入威慑，它需要对行业未来利润的精确评估作基础，而这些在其本质上就是很难获得的。进一步说，对一个行业经济利润的准确评估也需要反映行业中隐藏的风险。让我们回到 R&D，以它为例，R&D 可以说很庞大了，但是这种行为隐藏的高风险经常被反映出来。每个成功的 R&D 推测中都有很多关于赚取足够利润的现象，仅仅看到成功的投机赚取的利润会夸大被取得的经济租金总量，因为它忽视了不成功的投机。当不完全信息存在时，这些问题使战略贸易政策的执行复杂化了。鉴于其危险性，它们也可以不执行这些政策。

9.3 结 论

本章分析了政府如何通过国际贸易政策提高国内福利的两种可能途径。第一种是最优关税争议。它是说政府可以通过运用该国在国际上的市场势力来提高国内福利。从博弈论的预期来看，这个理论假设了其他国家没有进口关税，也就是说它们没有市场势力。在现实中这个假设是不可能实现的。当一个以上的国家在国际贸易中拥有市场势力时，这些国家都有激励去设定进口关税。这就增加了博弈最后均衡帕累托无效率的可能性，所有国家的情况因此变坏。在这种情况下，各国如果能够合作而达成自由贸易并实行零关税，则它们的情况都会有所改善。显然，这与最优关税争议所主张的相反。这种协调的问题是怎样防止单个的国家逃避义务。对此已有很多建议，比如，惩罚这些行为的可能性以及不完全信息的作用。如果这些机制是成功的，单个的国家就再也没有激励单方设定关税了。

对于国际贸易政策的第二个观点是：在不完全竞争的条件下，这种政策可能是转移租金的，意为将国外的福利转移过来，以此提高国内福利。这些观点已为博弈论模型所发展。但是，在最优关税争议之下，国家福利的任何增加都高度依赖于模型所作的假设，诸如其他政府的报复、进入国际市场的自由、企业间竞争的性质以及不完全信息的地位都可能令原本会带来收益的贸易政策有损于国家福利。判断和确定这些因素作用上的困难看来削弱了战略性贸易政策在垄断市场中的作用。

在这两种最优关税争议以及最近基于不完全竞争采用的其他政策中，博弈论都极大地促进了我们对这些贸易政策何时会在增加国家得益方面发挥作用的认识。一般来讲，博弈论强调了政府执行最优关税政策时所面对的困难，这些困难很大程度上产生于政府和竞争中的企业的相互依赖性。在这种相互依赖性之下，以及"以邻为壑"贸易政策之下，最终均衡可能是帕累托无效率的。基于这些观点，很多经济学家建议政府放弃使用战略性贸易政策，转而促进自由贸易，这包括国家放弃短期利益来换取所有国家在长远利益上的改善。对近期博弈论模型的分析正如我们在本章中讨论的那样，已经倾向于支持这些观点。

9.4 练习答案

练习 9.1

在图 9.7 中，只有国内企业在国际贸易中具有市场势力，所以它的无差异曲线和反应曲线与图 9.2 中的相同。国外企业没有市场势力，这意味着只要不实行零关税政策，它的福利就会减少，因此它的无差异曲线是向下倾斜的，而它的反应曲线沿横轴延伸。国际贸易中的纳什均衡在 N 点上，即 9.2 中的 A 点，所以传统的最优关税争议只有在博弈中仅一个国家有市场势力时才是一个纳什均衡。这是一个帕累托有效率的结果，因为其他关税政策都会使至少一个国家的福利减少。

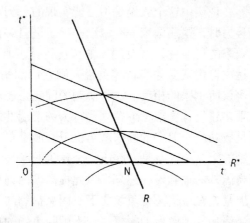

图 9.7

练习 9.2

这个二次重复博弈模型能用逆向归纳法解出。在第二期中，两个企业在补贴发放给本国企业（S）且其对手产量如条件给出的情况下，同时决定其产量以最大化利润，即：

$$\max\Pi = (a - q - q^* - c + s)\, q$$
$$\max\Pi^* = (a - q - q^* - c)\, q^*.$$

令它们等于零并微分。我们得出最大化的一阶条件以及每个企业的反应曲线

$$d\Pi/dq = a - 2q - q^* - c + s = 0$$
$$\therefore q = (a - q^* - c + s)/2.$$
$$d\Pi^*/dq = a - q - 2q^* - c = 0$$
$$\therefore q^* = (a - q - c)/2.$$

207

第二期中的纳什均衡要求每个企业在给定其对手产量的情况下最大化其利润。令两个反应函数相等，我们得出

$$q = (a - c + 2s)/3$$
$$q^* = (a - c - s)/3.$$

这与纳什均衡中的产量相同，尤其是两个企业的产量决策依赖于国内企业得到的多少。如果 $S = 0$，那么每个企业都产出 $(a - c)/3$，即图9.4中的 N 点。在博弈第一期，本国政府确定补贴量来最大化国内福利，这个决策基于其对企业在博弈第二期中的行为的预期。它通过最大化国内企业获得补贴的净收益 Π_N 来做到这一点（政府关注净收益是因为补贴本身只是利润从政府到企业的一个流动，这样假设它给政府和企业带来相同的利润，国家福利就不会变），政府确立了 s 值而使

$$\max\Pi_N = (a - q - q^* - c)q.$$

将 q 和 q^* 的值代入得出博弈第二阶段的解为

$$\Pi_N = (a - (a - c - 2s)/3 - (a - c - s)/3 - c) \cdot (a - c - 2s)/3$$

简化为

$$\Pi_N = [(a - c)^2 + (a - c)s - 2s^2]/9.$$

所以，最大化的一阶条件为

$$d\Pi_N/ds = [(a - c) - 4s]/9$$
$$\therefore s = (a - c)/4.$$

这就是补贴的最优数额。将它代回前面两个企业有条件的产量等式得出

$$q = (a - c)/2$$
$$q^* = (a - c)/4.$$

这确定了图9.4中 E 点的值，并与第4章得出的斯塔克伯格均衡一致。最后，国家福利在货币上的增值 $\Delta\Pi_N$ 能通过计算有和没有补贴时国内企业净收益的变化得出

$$\Delta\Pi_N = [(a - c)^2 + (a - c)s - 2s^2]/9 - (a - c)^2/9 = (a - c)^2/72 > 0.$$

208

这个结果表明给付补贴确实提高了国内福利，所以企业的利润大于其从政府拿到的补贴。

练习 9.3

由于在练习 9.2 中这出模型已由逆向归纳法解出。在博弈的第二期,给定补贴已分别从本国和外国政府以 S 和 S* 设定的情况下,两个企业都确定了其最优产量水平。即:

$$\max\Pi = (a - q - q^* - c + s)\, q$$

$$\max\Pi^* = (a - q - q^* - c + s^*)\, q^*.$$

从一阶条件我们得出下列反应曲线

$$q = (a - q^* - c)\, /2$$

$$q^* = (a - q - c + s^*)\, /2.$$

令这两个函数相等,我们得出第二期中的纳什均衡

$$q = (a - c + 2s - s^*)\, /3$$

$$q^* = (a - c + 2s^* - s)\, /3.$$

我们现在可以解决政府如果确定最优补贴水平以最大化其他国家得益的问题。由于两国是无差异的,我们只需要解出 S,令其与 S* 相等即可。

$$\max\Pi_N = (a - q - q^* - c)\, q.$$

代入两国基于补贴水平的最优产量,结果告诉我们

$$\Pi_N = \big[\, (a - c - s^*) + (a - c - s^*)\, s - 2s^2 \,\big]\, /9.$$

令其等于零并微分结果是

$$d\Pi_N/ds = \big[\, (a - c - s^*) - 4s \,\big]\, /9 = 0$$

$$\therefore s = (a - c - s^*)\, /4$$

$$\therefore s^* = (a - c - s)\, /4.$$

这就是政府对最优补贴的反应曲线。令二者相等,我们得出第一期纳什均衡

$$s = (a - c)\, /5$$

$$s^* = (a - c)\, /5.$$

将这些最优补贴代进有条件的产量水平(the conditional output levels)我们得出

$$s = (a - c)\, /5$$

$$s^* = (a - c)\, /5.$$

为了说明在两国都发放出口补贴的情况下两国都变得更糟,我们再一次计算有补贴和没有补贴时每个企业的净收益在货币值上的变化。这是明确地为国内企业作出的:

$$\Delta\Pi_N = \Delta\Pi_N^* = \big[\, (a - c - s^*) + (a - c - s^*)\, s - 2s^2 \,\big]\, /9 - (a - c)\, /9 =$$

$-7\ (a-c)^2/225 < 0.$

进一步阅读

Bierman, H. S. , and L. Fernandez (1993), *Game Theory with Economic Applications*, Reading, Mass: Addison Wesley.

Dixit, A. (1987), 'Strategic Aspects of Trade Policy', in T. Bewley (ed.), *Advances in Economic Theory: Fifth World Congress*, New York: Cambridge University Press.

Krugman, P. R. (1989), 'Industrial Organization and International Trade', in R. Schmalensee and R. Willing (eds.), *Handbook of Industrial Organization*, ii, Elsevier Science Publishers.

Krugeman, P. R. (1987), 'Is Free Trade passé?' *Economic Perspectives*, 1: 131 - 44.

Krugeman, P. R. (1986), *Strategic Trade Policy and the New International Economics*, Cambridge Mass: MIT Press.

Laussel, D. and C. Montet. (1994), 'Strategic Trade Policies', in D. Greenaway and L. A. Winters (eds.), *Surveys in International Trade*, Oxford: Blackwell.

▼
▼
▼

第十章

210

环境经济学

最近几十年，人们的目光越来越多地转向了环境问题，这首当其冲地表现在对人类行为施于大自然的不良影响上有了更多的警觉。这种不良影响表现为从地方自然环境退化的例证到全球问题，诸如大气变暖和臭氧层破坏。经济学家对此的主要反应是强调了会引起这些问题发生的市场失灵中的一些案例。三种被广泛讨论的市场失灵与人和其所在环境的相互影响有联系，它们是外部性、公有资源和公共物品。外部性发生在当一个人的福利直接被其他人的行动所影响时。比如污染，当一个污染者的行为直接减少他人的福利时，该行为就具有负外部性。这种相互依赖外在于市场机制，它是不完全竞争市场中的独特问题。公有资源是个体能够免费享用的有用资源，比如垃圾销毁场和海洋渔场这种资源，如果听任个体按其偏好利用，它就会被过度使用。最后，只要一个人对其消费不会减少其他人享受它的可能性，环境资源就是一种公共物品，比如生物多样性的价值和热带雨林中的二氧化碳吸收。这些公共物品会展示搭便车问题带来的市场失灵的例子。个体有一种激励，就是让别人为公共物品买单而自己坐享其成。因此，从均衡角度来讲，公共物品最终就不会被供应。这些市场失灵的事例都表明个体是相互依赖的，它们也可以用来告知和帮助政策制定者确定所需的调整力度。

大量文献已经指出当市场失灵发生在一国边界范围内时，官方应对其作出怎样的反应。政府此时应该干预市场，要么说服、要么强制生产者和/或消费者按能够最大化社会收益的方式行事。然后，在国际环境下，这样应付市场失灵是不可能的。在国际环境问题上，没有一个超国家的官方机构可以强制国际社会成员达到宏观得益的结果。尽管有存在于协调国家间环境政策的机构，如联合国环境规划署，它们也无权强制国家放弃其所选择的政策。正是在这种情况下，非合作博弈理论在环境经济学方面作出了卓越贡献。因此，本章聚焦于国际及全球环境问题。下列主题涉及一些国际环境问题，其中非合作博弈被证明非常有用。

211

超越国界的物质外部性（Transnational physical externalities）

国家间物质外部性的一个显著例子是污染，常常发生的是无国界污染。一个国家的污染经常祸及他国人民的福利，在此我们得区分下列三种情况。第一，单向污染（unidirectional pollution）。单向污染指的是一国污染影响其他一国或几国的福利。但是这种相互影响的途径不能颠倒，比如河流污染，其中处于上游的国家污染了河流，消极影响会波及下游的许多国家。比如欧洲的莱茵河污染就是其中一例，德国的污染使荷兰深受其害。就其本身来讲，单向污染不会引发相互依赖的问题，所以它看起来与非合作博弈鲜有关联。然而，当下游国向上游国提供集团内给付时，相互依赖的概念被引进了。这种给付意在促使上游国减少污染。如果这种污染有数个受害者，我们就会再一次看到搭便车问题。第二，局部相互污染（regional reciprocal pollution）。一组国家在环境污染中互为施害者和受害者，比如欧洲国家普降的酸雨。最后，全球污染。其中世界上所有的国家都受到了影响。这种污染的实例包括温室效应和臭氧层破坏。这种污染与局部相互污染类似，这时"局部"扩展到了整个地球。

非物质外部性（Non - physical externalities）

在非物质外部性中，相互依赖与其说是物质性的不如说是心理上的。例如，如果人们关注生物多样性和稀有物种的保护，非物质外部性就会发生。在上述情况下，对热带雨林的破坏就会带来负的外部性。鉴于这种外部性有此特殊性质，它会有一个国际存在空间，而且影响到许多国家中的许多人。

国际贸易影响

即使一种环境问题限于一国之内，该国政府对它的反应也将通过国际贸易影响到其他国家。比如，如果一国政府要求本国工业降低污染水平，其他条件不变，这就将影响到这些行业在国际贸易中的竞争力，而减少污染的额外经济成本将给一国官方一种降低污染标准的激励。如果所有国家都按照这种激励行事，他们就会竞相降低污染标准，结果全都使自己变得更糟。

212

国际公约

由于污染是国际公害，不同国家之间就常有与他国合作以求得帕累托有效率结果的兴趣。鉴于没有超国家机构可以凌驾于国家主权之上，所以国际公约必须能使缔约国自我约束。从非合作博弈理论的预期来看，一个国家只有预期到签署一个国际公约或条约符合其自身偏好时，才会这样做。应用非合作博弈的问题探索国家在什么情况下愿意合作，以及国家如何能于未在开始预期到符合其自身偏好时仍签署国际公约。

为了分析一些这样的问题，我们首先将用一个两国模型考察单向和局部相互环境外部性。这些内容在 10.1 节中，在这个模型的指引下，我们考察与双边协议相关的经济学问题，尤其是摆脱国际环境问题中集团内支付的作用。不过，两国模型不能抓住地区和全球环境问题中的某些重要方面。所以在 10.2 节中，我们继续考察多国模型，利用这个模型我们可以看到，它主张国家群体可能有激励组织公益团体去解决环境问题。这种可能性为国家因何自愿加入多国公约提供了一个解释。最后，在该节我们会考察在何种情况下公益团体更易发展，并且提出扩大它们泽被范围的途径。

10.1 双边协议

在本节我们讨论双边协议如何在两国间为了消除外部性所带来的环境问题而达成。课文中，我们假设外部性是单向的，而在练习 10.1 中假设它是相互的。

10.1.1 单向的外部性（unidirectional externalities）

考虑下面这个两国模型。每个国家被编号为 $i = 1$、2，假设每一国初始设定的污染水平为 E_i。不过，每个国家都能引进一种昂贵的环保技术来降低本国的污染水平，环保水平等与 A_i，而净污染量等于 $E_i - A_i$。我们以一个假设引进外部性条件，这就是通过共同环境，1 国的污染会被传送到 2 国。比如，这种污染使大气污染或水污染，而 1 国处于上风向或上游，2 国处于下风向或下游，假设 1 国只被本国的污染扩散影响，可 2 国却遭受本国污染扩散和来自 1 国的污染双重影响。在此我们把假设条件进一步简化，设 1 国的所有污染都会祸及 2 国。

在两国间非合作行动的情况下，两国面临的最大化问题是确定一个污染扩散的控制水平，以最大化其本国的社会福利 V_i。污染控制在社会福利上有两种影响。第一，控制力度的加强减少了净污染量，从而增加了社会福利。第二，由于我们假设污染控制是有成本的，所以控制力度的加强减少了资源在其他方面的利用，从而又减少了社会成本。如果我们设 F_i (.) 为 i 国与净污染水平相关的社会福利函数，C_i (.) 为 i 国与污染控制成本相关的社会福利函数。那么给出 1 国的社会总福利即：

$$V_1 = F_1 \left(A_1 - E_1 \right) - C_1 \left(A_1 \right) \tag{10.1}$$

且 dF_1/dA_1 与 dC_1/dA_1 均大于 0。
同理，2 国的社会总福利等于

$$V_2 = F_2 \left(A_2 - E_2 + A_1 - E_1 \right) - C_2 \left(A_2 \right) \tag{10.2}$$

dF_2/dA_2 与 dC_2/dA_2 亦大于 0。

令每个国家控制水平为 0，整理上面二式，它们即非合作纳什均衡中首先出

现的情况

$$dF_1/dA_1 = dC_1/dA_1$$

$$dF_2/dA_2 = dC_2/dA_2.$$

(10.3)

在非合作纳什均衡中，每个国家都使其控制污染的边际效益（dF_1/dA_1）等于边际成本（dC_1/dA_1），尤其值得注意的是，它们无视自己的行为会给另一国利益带来怎样的影响。该简单博弈的纳什均衡在图 10.1 中。

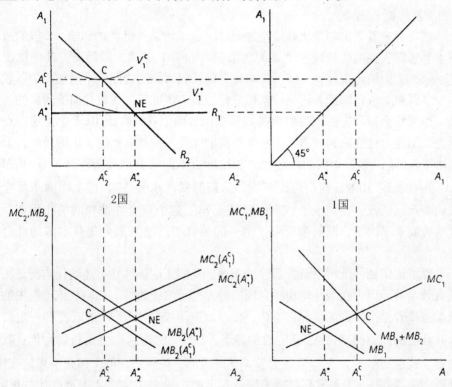

图 10.1 单向外部性

在该图的下半部分，我们画出了每一国控制污染水平提高后的边际收益曲线（MB_i）和边际成本曲线（MC_i）。其中假设控制污染的边际收益越低，控制污染的边际成本越高，就表明该国污染程度越重。因为污染与控制程度负相关，所以边际收益曲线向下倾斜，边际成本曲线向上倾斜。在该图左上部分的象限里，我们画出了每一国的反应曲线，它们表明每个国家控制污染的最优力度随另一国调控力度的变化而变化。

首先关注 1 国面临的问题。由于外部性是单向的，那么 1 国的边际成本和边

214

际收益曲线——分别表现为 MB_1 与 MC_1——就不依赖于 2 国的情况。令边际成本与边际收益相等，那么 1 国的最优污染控制水平显然也与 2 国情况无关。在这种情况下，1 国的最优污染控制水平等于 A_1^*。因为 1 国污染控制水平与 2 国无关，所以 1 国的反应函数 R_1 的图形是一条水平线，这条反应曲线与 1 国社会福利最大化的无差异曲线是一致的。另外的无差异曲线表示其他更少的社会福利（图中未画出），它们同反应曲线平行。从最优污染控制水平上的任何偏离都会导致 1 国的社会福利减少。

现在再来看 2 国的最优政策制定问题。由于污染外部性的影响，2 国的边际成本和边际收益曲线依赖于 1 国的污染量。如果 1 国减少其污染，其他情况不变，那么 2 国的污染就少一些。这将使 2 国控制污染的边际成本增加，边际收益减少。因而 2 国将降低其污染控制标准，因此 2 国的反应函数是向下倾斜的。如果 2 国的社会福利提高，我们就将其反应函数向上移。在图 10.1 中，这一点表示为 2 国随着社会福利的增加而移向更高的无差异曲线。给定 1 国的最优污染控制水平是 A_1^*，那么 2 国的边际收益和边际成本曲线分别为 MB_2（A_1^*）和 MC_2（A_1^*）。设二者相等，我们得出 2 国污染控制最优水平 A_2^*，即上面两条反应曲线的交点。因此，控制水平 A_1^* 和 A_2^* 表示出了这个非合作博弈的纳什均衡。在这些控制水平之下，两国都会基于另一国采取的措施来最大化其本国的社会福利。

除了认识到一个污染负外部性的表现，我们还应该注意上述纳什均衡是帕累托有效率的，因为在纳什均衡中，两国的无差异曲线相切。任何从该均衡中的偏离都意味着至少一国的情况会变坏，任何对 1 国控制水平 A_1^* 的改变都一定会减少其社会福利。同时在 A_1^* 确定的条件下，2 国要想达到社会福利最大化，就要确定了其控制水平为 A_2^*。2 国想要 1 国尽可能少地排污，但 1 国并不想这么做。在眼下的博弈中，1 国没有激励去确认自己的污染水平会给 2 国造成什么影响，所以也就没有激励背离 A_1^*。

尽管上述纳什均衡是帕累托有效率的，但它与本博弈的合作解并不一致。在合作解中，两国基于总体利益（V）最大化的标准来确定污染控制水平。将式（10.1）和式（10.2）相加我们得出两国总福利为：

$$V = F_1（A_1 - E_1）- C_1(A_1) + F_2（A_2 - E_2 + A_1 - E_1）- C_2（A_2）. \quad (10.4)$$

当两国追求上述函数值最大化时，一阶条件为：

$$dF_1/dA_1 + dF_2/dA_1 = dC_1/dA_1$$
$$dF_2/dA_2 = dC_2/dA_2. \quad (10.5)$$

我们可以将这些一阶条件与式（10.3）中两国不合作时的一阶条件作比较。

2 国的一阶条件未改变，它仍需使控制污染的边际收益等于边际成本。但 1 国的一阶条件改变了，为了最大化总体利益，它需要使两国总边际收益 dF_1/dA_1 + dF_2/dA_1 等于 1 国自身的边际成本。为了最大化总体利益，1 国必须计算出自己的污染防控政策对 2 国的影响。由于总体边际收益大于非合作时 1 国单独的边际收益，所以合作解包括 1 国采用比非合作纳什均衡更高的污染控制水平，合作结果在图 10.1 中表现为 C 点，而此时最优控污水平为 A_1^C 和 A_2^C。这个合作解同样在 2 国的反应曲线上，因为 2 国此时的一阶条件并没有改变。然而，合作解不在 1 国的反应曲线上，因为此时 1 国采用了比其偏好更高的控污水平。对这个改变，2 国的回应是降低其控污标准，这是由于，随着 1 国污染程度的下降，它控污的边际成本就会上升，边际收益就会下降。它此时的边际收益和边际成本曲线各由 MB（A_1^C）和 MC（A_1^C）表示。相比于纳什均衡，合作解使得 2 国更好而 1 国更糟。然而，由于两国整体利益只有在合作解时才能最大化。所以 2 国所得一定大于 1 国所失。其中的社会福利净收益使两国有激励在合作解上达成协调，如果这样做可以弥补 1 国由此受到的损失的话。

10.1.2 集团内支付

在各国按其自身偏好行动假设不变的情况下，一个达到合作解的办法是：引入有约束力的契约所规定的集团内支付的可能性。通过改变博弈的某些要素，两国可以使自身变得更好。在此我们讨论 2 国为使 1 国减少排污而对其作出的集团内支付的影响。在适当的策略引导下，合作是可以再次达成的。在集团内支付被允许的情况下，两国的社会福利函数就变为：

$$V_1 = F_1（A_1 - E_1）- C_1（A_1）+ T（A_1）$$
$$V_2 = F_2（A_2 - E_2 + A_1 - E_1）- C_2（A_2）- T（A_1）. \tag{10.6}$$

在这里 T（A_1）是 2 国对 1 国的集团内支付，给付量依赖于 1 国采取的控污水平。非合作状态下的一阶条件由下面两个等式表示

$$dF_1/dA_1 + dT/dA_1 = dC_1/dA_1$$
$$dF_2/dA_2 = dC_2/dA_2. \tag{10.7}$$

我们将这两种条件与合作假设下得出式（10.5）中的条件相比较，显然当 $dT/dA_1 = dF_2/dA_1$ 时两种策略相等。因为 $dF_2/dA_1 > 0$，所以这个条件表明 2 国向 1 国的集团内支付一定与 1 国的控污水平正相关。在这种途径下，1 国会被促使减少其污染水平从而达到合作水平，最大化了社会福利。

利用两国模型，我们已经表明了不论外部性是单向的还是相互的，只要它存在，集团内支付就会使两国状况都得到改善。除了这个结果，其他改变很少在实

践中观察到。在此我们讨论一些针对集团内支付应用的批评。不过它们可能部分地解释为什么集团内支付在如此大的程度上被接受。

练习 10.1

在课文中给出的两国模型中，我们假设其存在单向外部性。一国对环境的利用将对另一国的社会福利产生消极影响。在本练习中，我们将该模型扩展去分析相互外部性的影响。

假设有两个国家，将其编号为 $i = 1、2$，两国都能免费使用一种公共资源。例如是大气或开放水域，两国都将其用于排污，其社会福利依赖于环境中的总污染量。与课文中情况相同，每国都可以引进昂贵的环保技术。我们具体假设每一国的社会福利为 $V_i = F (A_1 + A_2 - E) - C_i (A_i)$，其中 E 是最初总污染量，其他参数意义与课文中相同。开始假定控制污染的边际收益与总污染量正相关，而其边际成本与每国污染控制水平正相关。

（1）找出两国非合作时各自最优的一阶条件，画出两国反应曲线并找出纳什均衡。这个纳什均衡是帕累托有效率的吗？

（2）如果两国合作共同谋求总社会福利最大化，找出它们此时各自的最优条件，将结果与（1）中的相比较，合作解中的控污水平有什么变化？

（3）证明当集团内支付的可能性存在时，两国有激励回归合作解。

（4）当两国无差异时，（3）中具体的结果是什么？

（5）当控污边际成本恒定，但两国边际成本不一定相同时，（3）中具体的博弈解是什么？

---

218   谁污染，谁埋单原则（Polluter pays principle）

在上述模型中，如果污染受害者通过集团内支付促使污染者减少排放量，两国就会达成博弈的合作解。但是，国家间磋商解决环境问题时，经常采取的一个原则是令污染者而非污染受害者为污染埋单。这就是众所周知的谁污染，谁埋单原则（PPP），它与谁受害，谁埋单原则（VPP）形成鲜明对比。例如，经济合作开发组织（OECD）在 1972 年的斯德哥尔摩会议上确定："国家有……责任去保证其管辖或控制下的行为不会在其国家管辖范围之外导致其他国家或地区环境的破坏"。对该原则的一个较有力的论证是它符合自然法正义的理念。这是基于"人人有权生活在一个没有污染的环境中"之信念而来的。国家可能不情愿为促使污染国减少排放量而作出集团内支付的一个原因是：它违反谁污染，谁埋单原则。

不确定性（Indeterminacy）

为了促使污染国降低排放量而使其达到合作解水平，受害国集团内支付的数量必须与其控制污染的边际收益一致。这一举措最大化了合作达成之后，两国可以分享的社会总福利。然而，这种福利分配的比例却不是唯一的。实际上，存在一系列集团内支付的水平使得合作达成双方变得更好。由于这种多重均衡的存在，博弈的最终结果就是不确定的。它依赖于两国之间的讨价还价，这就增加了两国间达不成协议或谈判的交易成本大于合作潜在利益的可能性。在以上任何一种情况下，两国还是会拒绝集团内支付。

不确定性（Uncertainty）

在上面讨论过的两国模型中，我们有个隐含假设是：其中没有不确定性。但是，如果博弈中存在不完全或不完美信息，那么国家可能就不愿意以集团内支付解决环境问题了。不确定性之所以会产生，是因为各国控制污染的边际成本和边际收益函数不是共同知识。在这种情况下，国家就有一种激励假报其成本或收益函数，以此增加他们在福利净收益中的分成。这种情况包括污染国在寻求集团内支付更高价格的期望下夸大其控制污染的边际成本，也包括受害国同理在降低集团内支付价格的期望下渲染其在污染中所受的损失。不确定性的另一个例子是当污染国作出的控污水平不能被精确度量和被双方一致接受时，两国又有激励提供虚假信息。在诸如此类的情况下，我们需要创立一种机制来促使国家提供真实信息，这种机制——如果它们存在——将会极大地增加谈判的复杂性，而且可能导致双方拒绝集团内支付。

两个以上的国家

上述基于集团内支付积极意义得出的结果只是从两国模型中求出来的，但现实的经济问题中一般包括两个以上的国家。即使是在单向外部性的条件下，也会有很多国家是污染者和/或很多国家是受害者的情况。这种可能性将改变一个国家作出或接受集团内支付的激励。假如一国的污染祸及很多受害国，那么每个受害国都有激励不作出集团内支付而期待别的受害国这样做。这种搭便车问题及其解决办法将在下一章被更充分讨论。进一步讲，即使一个特定的环境问题仅存在于两国之间，这两国也会被卷入与其他国的谈判中，因为它们在其他问题上涉及相关。在此，一个国家就不愿实行与集团内支付内容相似的谁受害，谁埋单原则，以期在谈判中不成为弱势一方——由此他会建立自己是强势谈判方的声誉，从而在长期博弈中增进自身的得益。

219

10.2 多边协议

10.2.1 搭便车问题

在前一节，我们分析了环境外部性在两国之间的影响。但是这个模型只能说符合现实世界中极少一部分情况。双边环境条约的实例有美国和加拿大之间关于酸雨、捕鱼权和五大湖管理权等问题的条约。而如今绝大多数环境问题都同时被世界上很多国家所面对，尤其是诸如臭氧层破坏和温室效应这样的全球性问题。为了在这些问题上实行有效的环境控制，多边协议而不是双边协议的达成就非常必要了。在两国模型中，环境外部性的存在和对公共资源的免费利用使两国都有合作的激励，而如果博弈在多国间进行，搭便车问题就变得尤其严重。在此，每一国都有激励不与他国合作协调其环保政策，因为它希望别的国家能出力解决环境问题，而自己可以坐享其成。这样搭便车的国家从别国的污染控制中得到了好处，却没有承担相应的任何成本。当所有国家同时面对这样一种激励时，它们之间就不可能达成完全的合作。这个博弈论结果说白了，就是给我们一个悲观的预期：我们休想让各国在环境问题上达成协调。幸运的是，这个预期并没被现实情况所证实。事实上，我们的确看到了各国在协调它们的环境政策以求得共赢。这种国际环境公约（IEAs）的例子有 1985 年关于减少二氧化硫的赫尔辛基草案和 1987 年关于臭氧层破坏的蒙特利尔公约。本节明确考察了这些 IEAs 如何被遵行以消除搭便车问题的方法，它包括考察各国之间重复影响时的环保政策和数个国家结成稳定联盟的可能性。

10.2.2 重复的相互影响

正如我们在前面章节中讨论的，允许博弈者重复地相互影响会极大地改变博弈的预期结果。在持续的相互影响中，博弈者会采取一种惩罚策略，以此尝试促使其对手按某种方式行事，这一点在无穷博弈中得到了最清晰的证明。被引用最多的"民间定理"（Folk Theorem）指出：在无限次重复博弈中，任何可能的个体理性收益在个体足够关注未来收益的情况下，都可以看作是一个子博弈完美纳什均衡。个体理性意为每个博弈者追求得到至少极大极小（maximin）水平的福利，即假若个体以理性方式行事，则他能确保得到的福利的最小值。"一种可能的结果"是指某些博弈者的策略组合可能会得到的结果，而不一定是纳什均衡的结果。这个结果大大地扩展了被认为是可置信均衡的策略组合集，特别是给定国家采用适当的惩罚策略且未来贴现率不太小的情况下，环保合作会持续存在。

这样 IEAs 就有使成员国自我约束的效力。如果国家间的相互影响次数有限但不可知，也会得出一个类似的结果。此时即使相互影响在有限次数内结束，IEAs 可能仍是有自我约束力的。在这种情况下存在对另一国的社会福利函数不完全信息。比如，它不完全清楚另一国对某个特定环境问题的重视程度是多少。这时一个国家可能会充演"道德守卫者"的角色，可置信地威胁要严厉报复任何违背 IEAs 的国家，在这个威胁下，另外的国家可能会延缓偏离的脚步。那么所有国家仍是会变好，并且搭便车问题被避免了。

就像刚才讨论的，如果各国采取适当的惩罚性策略，IEAs 可能是子博弈完美的。这种观点经常受到一种批评，那就是它忽视了重新谈判的可能性；特别是上述机制的建立依赖于每个国家都采取惩罚策略并将其坚持到底。然而，由于没有国际机构来强制各国这样做，所以总是存在各国努力再次谈判达成协议的可能性，这会削弱将来惩罚的可信性和环保合作的基础。比如，要是一个国家违背了环境公约，那么根据预设的惩罚措施，它应当被其他国家惩罚，但是，这种惩罚包含着惩罚国与合作相比其情况变得更糟的可能性。要是确定如此，那惩罚国显然会让过去的事情过去，继而重新谈判达成新的公约。由此合作被继续也就可期待了，而所有国家也因此重新得到改善。这种推理的问题在于：如果重新谈判可行，那么背离契约的国家就不必担心因此受到惩罚，那么大家都会毫不迟疑地违约，那么各国又将难以在合作结果上达成协调。

将重新谈判的可能性引入模型的一条途径是让初始的均衡策略"抗重新谈判"（renegotiation proof）。在纳什均衡精炼下，预期结果一定是子博弈完美的，而且其中也不会有博弈者发现他国背离时重新谈判的激励。Farrell 和 Mask（1989）给出了策略"抗重新谈判"的条件。由于惩罚策略都是"弱抗重新谈判"（weakly renegotiation proof）的，所以施罚者实施惩罚策略会得到改善，而不是让过去的过去，随后回到合作结果上。对一种策略的更高要求是"强抗重新谈判"（strongly renegotiation proof），即惩罚时的得益一定是帕累托占优的。由于这些精炼中的每一个都对均衡策略的确立提出了更严格的要求，合作解就不再能为参与国自身所支持。Barrett（1994）给出了带有相互外部性的多国模型中"强抗重新谈判"策略的判定标准，在这个模型中环保合作是否具有自我约束力依赖于个别的参数设置。特别地，只有当参与国数目在一个边际数额之下时，合作才有可能达成，而这个边际数量由控制污染的边际成本和边际收益所决定。Barrett 的结论是：当参与国的数目很多而 IEAs 合作净收益较小时，才能是自我执行的。值得注意的是，只要成本或收益之一数额较大，搭便车问题就会蔓延，完全的合作就不可能达成。这带来了真正的悲观结论：当最需要合作时，合作最难达成。

221

10. 2. 3　稳定联盟

上面讨论的搭便车问题指出，当博弈中所有参与者达成完全合作结果时，一些——如果不是所有的——博弈者将会背离该结果。这表明完全合作的结果是不稳定的，不过我们得认识到：搭便车问题不一定说明所有联盟都不稳定。仅由博弈中一部分参与者组成的小规模联盟可能是稳定的。在这种情况下，联盟内部成员努力最大化联盟整体得益，而博弈中其他参与者致力于最大化其个体得益，最终结果将是"部分合作"（partly cooperation）。Dansimoni 等人（1986）展示了稳定联盟存在于相当普遍的状态之下。看来这是一个解释 IEAs 存在方面的一个潜在的有用视角，因为公约签署国确实常常只是一个世界上一部分国家，在这个前提下，如果两个条件被满足，联盟就是稳定的（这两种情况由 D' Aspremont 和 Gabszewicz（1986）于通货膨胀时期首先提出）。第一，没有签约国一定有单方背离联盟的激励。第二，没有按自身偏好行事的非签约国想要加入联盟。当这两个条件都被满足时，一个环保公约的签约国数量保持恒定，因而联盟就稳定了。博弈的最终结果会处于完全的合作解和非合作解之间。参加合作联盟的国家越多，结果就越接近合作解，一般说来，愿意签订 IEAs 的国家的均衡数额取决于起作用的规范（functional specification）和模型中的参数。

对于该观点的一种批评是：构成稳定联盟的国家数额一般非常小，这使得经济学家们去寻找如何使其他国家加盟 IEAs 的途径来加大了签约国的数量。这里我们给出三种这样的途径，它们是当国家处于环保控制下时应用集团内支付、将 IEAs 与其他问题联系以及竞争。

集团内支付和义务（Side payments and commitment）

经常被提出用于扩大稳定联盟的一种途径是引进集团内支付机制，它是说由于合作国家之得益会因联盟的扩大而增加，所以它们经常有激励向非合作国家提出集团内支付以促使它们加入到联盟中来。不过 Carraro 和 Siniscalco（1995）证明了这样得来的联盟是不稳定的。因为集团内支付会使一个国家不签约的激励变大，而使一些现有的签约国退出联盟。从均衡上讲，联盟的参与国数量应是不变的。一个解决此问题的方法是引入某种形式的国家义务来维持联盟的一部分。如果这种义务存在，所有国家的情况都会通过以集团内支付将非合作国家引入联盟而得到改善，显然，这种途径的问题是，仅仅一国对负担 IEAs 义务作出的承诺是不可信的，因为承担义务的国家在其他国家变成签约国时，会从搭契约便车的行为中得到改善。为了使联盟扩大，现有的联盟国必须可置信地承担起公约义务。达到该目的的一种方法是对环保技术大量投资，这减少了将来防控污染的投资，而且使该国看起来更不像要偏离均衡的样子；或者，一国也可以建立和发展一个合作的声誉，或在道德上接受环保义务的约束，但这只在博弈有不完全信息时才起作用。为了建立这样一个声誉，国家需要实行很多对其自身来讲有成本的行为，比如否决 IEAs 中即使可以为其带来短期利益的条款或者采用超过最大化其社会福利所需的控污水平。这样国家就可以扮演解决国际问题开路先锋的角色，而这真的可能会使所有国家得到改善。

练习 10.2[*]

在本练习中，我们确定一个加入 IEAs 国家的均衡数额，使得一个特定多国模型中签约国家总收益最大化。

假设有几个完全相同的国家，编号为 i = 1，2，…n。每个国家都努力寻求其最优污染控制水平 A_i，i 国的社会福利（V_i）可用下式计算

$$V_i = bA - cA_i^2/2$$

这里 A 是所有国家的污染控制总量，b 和 c 是正值常数，设 $n*$ 个 IEAs 的签约国采取合作策略来最大化签约国的整体利益，其他的非签约国采取非合作策略并最大化其个体策略

（1）求出个体签约国和非签约国各自的最优污染控制表达式。

（2）求出个体签约国和非签约国的福利水平。

（3）利用你在（2）中得出的结论，找出联盟要保持稳定所需的必要条件。

（4）证明如果 n = 5，一个三国联盟会出现。

将 IEAs 与其他问题联系

另外一条促使非合作国家签署多国环境公约的途径是将其与国家间关注的其他问题联系起来，比如连续自由贸易、金融目标或者支持国家间签订公约条件方面的研究与发展。这个胡萝卜和/或大棒政策将改变各国面对的得益并可能使得联盟扩大。Carraro 和 Siniscalco（1995）证明在一个国家间技术合作依赖于国家签约 IEAs 的模型中，上述可能性的确存在。在他们的模型中，扩大环境公约是可取的，但它本身不稳定。然而技术合作却是既可取又稳定的。通过联系这些问题，所有国家都会得到改善。实际上，搭 IEAs 便车的所得被此时被相应减少的技术合作所抵销。

和公约联系之问题有关的是 IEAs 中贸易条款的地位。比如，1987 年的蒙特利尔草案禁止了含有氯氟烃的货物在签约国与非签约国之间的进出口交易。虽然其初始意愿是防止非签约国破坏签约国的环保成果，但是它同时也增加了国家签约的激励。这样，一个具有自我约束力的联盟又一次扩大了，而所有国家的情况

224

因此改善。

竞　争

如上所述，一个有自我约束力的 IEAs 的签约国数量依赖于模型的结构和参数，特别是依赖于单个国家反应曲线的倾斜程度。如果连接不同国家间污染控制水平的反应曲线是向下倾斜的，那么这意味着要是一国提高了其控污水平，另一国就将其降低。反应曲线越陡峭，国家降低其污染排放的得益就越低，这减少了国家签订 IEAs 的激励，这就有另一样东西在平衡着国家激励的减少，来防止联盟规模的变小。使反应曲线倾斜程度变缓的一种做法是各国采用一个相互竞争的控污比例。在此各国起码是在一定范围内同意与别国进行控污水平的竞争。这增加了联盟中任何一个国家的得益，同时一些国家将挑战增长后的控污水平。这样，均衡中的参与国数量会增加，博弈的最终结果也更接近于完全的合作解。Guttman（1978）也确实在一个不同的语境中展示了一定环境下，竞争会支持完全合作解的出现。

10.3　结　论

本章聚焦于国际环境问题。特别是，我们分析了一个国家签订国际环境公约（IEAs）的激励，这是在双边和多边协议的条件下完成的。我们着力于分析国家间集团内支付的可能应用，并提出他们在双边条约中可以使环境外部性内部化，在多国公约中可以增加签约国的数量。然而，本章强调了数个关于集团内支付的理论和实际问题。这些观点减少了国家应用集团内支付缓解经济问题的可能性。而另外的机制也应为促使国家间合作而建立，这些机制包括对破坏国际公约的国家施加惩罚策略、将 IEAs 与其他问题联系以及竞争。利用这些及其他策略，我们期望各国有激励共同努力，去为了共同的利益改善环境。

10.4　练习答案

练习 10.1

（1）采用了非合作策略并采取已给出的其他国家的控污水平，每个国家以此最大化其得益。以其控污水平来区分不同国家的得益函数，并令其等于 0，我们得出下列结果

$$dF/dA_1 = dC_1/dA_1$$
$$dF/dA_2 = dC_2/dA_2.$$

由于每国的边际收益只依赖于污染总量，也就是依赖于污染控制总量 A，所以上述结果可以被重新表述为

$$dF/dA = dC_1/dA_1 = dC_2/dA_2.$$

在均衡中，每国使边际成本等于边际收益，从而确定其控制污染的最优水平。假设均衡不是一个角解（corner solution），那么两国控污边际成本不相等。该纳什均衡在图 10.2[*] 中以 NE 表示，无差异曲线于该点相交，所以该均衡不是帕累托有效率的，在透镜形阴影中的任何一点都将改善两国福利。

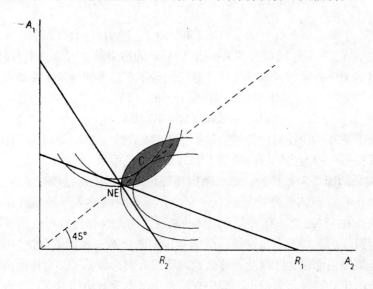

图 10.2

（2）两国整体福利可以表述为

$$V = 2F\ (A_1 - A_2 - E)\ -C_1\ (A_1)\ -C_2\ (A_2).$$

将该函数关于每国的控污水平微分，我们得出以下一阶条件

$$2. dF/dA = dC_1/dA_1 = dC_2/dA_2.$$

表达式的前半部分说明各国将加大控制力度，直到这样做的边际成本等于边际收益。与非合作结果相比，由于此时两国对另一国的环境政策都受得益的影响，所以一个更高的控污总量将被确定。这是一个可被普及的重要博弈论结论。如果个体或国家能免费利用公共资源并采取非合作策略，我们就能预期到资源会被过度利用，而博弈结果是帕累托无效率的。表达式的后半部分再一次说明在均

---

[*] 译者注：原书漏画阴影部分，此为译者所补添。

衡中，控污的边际成本在每个国家必须相同。这保证了控污标准以最小成本被采用。效率的达到不仅要求社会可采纳的控污标准被使用，还要求这样做的成本在国家间被合理地分摊。如果两个国家基于对方的控污水平采取适当的集团内支付，这一点就可以做到。这一点在（3）中被证明。

（3）在一国会基于另一国控污水平采用适当集团内支付的可能性下，每一国的福利函数如下。

$$V_1 = F(A_1 + A_2 - E) - C_1(A_1) + T_2(A_1) - T_1(A_2)$$

和

$$V_2 = F(A_1 + A_2 - E) - C_2(A_2) + T_1(A_2) - T_2(A_1).$$

这里 $T_i(A_{-i})$ 是 i 国排放到另一国（$-i$）的污染量。它依赖于 $-i$ 国的控污水平，将其关于各国控污水平微分并令它们等于零。得到一阶条件如下：

$$dF/dA_1 + dT_2/dA_1 = dC_1/dA_1$$

$$dF/Da_2 + dT_2/dA_2 = dC_2/dA_2.$$

在污染扩散补偿和控制污染的边际量相等的情况下，我们得出了合作解。在此，每国都在另一国给出的经济激励下提高其最优控污水平。

（4）如果两国是无差异的，那么两国将等量减少污染物排放。（1）中给出的答案图示在 C 点。该点是帕累托有效率的，因为两国的无差异曲线在该点相切，并且该点在 45°线上。看来在无差异的两国之间，合作得益可以被平均分配的假设是有道理的。如果真是这样，两国会接到来自对方相同数额的污染补偿，如果只有净集团内支付实际流动，那么此时就没有财产流动了。合作解由集团内支付所支持的工具理性行为得出，即使在均衡中根本没有集团内支付出现！这个矛盾结果出现的原因是此时如果有国家背离合作结果，会受到有效的惩罚。没有了集团内支付的可能性，各国都会降低其控污水平，不过，在集团内支付存在的情况下，任何背信弃义的国家都将付给另一国一份净集团内支付。这是背离合作的额外成本，它也使得各国维持其最优控污水平。

（5）如果边际成本恒定，我们要么得到（4）中的结果，要么只有一个国家控制污染。第一种结果发生于两国有相同的控污边际成本，也就是两国无差异时；第二种结果发生于两国有不同的控污成本时，这时均衡中两国边际成本相同的要求不能被满足，所以我们有角解。为了使总控制量在最低成本下实现，更有效率的国家将采用所有被要求的控污措施，这样只有控制污染的国家会收到集团内支付，而另一国什么也没有。

练习 10.2

（1）IEAs 非签约国努力最大化 $V_i^{NS} = bA - (c/2) A_i^2$。对 A_i 微分后我们可

以得出非签约国将使其控污水平等于 $A_i^{NS} = b/c$。但是 IEAs 签约国努力最大化其整体利益

$$V^S = n^* bA - \sum_{i=1}^{N^*} cA_i^2/2.$$

从这个最大化的一阶条件，我们得出签约国确定其控污水平为：$A_i^S = n^* b/c$。

（2）从（1）中可知控污总量 A 等于（$n^* - n$）（b/c）$+ n^*$ [（$n^* b$）$/c$]。将其代入每个国家的福利函数并整理，我们将到下列签约国和非签约国的福利水平

$$V_i^S (n^*) = b^2 (n^{*2} - 2n^* + 2n) /2c$$

$$V_i^{NS} (n^*) = b^2 (n^{*2} - 2n^* + 2n + 1) /2c.$$

228

（3）均衡的首要条件是签约国没有单方退出联盟的激励。这表明 $V_i^S (n^*)$ $\geq V_i^{NS} (n^* - 1)$。从（2）的结果可以看出，在均衡中

$$V_i^S(n^*) = b^2(n^{*2} - 2n^* + 2n)/2c \geq b^2[2(n^* - 1)^2 - 2(n^* - 1) + 2n - 1]/2c = V_i^{NS}(n^* - 1)$$

第二个均衡条件是非签约国没有激励签约。这表明 $V_i^{NS}(n^*) \geq V_i^S(n^* + 1)$。这可以表述为：

$$V_i^S(n^*) = b^2(n^{*2} - 2n^* + 2n - 1)/2c \geq b^2[(n^* + 1)^2 - 2(n^* + 1) + 2n]/2c = V_i^S(n^* + 1).$$

（4）当 $n = 5$ 且 $n^* = 3$ 时，我们可以确定上述均衡的首要条件刚好满足。第二条件也被一不等式满足。这表明签约国是否退出是无差异的。但是非签约国严格偏好不签约，在两个条件同时被满足的情况下，三国之间的联盟被确定为一个稳定均衡。

进一步阅读

Barrett, S. (1990), 'The Problem of Global Environmental Protection', *Oxford Review of Economic Policy*, 6: 68–79; repr. In D. Helm (1991), *Economic Policy Towards the Environment*, Oxford: Blackwell; also in T. Jenkinson (1996), *Reading in Microeconomics*, New York: Oxford University Press.

Field, B. (1994), *Environmental Economics: An Introduction*, New York: McGraw–Hill.

Hanley, N., J. F. Shogren, and B. White (1997), *Environmental Economics: In Theory and Practice*, London: Macmillan.

Maler, G–M. (1991), 'International Environmental Problems', in D. Helm (ed.), *Economic Policy Towards the Environment*, Oxford: Blackwell.

Pearce, D. W. , and R. K. Turner (1990), *Economics of Natural Resources and the Environment*, Hemel Hempstead; Harvester Wheat sheaf.

Perman, R. , Ma, and J. McGilvray (1996), *Natural Resources and Environmental Economics*, London: Longman.

▼
▼
▼

第十一章

实验经济学

前面的章节大部分集中介绍将博弈论概念应用于广大的经济学领域的学术意义。然而，一些经济学分支已经将注意力集中于考察：博弈论的预期是否由在受控环境下作出相互依赖决策的个体决定，这是迅速发展壮大的实验经济学研究领域的一个部分，在本章中我们回顾几个实验，它们在前面的章节中已经直接用来考察一些较重要的博弈论概念。

在 11.1 节中纳什均衡的基本概念将被考察，我们将介绍囚徒困境被博弈者进行一次或多次的实验。随后，对这些实验的观察结果被用来考察纳什均衡和子博弈完美纳什均衡的预期。一个典型的发现是在这些实验中，博弈者合作的次数比博弈均衡概念所预期的多得多，这一节亦将给出为什么会有这样的解释。一个对为什么博弈者合作的次数比预期多的普遍解释是：在被进行的博弈中有不完全信息。在这种不确定情况下，有关的一种纳什均衡精练是序贯均衡。在序贯均衡概念被广泛应用的背景下，11.2 节回顾了几个实验，它们都用于检验序贯均衡与观察到的行为相悖的预期。

在很多博弈中，博弈论的预期都非常精确，而且被直接检验出与实证相悖，在本章前两节回顾的实验所涉及的决策问题上的确如此。不过在别的博弈中，预期的预见性并不是那么高。比如多重均衡存在时情况就是如此，在这些博弈中存在协调失败的概率——协调失败发生于博弈者不能协调达成帕累托优势均衡时。11.3 节回顾考察个体在协调失败概率存在时如何作出决策的实验。

11.1 纳什均衡

很多实验已经被用来检验博弈论关于理性人如何进行某些博弈的预期。比如，已经出现大量检验人们在囚徒困境中会怎样做的实验。如果博弈者将博弈看作是一次性的，他们被观察到的行为就会被用来检验"个体会基于纳什均衡推理或严格占优原则确定其最优策略"这一预期。或者，如果博弈者认为他们在进行有限次重复的囚徒困境博弈，那么实验的观察结果就将被用于考察这样一个预期：博弈者会利用能够产生子博弈完美纳什均衡的逆向归纳原理作出决策。在考察一些针对囚徒困境博弈作出的实验之前，我们必须牢记：纳什均衡和子博弈完美的概念基于两个基本假设的组合。其一是个体工具理性，其二是工具理性是博弈者的共同知识。所以实证最多只能验证这两个假设结合后的学说，要是实验与纳什均衡或者子博弈完美的预期相矛盾，大体上说，它就不能清楚地区分出两个基本假设中，到底哪个被违背了。

在回顾如今数以百计发生在考察一次或者重复进行的囚徒困境博弈的实验之前，我们先将两个最近非常经典的实验介绍给读者。第一个由 Cooper 等人（1991）提出，它关注的是个体如何进行一系列一次性囚徒困境博弈。第二个由 Selten 和 Stoecker（1986）提出，考察上述博弈有限次重复带来的影响。

在 Cooper 等人 1991 年的实验中，个体与不同的对手连续进行二十次囚徒困境博弈。不让每对博弈者对战一次以上的原因是：我们要将这些博弈者对战的过程看作一系列一次性博弈，而不是单纯的一个重复博弈。博弈者在与其对手没有任何交流的情况下同时作出决策进行博弈的实际情况如图 11.1。

博弈者 2

博弈者 1		N	E
	N	800, 800	0, 1000
	E	1000, 0	350, 350

图 11.1 Cooper 等人（1991）使用的囚徒困境博弈

然而，矩阵显示出的得益不是给博弈者的货币支付，而是与其所得的点数相符合。一个博弈者能够得到的点数越多，他或她在随后抽彩（lottery）中赢取高额奖金的概率就越大。这种机制的动机是消除风险偏好的差异。相反，如果图 11.1 中的结果直接与货币得益相关，而且博弈者预期到他们的对手会采取混合策略，那么此时他们的最优策略依赖于风险偏好，所以，这种抽彩旨在促使个体最大化与其风险偏好无关的点数。

在个体都致力于最大化所拥有点数的条件下，本博弈唯一的纳什均衡是两个博弈者都选择不合作的纯策略 E，因为这是一个囚徒困境博弈，所以这个解也是基于严格占优原则得出的解。但是，如果两个博弈者都选择合作，也就是都选择策略 N，他们两个的境况都会得到改善。最后，一个博弈者最青睐的结果是：他自己偏离合作策略而选择 E，而其对手却依然选择合作策略 N。参与者们如何进行这二十次博弈的结果显示在表 11.1 中。

博弈次数	选择"合作"策略的百分比
1－5	43%
6－10	33%
11－15	25%
16－20	20%

表 11.1　Selten 和 Stoecker（1991）使用的囚徒困境博弈

正如我们在表 11.1 中可以看到的，博弈者选择合作的次数在总数中占有显著比例，即使它与总是不合作策略相比是严格劣势策略。不过随着博弈者经验的增多，合作的比例在减少。在最初五次博弈中，我们观察到博弈者以百分之四十三的概率选择合作。但在最后五次中这个数字下降到百分之二十。我们从这些观察结果中可以看到，博弈者在最终汇合于纳什均衡前需要一定经验。不过，即使在博弈重复很多次之后，一些博弈者至少还会在某些时候继续实施劣势策略。这些结果能相当典型地代表其他一次性囚徒困境博弈实验的结论。总之，理性人之间博弈结果是纳什均衡的预期，目前只得到了有限的支持。Selten 和 Stoecker（1986）也得出了相似的结论。

在 Selten 和 Stoecker 的实验中，博弈者进行一个囚徒困境博弈重复十次的"超级博弈"，每个"超级博弈"本身重复二十五次。在每个"超级博弈"内部博弈者与相同的对手过招，但是他们在不同的"超级博弈"中对手不同，参与者不知道他们对抗的是谁，每一次单独的囚徒困境博弈进行完之后，博弈者都会被告知本次博弈的结果。除了这些之外，博弈者之间没有交流。本实验参与者之间进行的阶段博弈实况如图 11.2 所示。

在该实验中，得益是以德国马克衡量的货币支付。虽然进行同一个囚徒困境博弈的博弈者重复地对抗相同的对手，但是本博弈的子博弈完美纳什均衡仍是阶段博弈的纳什均衡（NP/NP）并在博弈每个阶段反复出现。这种结果通过在每个超级博弈中应用逆向归纳原则就可以得到。

博弈者 2

		HP	NP
博弈者 1	HP	0.60，0.60	− 0.50，1.45
	NP	1.45，− 0.50	0.10，0.10

表 11.2　Selten 和 Stoecker 使用的囚徒困境博弈

　　这个博弈主要的发现是，参与者选择合作的次数比基于（子博弈完美）纳什均衡所预期的次数又要多得多。一旦参与者积累了足够的博弈经验，接下来博弈中行为的类型就可预见了。在每一个超级博弈的开始，两个博弈者都会选择在最初合作（HP）。一旦不合作的行为被发现，两个博弈者都会转而采用不合作策略（NP），直到超级博弈结束。在被观察到的行为及博弈者写出的报告的基础上，Selten 和 Stoecker 确定了超级博弈中每个博弈者预期偏离的期数。他们所确定的所有参与者在最后十二次超级博弈中的平均和标准偏离如图 11.3 所示。统计这些统计量以后，Selten 和 Stoecker 只能下结论说，超级博弈是一种"影响在最后"的博弈（end‑effect play），评定博弈是否为影响在最后的标准是：在一个博弈者首先偏离而使纳什均衡继而出现以前，合作的策略组合被观察到至少四期。如果一个博弈者打算在整个超级博弈中选择合作，我们就令他们对偏离期数的期望值等于 11。

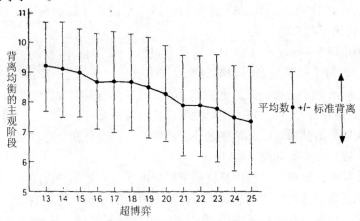

**图 11.3　在最后 12 次"后博弈"中最终发挥作用之出招中，
背离均衡的主观阶段里的准备背离及其平均数**

正如我们在图 11.3 中可以看到的，参与过超级博弈的博弈者平均至少前七期中会选择合作。我们也可以看到，在后面的超级博弈中，博弈者开始偏离的平均时间明显提前。这意味着在博弈初期学会合作后，博弈者随后就学会了更早地偏离协调，以争做第一个偏离者来获得高得益，然而，我们仍不清楚接下来的拆开过程（unravelling process）是否会继续反复更多次，直到博弈者在某一期停止合作。没有了这种概率，子博弈完美就不能很好的预测参与者如何实际进行一个有限次重复的囚徒困境博弈。这一点被很多分析博弈者如何进行重复囚徒困境博弈的实验一次次证明。

从 Cooper（1991）、Selten 和 Stoecker（1986）以及其他实验中我们可以看到：基于工具理性及工具理性共同知识的双重黯淡假设所得出的博弈论预期，只能说得到了有限的支持。一般说来，博弈者会作出比基于上述假设得出的预期更多的合作行为。这些证据也表明基于上述假设得到的博弈预期，并不能带给我们全部的答案；而且作出预期所依靠的一个重要因素——博弈者如何作出决策——被忽视了。部分地由于这些实验发现，经济学家和非经济学家们已经尝试着找出了可能被遗漏的其他影响博弈预期的因素。在此我们回顾五种解释，它们都试图说明在囚徒困境中，为什么博弈者被观察到的合作次数比纳什均衡和纳什均衡博弈完美所预期的要多。

11.1.1　利他主义

对上述实验证据的一个普遍解释是：并非所有的博弈者都只被金钱得益所激励。相反，很多人主张某些博弈者作出利他行为时，他们会得到额外的得益。Andreoni 和 Miller 在 1993 年提出了在囚徒困境博弈中的影响博弈者效用的三种利他主义。第一种叫做纯利他主义（pure altruism）。在这种情况下，博弈者不仅关心他或她自己的得益，同时也关心博弈中其他人的效用。在此，其他博弈者得益越多，博弈者本人就越能得到额外得益。第二种利他主义的形式叫做责任（duty）。在这种情况下，博弈者觉得有一种道德义务去选择合作而非不合作。这样当博弈者选择合作时，他或她就获得了一种额外得益。最后一种利他主义能够影响博弈者得益的叫做相互利他主义（reciprocal altruism），这种情况也叫做"温暖光芒"（warm glow）效应，这是因为它假设博弈者相互合作中会得到一份特别的愉悦。

这些利他主义形式的显著影响是：个体在诸如囚徒困境这种博弈中的得益，不再必然与实验者们预期给出的相同。在不同的得益函数下，"竞争支配合作"的论断不复正确。在这个解释下，选择合作也许是最大化其得益数的做法。但这一点不再能够被直接观察到。进一步说，得益函数不能被直接观察到了，这意味着实际进行的博弈是一个不完全信息博弈。每一个博弈者都能被假设为知道自己的得益函数，但不知道对手的得益函数，这就明显增加了博弈者进行博弈时要经历的不确定性。这种不确定性提高了在重复进行的囚徒困境博弈中，博弈者选择合作策略以树立利他主义信誉的概率。正如下面我们将要谈到的，这些关于不确定性和信誉的概念都会被更进一步用于解释观察囚徒困境博弈实验的结果。

11.1.2 认知

对从囚徒困境中得出的实验证据的另一个解释着眼于，当个体为有限理性时认知在博弈中扮演的角色。一个主张是个体决定采取哪个策略，不是基于明确的最大化目标，而是基于试探和误认。这种途径与生物学家为解释动物行为的演变而进行的工作异曲同工，所以引入了这种认知动力的博弈被称为"进化博弈"。在这种博弈中，博弈者最初选择一个策略，然后借助后来的博弈经验判断该策略的优劣。如果一个策略起初是成功的，它在未来的回合中就有可能被接受；要是它看来不成功，那么它在将来就鲜有可能被采用。这个判断过程可以用两种方法描述：其一是设想数个个体将他们已采用的策略变为更好的策略，其二是假设个体们开始采用一种混合策略，随后调整他们策略中的概率比例，由此提高个体采用成功策略的概率。两种方法的结果相同：成功策略将被采用得更加频繁。不论在哪一种过程中，当经济达到稳定程度时均衡都会发生。而且从定义来看，可选策略的概率分布仍然没有改变，这样一个均衡可能是稳定的也可能是不稳定的。如果一个均衡被博弈者的微小策略变化打乱——可能因为博弈者出了错——博弈者最后会回到他们的初始策略上来，那么这个均衡就是稳定的，这样的均衡被称为"进化稳定策略均衡"。如果博弈系统的动力使得最终均衡偏离了初始均衡，那么该均衡就是不稳定的。显然，一个进化稳定策略均衡一定是一个纳什均衡。不过，并非所有的纳什均衡都是进化稳定的，进一步讲，认知的同时非均衡策略也会出现。为了说明这种观点，我们使用 Cooper（1991）采用的实验中的一个对囚徒困境博弈的特殊认知过程来解释。

我们假设很多人与随机挑选的对手将这个一次性博弈进行数次，假设个体们采取的认知过程能用下面这个动力学公式表示：

$$\text{dProb}/\text{dt} = \text{Prob}\left(\Pi\left(E\right) - \bar{\Pi}\right) \tag{11.1}$$

在这个公式中，Prob 是博弈者采取的策略 E 的概率，Π（E）是采用策略 E 的预期得益，$\bar{\Pi}$ 是所有个体平均得益。这个公式表明博弈者选择策略 E 的概率的变化与本期选择策略 E 的概率与博弈预期得益和平均得益之差的乘积有关。如果策略的预期得益大于博弈者的平均得益，那么这个策略被采用的概率随着时间推移而增加。

练习 11.1

课文中讨论了如果博弈者足够坚持利他主义，他们就会在一个囚徒困境博弈中选择合作策略。本练习将用前面讨论的每一种利他主义模型来证明这个主张。假设在一个虚拟进行的实验中，参与者与一个随机挑选的不知名的对手进行下面这个一次性的囚徒困境博弈。

博弈者 2

		C	D
博弈者 1	C	10, 10	6, 12
	D	12, 6	8, 8

假设有很多参与者，编号为 $i = 1, 2, 3, \cdots, n$。所有参与者都希望最大化其预期得益，请预期在以下情况下采取合作策略的参与者比例。

（1）责任：个体 i 的得益（V_i）通过等式 $V_i = \Pi_i + \alpha_i$ 计算，在这个等式中 Π_i 是博弈本身给出的得益，而 α_i 是该博弈者选择合作策略（C）所得的额外效用。个体只知道自己 α 的值，而且改变量值按博弈者相应比例固定分布在 [0，8] 这个闭区间。

（2）相互利他主义：博弈者得益还是用 $V_i = \Pi_i + \alpha_i$ 表示，但这次 α_i 表示博弈者都选择合作时个人的额外得益。其他假设与（1）中的相同

（3）纯利他主义：这一次个体 i 的得益表示为 $V_i = \Pi_i + \alpha_i \Pi_{-i}$，这里 Π_{-i} 是被他人得到的得益，而 α_i 是博弈者从别人钱包里拿出的得益。个体只知道自己 α 的值，而且 α 价值的变化按博弈者的数量固定分布在 [0，1] 这个闭区间内。

提示：在每个模型中都让 Prob 等于个体的对手合作的概率，然后算出采取 C 策略或者 D 策略时的得益水平，根据这些等式算出 α_i 和 $\alpha*$ 的临界值，那么当 $\alpha_i > \alpha*$ 时博弈者会选择合作，最后 Prob 以从方程 Prob（α_i（α^*）=（$\alpha_{max} > \alpha^*$）/$\alpha_{max} > \alpha_{max}$ 是 α 的最大概率值）中求得。

利用图 11.1 表示出的博弈，我们可以计算出一个博弈者选择策略 N 或策略 E 的预期得益，采用策略 N 的预期得益是

$$\Pi（N）= 800（1 - Prob）+ 0Prob = 800 - 800Prob \qquad (11.2)$$

而策略 E 的预期得益是

$$\Pi（E）= 1\,000（1 - \text{Prob}）+ 350\text{Prob} = 1\,000 - 650\text{Prob} \qquad (11.3)$$

从这些等式中我们可以计算出所有博弈者的平均得益

237

$$\overline{\Pi}\text{Prob}\Pi（E）+（1 - \text{Prob}）\Pi（N）= 150\text{Prob}^2 - 600\text{Prob} + 800. \qquad (11.4)$$

将式(11.3)和式(11.4)带入式(11.1)结果得到我们下面的动力学方程

$$d\text{Prob}/dt = \text{Prob}（\Pi（E）- \overline{\Pi}） \qquad (11.5)$$

238

图 11.4 将上式以 0 到 1 的闭区间上的概率的函数图表示。在这个通常被称作"相图"（phase diagram）的函数图中，能找出两个稳定阶段的均衡。这两个均衡发生在 dProb/dt = 0 而使概率 Prob = 0 或 Prob = 1 时，在其他任何概率分布中，一定有 dprob/dt 大于 0。这表明在均衡之外，博弈者选择策略 E 的概率与时俱增。这个结论与 Cooper（1991）的观察结果一致。该观察结果表明：随着博弈者经验的增多，参与者选择合作策略的百分比逐渐下降。然而，这种认知方法却预期到：上述过程最终会在博弈者都永远选择不合作时聚于纳什均衡点上。这个均衡是唯一的进化稳定策略，而且也与囚徒困境博弈中的纳什均衡相符。

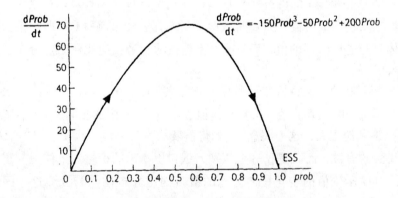

图 11.4　一个进化的稳定策略

上面的分析已经证明一个动态认知过程如何被用来分析一系列对称的一次性博弈。练习 11.2 提供了两个关于这种博弈的更深一步的例子，这种方法也能被进一步用来分析更复杂的重复博弈。的确，Selten 和 Stoecker（1986）已经创造出了一个认知模型，去解释重复囚徒困境实验中被观察到的结果，特别是模型指出博弈者在哪一期选择背离而开始采用不合作策略，要依赖前面"超级博弈"的结果。他们证明，从最初二十次"超级博弈"的参数的考察中能够成功预见到最后五次"超级博弈"的结果。

练习 11.2

在一个虚拟进行的实验中，假设参与者被要求与不同的隐名对手将下面两个对称博弈中的一个进行数次。在这个连续重复的博弈中，一大群博弈者被任意组对过招。请判断出每一个一次性博弈的纯策略纳什均衡和混合策略纳什均衡，最后，假设个体是有限理性的，找出当他们遵循下列认知过程时博弈的进化稳定策略，

（1）协调博弈

博弈者 2

		A	B
博弈者 1	A	20, 20	10, 10
	B	0, 10	30, 30

（2）斗鸡博弈

博弈者 2

		A	B
博弈者 1	A	30, 20	20, 40
	B	40, 20	10, 10

dProb/dt = Prob $(\Pi \ (A) \ - \overline{\Pi})$

上面等式中，Prob 是个体选择 A 策略的概率，Π（A）是选择 A 策略的预期得益。$\overline{\Pi}$ 是所有个体的平均得益。

11.1.3 不确定性

对囚徒困境感兴趣的不光是经济学家，还有心理学家。比如，Shafir 和 Tversky（1992）做的囚徒困境实验，就旨在考察参与者如何在不确定性存在时作出决策。在实验中，他们比较了在普通一次性囚徒困境博弈和在一个博弈者已知其对手首先偏离合作协调两种情况下，博弈者作出合作决定的概率。在那个连续进行的博弈中，16% 的博弈者在已知其对手选择合作策略的情况下选择合作，但只有 3% 的博弈者在已知对手偏离合作协调时仍选择合作，这个证据本身就证明了上面讨论的相互利他主义模型。不过，这份报告最引人注目的结果是在同时进行的博弈中，37% 的博弈者被观察到采取合作策略。Shafir 和 Tversky 提出，这个

结果不能简单的归因于利他主义。因为我们可以看到当博弈者已知其对手选择合作策略时，他们会更有积极性地合作。所以，他们转而将常规囚徒困境博弈中合作的高比例部分地归因于博弈中固有的不确定性。因此他们的结论是"不确定性引起了合作的趋势，这种趋势在另一个博弈者作出决定后马上消失，看来很多参与者并未恰当地考虑每种可能的得益及它们的含义"。在这个解释中，博弈者尝试最大化其得益，但是他们在博弈结果不明朗时难以充分估计其得益。这又一次表明是有限理性使得个人选择合作。

11.1.4 声誉

上述对于囚徒困境博弈中博弈者为什么选择合作策略的解释基本集中于心理因素，如利他主义、认知和有限理性。有趣的是 Kreps 等人于 1982 年证明：如果基于以上原因，博弈者能够预见到他们的对手有一点可能去合作，那么在一个有限次重复囚徒困境博弈中，博弈者与最初阶段选择合作策略就是理性的。博弈者用这种方法树立起一个乐于合作的声誉而最大化其在整个博弈中得益。这种解释指出，鉴于不完全信息，用来预期个体在这种博弈中的行为的相关均衡概念是一个序贯均衡的概念，一般来说个体在这种均衡中的博弈模式分为三个阶段。开始阶段理性博弈者选择合作。第二阶段博弈者采取混合策略，将合作与偏离概率在其中作出有效率的安排。在这个阶段，不偏离策略将树立起博弈者"乐于合作"的声誉。最后在第三阶段，一个理性博弈者将采取一个——如果他或她还没采取——偏离合作协调的策略。我们可能注意到这样一个均衡很好地符合了参与过 Swlten 和 Stoecker（1986）重复博弈实验的博弈者在实验中被观察到的行为。的确，即使是那个拆开过程，即博弈者学会合作之后继而学会在博弈中更早偏离合作策略的过程，也可以说是一个序贯均衡。这种说法的成立依赖于这样一个假设：随着博弈者拥有越来越多的博弈经验，他们认识到的其他博弈者"不理性"的概率在降低。在这个假设下。如果博弈中没有"不理性"博弈者，上述过程会持续到序贯均衡最终与子博弈完美均衡一致时。

11.1.5 集体声誉

在上面描述的序贯均衡中，个体可能致力于树立"乐于合作"的声誉。不过，只有在不完全信息重复博弈的情况下才会如此。在一系列一次性囚徒困境博弈中，个体树立这样一个声誉是不可能的。但是，Kandori（1992）的实验证明，如果参与者人数不是太多，那么博弈者就会采用这样一种策略：把所有参与者看作一个整体，并维持这个整体"乐于合作"的声誉。

在 Kandori 的实验中，数个博弈者进行一系列一次性囚徒困境博弈。假设博弈者在所有参与人的范围内被任意隐名组对，而且进一步假设博弈者之间没有交流，他们只能看到自己参与的博弈结果。在这种情况下，F. Kandori 证明，如果博弈者采用"传染惩罚策略"（contagious punishments），合作就有可能被维持。当博弈者采取这种策略时，声誉就关系到所有参与人形成的整体而不是个人。如果一个博弈者从未观察到任何对手采取不合作策略，他就会预期博弈者整体都采取合作策略。但是，如果一个博弈者观察到他的任何一个对手偏离了，他就不再认为这个整体是乐于合作的。在一个"传染均衡"（contagious equilibrium）中，如果个体预期整体乐于合作，他就会采用合作策略；如果他认为整体不会合作，他也会采取不合作策略。由于所有参与者都采取这个策略，所以一旦有一个博弈者叛变，偏离策略的采用就会像传染病一样很快覆盖博弈者整个整体，直到整个博弈者群体的合作瓦解。正是合作的消失极大地打消了个人在博弈初期就背离合作的念头，所以合作再一次成为理性均衡行为的一部分。这也许可以部分解释个体在一系列一次性囚徒困境博弈实验中的观察结果。

11.2　序贯均衡

正如我们在前面章节讨论过的，解释个体在重复囚徒困境博弈实验中观察结果的一个途径是：假设博弈者拥有不完全信息。在这种假设下，博弈者采取合作策略并以此树立声誉的做法就可能是理性的。鉴于序贯均衡在解释上述结果方面的优势，以及它在很多经济学模型中的广泛应用，实验经济学家们在考察这种学说方面定下明确目标的行为就不足为怪了。本节我们回顾四个最近进行的实验。

241

Andreoni 和 Millker（1993）

作为对前面实验的扩展，Andreoni 和 Millker（1993）进行的实验将个体在一系列一次性囚徒困境博弈中的行为与其在重复进行的囚徒困境博弈的行为作了对比，目的在于考察被观察到的行为是否与序贯均衡的假设——理性个体会致力于树立"乐于合作"声誉——相一致。这形成了对 Kreps 等人（1982）提出的模型的直接检验。特别地，Andreoni 和 Millker 对比了两种情况下博弈者选择"合作"的比例。一种是博弈者与"陌生人"进行 200 次一次性囚徒困境博弈，另一种是与"博弈伙伴"进行重复 10 次的囚徒困境博弈，而这种重复本身（即"超级博弈"）进行 20 次。在重复进行的博弈中，博弈者在每个重复 10 次的博弈中与相同对手过招，但在不同的"超级博弈"中与不同的对手过招。明显看到只有在博弈的重复形式中博弈者才会树立个人"乐于合作"的声誉。这表明与序贯序列的学说一致，博弈者在与"博弈伙伴"过招时选择"合作"的概率要明显高于与"陌生人"博弈的初期阶段。这个实验的结果如图 11.5 所示。

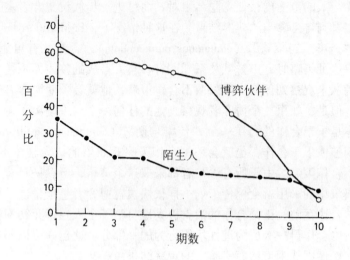

图 11.5　Andreoni 和 Miller（1993）：每期选择"合作"策略的百分比

　　该图展示了参与者在十个博弈阶段选择"合作"的百分比。正如它显示的那样。这个结果大致符合序贯均衡的假设。特别是"博弈伙伴"被观察到比"陌生人"有更大的合作倾向（在 0.1% 水平上）。更进一步，我们发现"博弈伙伴"在博弈前五轮比后五轮更有合作倾向，但在"陌生人"中我们没有发现这一点。Andreoni 和 Millker 同时指出："合作"在这两个群体中被采用的比例在博弈的最后一期看起来是无差异的。这些数据的所有特点都与序贯均衡的假设一致。认识到个体在隔离状态下在一次性博弈中的行为之后，Andreoni 和 Millker 主张：从他们实验中部分参与者持续采用合作策略可以看出，数量可观的个体都是利他主义的。基于他们的观察，他们断定一个对手选择合作策略的先验概率（prior probability）大概是 20%，这个对部分博弈者确为利他主义的解释进一步证实了不完全信息的假设。正如 Andreoni 和 Millker 指出的，在对序贯均衡假设严格解释中，没有"利他主义"和"不理性"博弈者存在的必要，只需假设博弈者相信有这样的人存在就可以了。在这个假设下，所有博弈者只需被看作在理性地行动（acting），但这又表明博弈者的认识是错的。看来一个更合理的假设是：博弈者相信其他人是利他主义或不理性的，因为他们自身实际就是如此，Andreoni 和 Millker 的观察证实了这种想法。

Camerer 和 Weigelt（1988）

　　我们在先前每个实验中都讨论了：从个体的博弈行为中可以推断出有不完全信息存在。不同的是，Camerer 和 Weigelt 的实验明确地引入了这种不确定性，该实验的观察结果再一次被用来检验序贯均衡的预期。这个博弈的基本特性类似于放贷者和借款者面对的决策，博弈固有的不确定性是：放贷者不知道借款者会不会还钱，要是放贷者预见到借款者不还钱的概率很高，他就不会出贷。参与者被要求进行的这个阶段博弈的扩展形式在图 11.6 中给出。

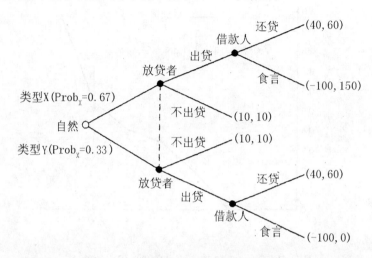

图 11.6 对 Gamerer 和 Weigelt 使用的扩展形式博弈的一个版本

在这个博弈中借款者可能有两种类型，自然选择实际上哪一种参加博弈。Y 型博弈者按照博弈得益永远没有食言的激励（这是因为如果他们还钱会得到 60，如果食言就什么也得不到）。不过 X 型有这种食言激励（因为如果他们在此食言会得到 150）。一个借款者是 X 型的概率即 Probx 为 0.67，相应的 Proby 是 0.33。所有博弈者都知道这种概率，但是放贷者并不知道他对手的类型。为了使序贯均衡出现，相同博弈双方之间的这种一次性博弈将进行 8 次。然后每个博弈者与不同的对手将这个包含 8 次一次性博弈的博弈重复数次。这个博弈的其他形式通过修改博弈的两个参数获得：一个是 x 型和 y 型博弈者的比例，另一个是放贷者的得益。

Camerer 和 Weigelt 证明：在他们的重复博弈的每一种形式中，都有唯一的序贯均衡。这个均衡由三个连续的阶段组成。在第一阶段，x 型博弈者将不愿表露其真实意图，故而他总是还钱。放贷者预期到这一点，所以也就准备出贷。在本阶段贷款总是被借出和归还，不管博弈者是什么类型。在第二阶段，x 型博弈者将采取混合策略，其还钱的概率随着博弈的进行逐渐减少。如果放贷者观察到借款者在上一期博弈中还了钱，他在本期博弈中就会出贷。如果放贷者看到借款者再上一期博弈中没还钱，他便看到了借款者的本来面目，以后也就再也不会对 x

型博弈者出贷。在博弈最后一个阶段，x 型博弈者肯定不还钱，根据 Camerer 和 Weigelt 使用的参数值，这种情况与博弈最后一期情况一致。博弈者在每个阶段预期欠款不还的概率如图 11.7 所示。

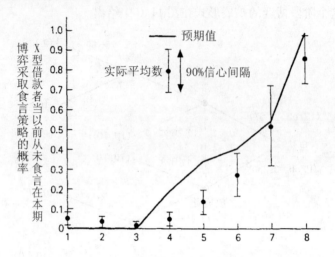

图 11.7　Camerer 和 Weigelt（1998）得出的结论

这些概率是针对 x 型博弈者统计的，条件是他们以前从未食言，其参数如图 11.6 所示。图 11.7 也描述了实验中 x 型借款者在每一博弈阶段中开始食言时的实际比例（在博弈早期参与者的行为高度不稳定，此时个体可假定为仍在认知博弈的特性。）

正如我们在图 11.7 中可以看到的，在博弈初期绝大多数 X 型借款者还钱的行为充分证明声誉建立。然而，我们也能从图中看到，博弈者在博弈每一期食言的概率一般都小于序贯均衡的预期，正如 90% 的置信区间（confidence intervals）所指出的，这个矛盾不能被当作偶然而忽视。Camerer 和 Weigelt 将这种高还钱率归因于"自制优先"（homemade priors）增强了个体做 Y 型借款者的主观概率。这是基于对他人的信任，相信他们会因利他主义而努力采取合作策略。在这个博弈中，采取合作策略意味着借和按期归还。Camerer 和 Weigelt 从观察结果得出："自制优先"即 X 型博弈者向 Y 型博弈者那样形式的概率大约为 0.17。该结论基于两个必要假设得出：一是"自制优先"是博弈者的共同知识；二是个体采用与序贯均衡学说一致的策略。为了验证这两个假设的真实性，Camerer 和 Weigelt 比较了关于此假设的不同实验和上述实验中博弈在不同形式中的"自制优先"。他们宣称结论评估大致相符。这可能被看作是为序贯均衡学说提供进一步支持。Camerer 和 Weigelt 在 1988 年下的结论说：一旦博弈者熟悉了他们正在进行的博弈并且"自制优先"的做法引入以后，序贯均衡的预期就非常符合实验数据。不过，这个积极的论断已经被 Neral 和 Ochs 于 1992 年提出的更进一步的实验证据所挑战。

Neral 和 Ochs（1992）

在这个实验中，Neral 和 Ochs 首先要参与者进行图 11.6 中的实验，不过将其进行了一些微小的变动，比如相同博弈者之间的一次性重复六次而不是八次。他们的实验证据与 Camerer 和 Weigelt 在 1988 年得出的数据没有显著差异。实际上，本次实验与最初的实验相比，偏离均衡的行动有所减少。在重复了 Camerer 和 Weigelt 的结果之后，Neral 和 Ochs 请另一组参与者进行一个将上述博弈稍稍改进后的博弈。前后这两个博弈之间的唯一差别是：X 型博弈者食言的得益从150 降到了 100，博弈的其他参数没有发生任何变化。之所以选择上面这个参数变化，是因为基于序贯均衡的预期非常"反直觉"。序贯均衡学说的预期是：当食言的得益减少时，借款者的行为不会发生变化。但出贷者会在序贯均衡的混合策略阶段减少出贷策略的比例（该结果将在练习 11.3 中被证明）。而我们直觉的预期是欠债不还的概率小了，因为这样做的得益低了。结果是放贷者更愿意出贷。如果参与者被观察按照博弈论的预期反直觉行事，序贯均衡学说就将因此得到有力的证明。然而，参与者并没有被观察到按照博弈论预期行动。Neral 和Ochs 得出的相关结果如表 11.2 所示。

表 11.2 Neral 和 Ochs（1992）的结果

| | 借出决定作出的概率 | | | | X 型借入者开始食言的概率 | | | |
期数	原初经验	修正经验	交叉统计	意义/精确概率	原初经验	修正经验	交叉统计	意义/精确概率
1	1.000	0.979	2.231	0.135	0.983	1.000	0.832	0.362
2	0.989	0.996	0.059	0.809	0.966	0.994	1.577	0.209
3	0.878	1.000	27.571	0.000	0.636	0.968	46.924	0.000
4	0.600	0.873	31.722	0.000	0.515	0.690	2.818	0.093
5	0.698	0.667	0.065	0.800	0.546	0.468	0.022	0.882
6	0.875	0.192	40.471	0.000	0.000	0.375	–	0.209

在这个表格中，两个实验里不同博弈阶段内出贷和 X 型博弈者赖账的概率都被列出。为了检验得益的变化是否对博弈者的行为有显著影响，表中交叉统计

245

数值（chi‐square statistic）被计算出来。最后，两种假定中对上述差异观察后得出的准确概率被分别列出来。如果结果小于 0.01，我们就说上述报告的差异在 1% 的水平上是重要的。我们首先考察出贷者的行为。从表中可以看出，在五个能确定博弈者采取混合策略的阶段（第 2 – 6 期）里，有三个阶段放贷者增加了出贷的概率。这与序贯均衡学说的预期相反。进一步，在第 3 – 4 期中，出贷概率增加的幅度非常明显，所以 Neral 和 Ochs 否定了那个无效假设，即参数的变化会使出贷的概率减少。现在我们将注意力转向 X 型博弈者。可以再一次看到，实验中观察到的最初食言的概率在除了第 5 期以外所有博弈阶段一直在上升，尤其是在第 3 期上升幅度尤为明显。所以 Neral 和 Ochs 再一次否定了参数变化对借款者行为无影响的无效假设。

练习 11.3[*]

Camerer 和 Weight 在 1988 年以及 Neral 和 Ochs（1992）的实验都用到了图 11.6 中博弈的重复形式，实验的观察结果随后被用来检验序贯均衡学说的预期。特别是 Neral 和 Ochs 还考察了：如果 X 型博弈者欠债不还的得益降低，博弈中的参与者还会不会依照反直觉的序贯均衡预期行事，即 X 型借款者欠债不还的概率不变，而放贷者的出资的概率减少。在本练习中我们用该博弈的一个二阶段形式来证明上述预期。首先是我们考察当博弈仅进行一次时，它的子博弈完美纳什均衡。

（1）用逆向归纳原理找出当图中 11.6 的博弈只进行一次时，它的博弈完美纳什均衡。但将图 11.6 中的博弈条件变动一下，令 Probx = 0.25，并解释为什么预期得益是帕累托无效率的。

（2）如图 11.6 中的博弈进行 2 次且 Probx = 0.25，找出其序贯均衡。并基于该均衡的预期，计算每个博弈者在博弈开始时的预期得益。

（3）如果 X 型借款者的得益从 150 下降到 100，求出序贯均衡相应的的静态预期。假设博弈其他条件与（2）中的一致，请基于这些均衡预期计算出每个博弈者在这个改进后的博弈开始时的预期得益。

因此 Neral 和 Ochs 的实验结论是混合的。在 Camerer 和 Weight（1988）的实验中，观察结果有力地证明了参与者会努力树立良好声誉，这与序贯均衡的假设一致。然而，随着一个参数的简单变化，博弈者的行为就变得与序贯均衡的预期不一致了。Neral 和 Ochs 没有给出关于为什么参数变化会使得博弈者行为方式变化的解释。不过，他们指出，这个发现不能简单以引进 Camerer 和 Weight 使用的"自制优先"概念来解释。像前面的实验一样，博弈论的这个预期也没能告诉我们事情的全部，一些可能被忽略的因素由 Mckewey 和 Palfrey（1992）在实验中提出。

Mckeluvy 和 Dalfrey（1992）

在这个对序贯均衡的检验中，参与者进行的是改进后的 Rosenthal 在 1982 年构建的蜈蚣博弈。在本章中，这个博弈改进后的扩展形式最先由附录3.2 给出。现在如图 11.8 所示。

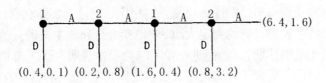

图 11.8 McKelvey 和 Palfrey（1992）的蜈蚣博弈

在附录3.2 中我们求出了：一个理性博弈者在一个作为共同知识的假设"5%的博弈者是利他主义的而总是采取前进策略"之下，博弈的预期是什么。从这些预期中我们可以计算出这个博弈到达五个节点的概率。这些预期显示在表 11.3 的第二栏中。例如，如果每个博弈者都是利他主义的，那么根据序贯均衡的学说，博弈的结果只能是两个博弈者在两个回合中都选择了前进（AAAA）。这种情况发生的概率是 $0.05 \times 0.05 = 0.0025$。

247

表 11.3 McKelvey 和 Palfrey（1992）的结果

结果	序贯均衡	实际	认知/错误
D	0.0000	0.071	0.097
AD	0.6498	0.356	0.333
AAD	0.3001	0.370	0.324
AAAD	0.0476	0.153	0.218
AAAA	0.0025	0.049	0.028

在 Mckeluvy 和 Dalfrey 的实验中，参与者被要求与不同的对手将该博弈进行十次，每个博弈者在博弈接下来的重复中都继续作为博弈者 1 或博弈者 2 行动。这个博弈在 29 名博弈者的不同组合之间总共进行了 281 次。这些博弈到达每个可能的最终节点的比例如表 11.3 所示。显然，它又为声誉建立提供了有力证据。

因为只有 7% 的博弈一开始就随着博弈者 1 选择向下而结束。不过，正如我们通过比较表格第 2、3 栏可以看到的，序贯均衡学说不能解释观察结果的所有特征。比如，得益 AD 被观察到的出现频率比序贯均衡学说预期的明显要低。

Mckeluvy 和 Dalfrey 指出：序贯均衡学说所忽视的是个体在决策和料敌中出现错误的概率。为了检验这个可能的解释，他们基于应用最大化可能方法（maximun - likelihood method）的序贯均衡学说建立起一个计量经济学模型，这个模型包含行动和决策错误的概率。应用这个模型的预期表示在表 3.2 的第 4 栏中。显然，这些预期与单纯的序贯均衡预期相比，更接近实际观察到的结果。基于这个计量经济学模型，他们判定大约 5% 博弈者是利他主义的（这证明了上表第 2 栏中序贯均衡的预期）。他们进一步下结论说：有明显证据证明参与人在行动和决策中犯错误。研究了行动错误之后，他们认定其模型与认知相符，博弈者的经验越多越会犯更少的错误。在他们的四阶段博弈中，错误率从起初 18% 的高水平下降到后来 12% 的低水平。认识到决策错误后，Mckeluvy 和 Dalfrey 否定了整个博弈群体中利他主义者的比例是所有参与人共同知识的假设。不过他们无法否定理性预期假设，即从平均上说博弈者的认识是对的，Mckeluvy 和 Dalfrey 认定序贯均衡学说在允许利他主义行动错误、料敌错误等情况出现后，能够描述他们数据的主要特点。

回顾了这方面的研究后，我们可以断定基于个体总是理性行动及其为全体博弈者共同知识之假设的博弈论预期，并未被实验证据所证明。这个矛盾可以用两个方法解释：要么是这种学说错误，要么是实验证据不真实。的确，关于控制实验得到的结果为什么必须被谨慎解释，已经有了很多原因，它们部分将在本章结论中被讨论。在实验证据的范围内，除了上述这些之外，我们看来可以断定假设理性为共同知识的博弈论模型需要改进，其他假设也需要使用，比如允许参与者中有利他主义者从而并非所有人的行为都只受货币得益激励。这样做与其说是打击了最近的博弈论模型，不如说它是为研究不完全信息博弈的重要性提供了有力支持，但是，就像本节提到的实验显示的那样，即使是这种完全理性的偏离，也不足以充分揭示博弈者的行为。实验证据表明其他影响博弈者行为的因素还包括：建立博弈者如何随时间推移认识博弈和面对真正不确定性如何作出回应的模型的必要性。这些因素中的每一个看起来都可能为将来的研究开拓新领域。（这些问题在第 12 章中将被更充分地讨论，在那里我们评价近期对博弈论的一些批评。）

11.3 多重均衡

迄今为止，本章中讨论的所有博弈都有一个特点：存在唯一均衡策略。但在具有多重均衡的博弈中就不是如此了。在这种博弈中，博弈者预见理性博弈者会如何进行博弈的难度增加了。而没有了这种协调，博弈的最终结果可能不是纳什均衡。即使结果是一个纳什均衡，它也不一定是帕累托优势均衡。在上述任何一种情况下我们都说博弈中协调失败。在多重均衡的优越性之下，尤其是它在最近的宏观经济学博弈模型中的优越性之下，考察个体在这种情况下的反应显然很有意思。一系列问题萦绕在脑海：个体能协调于诸多均衡中的一个吗？该均衡是帕累托有效率的吗？什么因素影响博弈者从众多均衡中的选择呢？博弈者以前的信息交流会帮助他们避开协调失败吗？在本节我们将回顾一系列旨在回答这些及其他问题的实验。

Van Huyck、Battalio 和 Beil（1990）

Van Huyck、Battalio 和 Beil 在 1990 年进行了一系列实验，他们请参与者进行一个表现帕累托分级均衡的博弈，实验的目的是确定博弈是否会在一个均衡上达成协调；以及如果会，该均衡是不是帕累托有效率的。在其中一个实验里，参与者被分成 14 – 16 人的小组。小组中的每一个博弈者随后被要求挑选 [1，7]这个闭区间上的一个整数，此时他们已知其得益由他们自己的选择和小组中数值最小的选择决定。详细得益见表 11.4。

表 11.4 Van Huyck 等人（1990）的得益矩阵

		被选的最小整数					
		7	6	5	4	3	2	1
	7	1.30	1.10	0.90	0.70	0.50	0.30	0.10
个体 i	6	–	1.20	1.00	0.80	0.60	0.40	0.20
对整数	5	–	–	1.10	0.90	0.70	0.50	0.30
的选择	4	–	–	–	1.00	0.80	0.60	0.40
	3	–	–	–	–	0.90	0.70	0.50
	2	–	–	–	–	–	0.80	0.60
	1	–	–	–	–	–	–	0.70

从这个得益列表可以看出，每个博弈者都有激励去尝试和确定一个高的最小值。不过，选择数值高过小组选择最小值的博弈者会受到惩罚。这个博弈有 7 个

帕累托分级纳什均衡，它与博弈的每一个对称结果相符。这里，帕累托优势均衡在所有博弈者都选择 7 时达到。博弈者在同一个小组内将该博弈进行 10 次，小组成员之间没有信息交流。不过，每次博弈开始之前，博弈者都会获知上次博弈中小组选择的最小值。107 个参与者总共被分成了 7 个小组，有 16 个成员的第一组的博弈结果如图 11.9 所示。

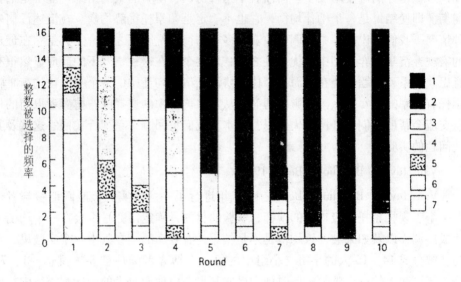

图 11.9　Van Huyck 等人（1990）的结果

250　　　图 11.9 中的纵轴显示某个整数被选择的频率，横轴表示这些频率在博弈连续十轮中的变化。例如，在第一轮中，16 个博弈者中有 8 个选择了 7，3 个选择了 6，2 个选择了 5，而 4、3、2 都只有一个博弈者选择。在所有小组观察到的一个典型结果是参与者都很快学会了选择更小的数。在图 11.9 中，这种情况通过个体对最小值的选择的戏剧性增大表现，尤其是在博弈最后一轮中，参与者的主流（72%）选择了 1。确实，从博弈第 4 轮开始，1 就一直是各小组选择的最小值。这可以被用作一个证据，即博弈群体会最终汇合于所有博弈者都同时选 1 这个纳什均衡上。而在这个博弈扩展后或改进后的其他几个实验中，确实有一些小组被观察到汇合于这个纳什均衡上。这个实验的结果证明了协调失败的概率，这就驳斥了学者某些时候的观点，即如果博弈有帕累托分级纳什平衡，博弈者将在作为焦点的帕累托有效率的均衡上最终达成协调。

可能被猜测会影响协调失败是否发生的一个因素是博弈者的数量，Van Huyck、Battalio 和 Beil 通过要求一部分博弈者只同一个对手进行上述实验来检验这个猜测。组对方法可以采用两种办法，一是对手组合不变，并进行重复博弈；二是博弈者与任意组合的对手进行一系列一次性博弈。

固定的对手与十几个人的小组之间进行的博弈的结果迥异。显然大多数固定对手都很快协调到帕累托优势均衡上。14 对固定对手有 10 对仅在四回合之后，就在优势均衡上达成了协调，还不算其中有一对组合从博弈一开始就协调在了该均衡上。一组对手一旦在优势均衡上达成协调，他们就会在接下来的回合中继续协调，直至博弈结束。然而，随机组合的对手没有在任何一个均衡上达成协调。这些结果证明了重复博弈和参与人数都有重要性，重复的相互影响在小数量的博弈者之间看来可以起到减少协调失败发生的作用。

Cooper、DeJong、Forsythe 和 Ross（1990）

Cooper 等人在 1990 年进行了一系列实验，旨在检验有多重纳什均衡的博弈中三个无关联的假说。前两个假说与 Van Huyck、Battalio 和 Beil 在 1990 年提出的相同，即：第一，博弈者会在一个均衡上达成协调；第二，这个均衡最终会是帕累托优势均衡；第三个假说是对这个均衡的选择不会受其他劣势策略的影响。最后一个假说与博弈论中的普遍假设"当博弈者选择其最优策略时会忽视劣势策略"一致。Cooper 等人请参与者和任何隐名对手进行一系列一次性博弈，这些博弈表示在图 11.10 中。为了避免不同风险偏好的影响，得益又一次用点数而不是货币得益表示。这些点数随后决定博弈者在下一次抽彩中中奖的概率。图 11.10 中的两个博弈都有两个纯策略纳什均衡，一个是博弈者都采用策略 1，另一个是双方都采用策略 2，这些均衡是帕累托分级的，双方都选择策略 2 的均衡是帕累托优势均衡。

博弈 1

博弈者 2

		1	2	3
博弈者 1	1	<u>350</u>, <u>350</u>	350, 250	<u>700</u>, 0
	2	250, 350	<u>550</u>, <u>550</u>	0, 0
	3	0, <u>700</u>	0, 0	600, 600

博弈 2

博弈者 2

		1	2	3
博弈者 1	1	<u>350</u>, <u>350</u>	350, 250	700, 0
	2	250, 350	<u>550</u>, <u>550</u>	<u>1000</u>, 0
	3	0, 700	0, <u>1000</u>	600, 600

图 11.10 Cooper 等人（1990）的协调模型

两个博弈唯一的区别是一个博弈者选择策略 2 而另一个博弈者选择策略 3 时的得益。在博弈 1 中，选择策略 2 者得益是 0，在博弈 2 中是 1000。然而，我们必须看清策略 1 与策略 3 相比，具有严格优势。这表明无论其他博弈者做什么，策略 1 总是比策略 3 的得益多。它意味着，只要另一个博弈者不会选择劣势策略，两个博弈之间关于策略 3 得益的变化对博弈者而言就是无意义的。不过，这种假说并未被实验观察所证明。Cooper 等人给出的实验关于参与者如何行动的结果，如图 11.11 所示。

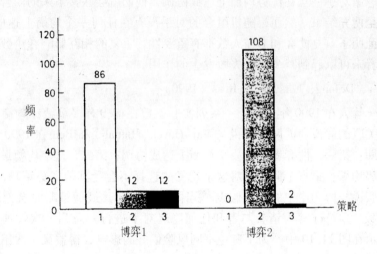

图 11.11　Cooper 等人（1990）的结果

　　这些结果是将两个博弈在参与者中合计进行 110 次重复后得到的，如我们所见，博弈者在每个博弈中都以压倒性点数选择一个策略。在博弈 1 中是策略 1，在博弈 2 中是策略 2。这个发现与"博弈者将选择一个纳什均衡上的策略"之预期一致。但是，鉴于第一个博弈中参与者都趋向于选择策略 1，那么帕累托优势均衡会是博弈者最终汇合的焦点这一预期就只能被否定。在博弈 1 中，博弈者在一个帕累托无效率的均衡上达成了一致，从而形成协调失败。进一步，因为行为的改变必须归因于参数的改变，那么后一个假说也就必须被否定了。虽然大体上说，博弈者不选择劣势策略，但劣势策略看来会影响到博弈者在哪个纳什均衡上达成协调。与很多博弈论模型的实践结果相反，看起来劣势策略会对博弈者的行为产生影响。在上面这个实验中，得益的改变使得最终的均衡改变。它忽略了一个因素：只有一个博弈者有可能不理性而选择策略 3 时，得益的变更才与均衡结果有关。然而，在这种概率下，我们很容易看到为什么参数变化会使博弈者转变策略。于是，"理性为所有博弈者共同知识"的假设看来再一次受到挑战。

253

Cooper、Dejong、Forsythe 和 Ross（1989）

上述含有多重均衡博弈的实验证明了协调失败的发生有显著概率。决定协调失败发生的因素包括博弈者人数、重复博弈的特性、非均衡策略的得益等。在结束本节之前，我们再来讨论一个 Cooper 等人（1991）进行的实验。这个实验的目的在于研究博弈前参与人的信息交流在避免协调失败概率方面的作用。它尤其致力于确定无成本、无束缚力和与得益无关的博弈前交流是否能帮助博弈者调整其行动以达到帕累托优势均衡。这种交流通常被称为"廉价谈判"（cheap talk），参与者被要求进行图 11.12 所示的一种性别战博弈。图 11.12 Cooper 等人（1991）的性别战博弈。

博弈者 2

博弈者 1		C1	C2
	R1	0，0	200，600
	R2	600，200	0，0

图 11.12　Cooper 等人（1990）使用的性别战模型

用来表示得益的点数再一次决定博弈者在性别战这个抽彩中中奖的概率。个体因任意隐名对手将这个一次性博弈进行多次，这个博弈有两个纳什均衡。前两个是纯策略纳什均衡（R_1，C_2）和（R_2，C_1），第三个是混合策略纳什均衡。在均衡中，博弈者 1 以 0.25 的概率选择策略 R1，以 0.75 的概率选择策略 R2。同理，博弈者 2 会以 0.75 的概率选择策略 C1，以 0.25 的概率选择策略 C2。在博弈者以这样一种比例采取混合策略的条件下，结果是上述两个纯策略纳什均衡的概率为 0.375，协调失败的概率是 0.625。

为了研究博弈前协调的影响，Cooper 等人将所有参与者分成很多小组，而让每组选择一个交流机制，在这个实验中有四种交流机制可选择。第一组是没有交流机会。第二种允许进行一次单向交流，即博弈者 1 被允许在另一个博弈者同时作出行动之前选择公布他的策略或者什么都不说，甚至说一个假的行动策略。第三组被允许进行一次双向交流，博弈双方在过招开始之前可以说出他们计划中的策略。最后一组的博弈者能够进行三次双向交流。这使得博弈者可以收发三个信息来确定他们的想法。四种不同交流机制的结果如表 11.5 所示。

254

表 11.5 Cooper 等人（1989）的结论

博弈前交流的类型	冲突比例
无交流	0.48
单向交流（一回合）	0.95
双向交流（一回合）	0.55
双向交流（三回合）	0.63

在这个表中我们给出了在每种交流机制下，符合纯策略纳什均衡的博弈最终结果比例，它们被称为"击中"（hits），指交流失败被有效避免的情况。如表所示，48%没有信息交流的博弈以依据过去经济发展情形分析的均衡告终，明显高于博弈者混合策略中采用纳什均衡的预期。依据过去发展情形分析的协调失败依旧是最容易出现的结果，因为依据过去发展情形分析的博弈中 52% 的时间发生的是非协调，而非协调的比例在单向交流得以进行时便大大减少。在这种交流形式下，"击中"的比例被观察到为 95%。这种博弈的绝大多数情况是博弈者说他计划采用 R_2 策略，而博弈者 2 一般都相信他的话，随后采取 C_1 策略，显然这种交流在避免协调失败上起了主要作用。相比之下，双向交流在减轻这种失败影响方面的作用要小得多。在一次性双向交流模式下，"击中"的概率只上升到 55%，而三次双向交流后的"击中"概率也只有 63%。双向交流在确实有助于博弈者协调他们的行动的同时，也使得冲突的概率增大。Cooper 等人断定，博弈者面对的交流机制会极大地影响博弈结果，即使交流内容被限制为无约束力的信息，这个结论也是正确的。

255

11.4　结　论

在本章我们回顾了很多考察决策相互依赖的个体如何进行形形色色的博弈活动，实验的观察结果也与博弈论的预期作了比较。从这些研究中我们清楚地看到：博弈论预期并非总是为实验所证明，然而，我们在有充分自信将博弈论某些部分认定为不真实而否定它之前，需要拿出极大的谨慎去解释实验结论。在一些考察个体完全理性的实验中，实验主持者简直可以说是个挑唆代理人。参与者们常常被置于这样一种境地：只需直觉推理就可以把他们置于偏离完全理性原则的错误之中，实验组织者于是断言：这种被证明超乎合理性的实验证据质疑个体是否是非理性的。在评估这些实验证据时，我们必须注意产生该结果的环境，参与者实际上是被要求进行一个人造条件下的人为创设的博弈。在这些博弈中，序贯均衡学说的预期经常是反直觉的，在这些环境下，参与者以不完全符合完全理性的方式行事看来便不足为怪了，即使博弈者在博弈中具有了更多经验。

　　确实有很多问题存在于将个体每天决策时之选择抽象总结出实验证据的尝试上。例如，大多数个体对日常生活中需作出的决策比对在实验中被主持人要求作出的决策要熟悉得多。当我们认识到绝大多数实验是在与现实生活决策鲜有或没有关联的纯抽象环境下进行的时候，上述观点就显得尤其正确。在日常生活中增大了的熟练程度应归因与博弈者对相同问题不断积累的经验，以及他们联系相关问题的经验来解决问题的能力。进一步，这种认知在一个更长的时间段内一般都会出现，这使得个体能够更充分地评价自己的策略并修正其将来策略。在几乎没有时间考虑策略的情况下，博弈者就有必要按其直觉行事。即使直觉产生于一个更适合直觉的环境里，这种情况也有可能发生。

　　总结上述被讨论的发现的另一个问题是：与很多实验个体仅仅被要求在隔离状态下作出复杂决策的特征相反，在现实生活中决策通常在一个社会背景下作出。这种社会影响再一次有可能增进认知过程，而且使得博弈者改良他们的预期策略。博弈者得到的更多时间和社会相互影响也引进了一种可能，那就是博弈者可能寻求更多的信息来确定他们的行动计划。这应该包括抱着帮助个体达到一个更理性决策的明确目的，去寻求所谓专家的建议。每一个这种考虑都提出了实验证据的相关性问题，的确，鉴于实验和现实世界决策的不同特点，实验中被观察到行动与完全理性相符合的概率（之小）也许会令人吃惊。

256

　　上述观点强调了将实验证据抽象并应用到日常生活决策中的困难，不过这些实验证据仍然可以证明两个基本结论。第一，我们有理由下结论说，并非所有个体都会在所有的时间以工具理性指导行动，这可能由于有限理性、利他主义或个体在面临真正不确定性时的反应方式所致。这个结论看来会部分证明在模型中引入不完全信息以及在经济学中应用序贯均衡的重要性。不过，毋庸置疑，我们需要在个体如何作出复杂决策上投入更多的研究，这种研究可以使经济学家明了怎样增强博弈论的预期。第二，当个体面对其不熟悉的决策问题时，他们通常需要必要的认知，只有这种认知出现后，博弈论的前瞻性预期才会（与实际结果）有相关性。这个结论可能促进了进化稳定策略的应用，尤其是当博弈有多重均衡时。看起来，认知和避免协调失败领域还需要更多的实验，只有这样，经济学家们才能提出和检验关于博弈者如何学会做理性人及如何在他们的最优策略上协调的学说。

11.5 练习答案

练习 11.1

（1）责任

在 Prob 等于一个对手选择合作的概率的条件下，博弈者 i 用 C 策略的预期得益水平为

$$EV_i（C）= Prob（10+\alpha_i）+（1-Prob）（6+\alpha_i）= 6+4Prob+\alpha_i.$$

同理采用 D 策略的预期得益是

$$EV_i（D）= Prob（12）+（1-Prob）8 = 8+4Prob.$$

个体 i 会以合作来最大化其预期得益，如果

$$6+4Prob+\alpha_i > 8+4Prob$$

$$\therefore \alpha_i > 2.$$

所以 α_i 的临界值是 2，从对整个博弈人数中 α 的比例的假设我们可以预期参与者将采取合作行动。

（2）相互利他主义

用与（1）中相同的方法，我们能够得出以下采用策略 C 和策略 D 的得益表达式

$$EV_i（C）= Prob（10+\alpha_i）+（1-Prob）6 = 6+4Prob+\alpha_iProb.$$

和

$$EV_i（D）= Prob（12）+（1-Prob）8 = 8+4Prob.$$

这次个体 i 将会合作。如果

$$6+4Prob+\alpha_iProb > 8+4Prob$$

$$\therefore \alpha_i > 2/Prob.$$

从等式 Prob（$\alpha_i > \alpha^*$）=（$\alpha_{max}-\alpha^*$）α_{max}（这里 $\alpha^* = 2/Prob$），我们可以得出结果 Prob = 0.5，该例中预期 50% 的参与人将合作。

（3）纯利他主义

从个体 i 的得益中我们可以得出下面的表达式

$$EV_i（C）= Prob（10+\alpha_i10）+（1-Prob）（6+\alpha_i12）$$
$$= 6+4Prob+12\alpha_i-2\alpha_iProb$$

和

$$EV_i（D）= Prob（12+\alpha_i）+（1-Prob）（8+\alpha_i8）$$
$$= 8+4Prob+8\alpha_i-2\alpha_iProb.$$

在这个预期得益水平下，博弈者 i 将会合作。如果

$$6 + 4\text{Prob} + 12\alpha_i - 2\alpha_i\text{Prob} > 8 + 4\text{Prob} + 8\alpha_i - 2\alpha_i\text{Prob}$$

$$\alpha_i > 12.$$

这样，我们再一次预期到 50% 的参与者将选择合作。

练习 11.2

（1）协调博弈

我们用两阶段分析法来确定第 2 章中介绍的纯策略纳什均衡时会发现，这个博弈有两个这样的均衡。一个是双方都采用策略 A，另一个是他们都采用策略 B。在混合策略纳什均衡中，两种策略的预期得益必须相同，使 Prob 等于两个博弈者选择策略 A 的概率，那么策略 A 的预期得益是

$$\Pi（A）= 20\text{Prob} + 10（1 - \text{Prob}）= 10 + 10\text{Prob}.$$

同理策略 B 的预期得益是

$$\Pi（B）= 0\,\text{Prob} + 30（1 - \text{Prob}）= 30 - 30\,\text{Prob}.$$

令这两个预期得益相等，计算出的 Prob 值告诉我们在混合策略纳什均衡中，每个博弈者选 A 策略的概率都是 0.5，在这个均衡中博弈者使每个策略被实施的概率都是 0.5，而且他们的预期得益是 15。这些均衡是帕累托分级的，该博弈叫做协调博弈。因为博弈者会理性地选择合作以达到帕累托有效率的均衡。任何其他结果都会协调失败。

给定 Prob 值，所有个体的平均得益是

$$\overline{\Pi} = \text{Prob}\Pi（A）+（1 - \text{Prob}）\Pi（B）= 40\text{Prob}^2 - 50\text{Prob} + 30.$$

将 $\Pi（A）$ 和 $\overline{\Pi}$ 的值代入动态认知等式，我们可以得到以下表达式

$$d\text{Prob}/dt = -40\text{Prob}^3 - 60\text{Prob}^2 + 20\,\text{Prob}.$$

这个等式在图 11.13 中表示，如图所示，图中有一个"稳定阶段均衡"与博弈中预见到的三个纳什均衡一致。然而，正如箭头所指向，混合策略纳什均衡是不稳定的。但其他两个均衡是稳定的，这两个纯策略纳什均衡就是进化稳定策略组合。在这个进化博弈中，博弈者要么在全部选 A 上达成协调，要么在都选 B 上取得一致，他们到底协调于哪一个均衡依赖于两个博弈之间最初被选择的概率分配。如果最初的 Prob > 0.5，他们就都选择策略 A；如果 Prob < 0.5，他们就协调于策略 B。如果单位区间的任何一点概率相等，博弈者将以 0.5 的概率协调于帕累托劣势均衡（Pareto - dominated equilibrium）。

（2）斗鸡博弈

这个博弈的传统叫法是斗鸡博弈,原因如下:博弈中两个摩托车仔相向加速,

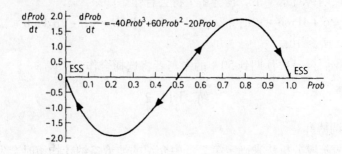

图 11.13

259　他们每人都有两个选择,要么转弯避免相撞,要么勇往直前撞得头破血流。如果两个人都退避,每个人会由于未相撞而得到了 30 的得益。要是二人互不相让,他们就会相撞,从而每人得到一个更小的得益 10。最后,如果一个人收敛锋芒,而另一个人当仁不让,相撞仍被避免不了,不过这次,当了"小雏鸡"的选手只得到 20,因为他丢了面子,同时另一个"大公鸡"选手因其勇敢而收到 40。

　　利用前面合作博弈中提到的方法,我们能够得出三个纳什均衡。其中两个是纯策略纳什均衡,即双方都采取相同策略,第三个是一个混合策略纳什均衡,博弈者以 0.25 的概率选择 A,以 0.75 的概率选择选择 B。列出 Π(A)和 $\bar{\Pi}$ 的相关等式,并将它们代入动力学公式,最后得出下列表达式:

$$dProb/dt = -40Prob^3 - 50Prob^2 + 10Prob.$$

　　这个等式在图 11.14 中被又一次图示,它再次有一个稳定阶段均衡与三个纳什均衡的每一个都相符,然而这次只有混合策略纳什均衡是稳定的,从而符合进化稳定策略。

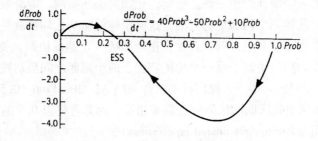

图 11.14

练习11. 3

（1）用逆向归纳原理我们可以确定如果出贷，贷款就会在借款者仅为 Y 型（因为 60 > 0）时才会被归还。如果借款者是 X 型，贷款就不可能被归还（因为 60 < 150）。回溯到放贷者的决策，只有在出贷的净得益大于或等于 0 时她才会这样做。在 X 型和 Y 型博弈者在总人数中的比例是共同知识的条件下，该预期净得益为

$$-100 \ (\text{Prob}_X) \ +40 \ (1 - \text{Prob}_X) \ -10 = 30 - 140 \ \text{Prob}_X = -5 < 0$$

因为预期净得益是负数，所以放贷者不会出贷。因此子博弈完美纳什均衡是：没有出贷，双方都得到 10。

这个解显然是帕累托无效率的。如果借款者能保证他一定会还款，那么博弈双方的状况都会得到改善。在这种情况下放贷者会得到 40 的得益，而借款者得到 60。这与博弈的合作解一致。但如果没有承诺，这个结果不可信。如果借款者是 X 型，他会有明显的激励去赖账。这已被我们的观察所证明：如果借款者是 X 型，合作解不构成从借款者决策节点出发的 Y 博弈的纳什均衡，基于此，合作解不是子博弈完美的。

（2）为了解出序贯均衡，我们再一次应用逆向归纳法，即首先求解博弈的第二期和最后一期，这取决于博弈第一期发生了什么。

在博弈最后一期，我们知道如果借款者是 Y 型，他一定会还款；如果是 X 型，他就一定不会还款。设出贷者在博弈第 2 期开始认定借款者为 Y 型的概率为 Prob_{Y2}，它与借款者为 Y 型的声誉一致，在这种声誉下，放贷者只有在预期净得益大于或等于 0 时才会出贷，因此在第 2 期中出贷仅在下列条件成立时才会被作出：

$$-100 \ (1 - \text{Prob}_{Y2}) \ +40 \ \text{Prob}_{Y2} - 10 \geqslant 0$$

这表明出贷只有在借贷者声誉 Prob_{Y2} 大于或等于 0. 785 时才会作出。因为这个数目大于初始对 Y 型博弈者比例的设定，所以，它就表明，如果第二期出贷成功，借款者就一定在第一期中树立起了自己的积极声誉。不过，这只有在 X 型博弈者采取混合策略并且在第一期中还了钱时才会发生。特别地，采用混合策略的 X 型博弈者能确定在第一期还钱的概率 $\text{Prob} \ (R_{X1})$，使得放贷者在第 2 期中放贷与否是无差异的，这意味着上述情况必须被当作一个同等选择，而且 $\text{Prob}_{Y2} = 0. 785$，利用贝叶斯规则我们可以确定 $\text{Prob} \ (R_{X1})$ 的值，所以该要求被满足，因而我们确定：

$\text{Prob}_{Y2} = 0. 785 = \text{Prob}_{Y1}. \ \text{Prob}_Y / \ [\text{Prob} \ (R_{Y1}). \ \text{Prob}_Y + \text{Prob} \ (R_{X1}). \ \text{Prob}_X]$
$= 1 \ (0.75) \ / \ [1 \ (0.75) \ + \text{Prob} \ (R_{X1}) \ 0. 25].$

从这个等式我们得出预期：如果在第一期出贷给一个 X 型借款者，它被归还的概率就是 0.821，被拖欠的概率是 0.179。在这些概率之下，放贷者在第一期出贷的预期净得益等于：

$$40 [0.75 + 0.25 (0.821)] - 100 [0.25 (0.179)] = 23.735 > 0$$

由于它是正值，放贷者在第一期将当然地出贷。如果它被归还了，放贷者也将在第二期采用混合策略，使得借款者在还钱与欠债之间的得益无差异（如果借款者在第一期对贷款无所谓还与不还，他会停止采取混合策略）。这将发生于借款者在两期博弈的预期总得益与 Prob（R_{X1}）无关。设第二期出贷的概率为 Prob（L_2），那么一个 X 型借款者的预期总得益等于

$$\text{Prob}(R_{X1})[60 + 150\text{Prob}(L_2) + 10(1 - \text{Prob}(L_2))] + [1 - \text{Prob}(R_{X1})]$$
$$(150 + 10).$$

从这个等式我们计算出放贷者必须让 Prob（L_2）= 0.643。

261

我们现在可以总结出序贯均衡假说的预期：在第一回合中出贷一定被作出，如果借款者是 Y 型的，它会被归还；如果借款者是 X 型的，它将会以 0.821 的概率被归还。如果 X 型借款者不还钱，下一回他就借不到钱，因为放贷者已知他是 X 型的。但是，如果在第一回合 X 型博弈者还了钱，放贷者就会在第二回合中以 0.643 概率出贷。出贷后，如果借款者是 Y 型的，他就会还钱；如果博弈者是 X 型的，他就会欠债不还。

在博弈开始对得益的预期能够被计算如下：

X 型借款者：

$$\text{Prob}(R_{X1})[60 + 150\text{Prob}(L_2) + 10(1 - \text{Prob}(L_2))] + [1 - \text{Prob}(R_{X1})]$$
$$(150 + 10) = 160.$$

Y 型借款者：

$$60 + 60. \text{Prob} (L_2) + 10 [1 - \text{Prob} (L_2)] = 102.15.$$

放贷者：

$$40\{\text{Prob}_Y + \text{Prob}_X. \text{Prob}(R_{X1})\} + 10\{\text{Prob}_X. [1 - \text{Prob}(R_{X1})]\} + \text{Prob}(L_2)$$
$$\{40. \text{Prob}_Y - 100. \text{Prob}_X\} + 10. \{1 - \text{Prob}(L_2)\} = 45.53.$$

（3）X 型借款者赖账得益减少的影响只是减少放贷者在博弈最后一期出贷的概率，以及改变博弈者的得益预期。应特别注意到借款者的均衡策略会保持不变。我们确定了得益的改变不能成为（2）中求出借款者均衡策略的任何计算变量之后，就会明白这一点。这种得益在确定了放贷者在第 2 期中出贷的概率后首次出现，这种概率被计算出来，使得 X 型博弈者在博弈第一回合中还钱与赖账的得益相同，改变后的等式现在为：

$$\text{Prob}(R_{X1})[60 + 100\text{Prob}(L_2) + 10(1 - \text{Prob}(L_2))] + [(1 - \text{Prob}(R_{X1}))]$$

$(100 + 10)$.

从这个等式中我们预期到放贷者会使 Prob （L_2） $=0.444$。

将修订后的这种概率代入博弈者在博弈初期预期得益等式，我们得到下面的值。

X 型借款者：

$\mathrm{Prob}(R_{X1})\{60 + 100\mathrm{Prob}(L_2) + 10[1 - \mathrm{Prob}(L_2)]\} + \{[1 - \mathrm{Prob}(R_{X1})]\}$
$(100 + 10) = 110$.

Y 型借款者：

$60 + 60\mathrm{Prob}（L_2）+ 10[（1 - \mathrm{Prob}（L_2））] = 92.20$.

放贷者：

$40\{\mathrm{Prob}_Y + \mathrm{Prob}_X . \mathrm{Prob}(R_{X1})\} + 10\{\mathrm{Prob}_X . (1 - \mathrm{Prob}(R_{X1}))\} + \mathrm{Prob}(L_2)$
$\{40.\mathrm{Prob}_Y - 100.\mathrm{Prob}_X\} + 10.\{(1 - \mathrm{Prob}(L_2)\} = 46.44$.

将这些得益与我们在（2）中得出的比较，我们预期到放贷者情况会变好，而借款者境况会变坏，无论借款者是什么类型。

进一步阅读

Davis, D. D., and C. A. Holt（1993）, *Experimental Economics*, Princeton：Princeton University Press.

Colemant, A. M. （1983）, *Game Theory and Experimental Games*, Oxford：Pergamon Press.

Hey, J. H., and A. E. Roth（1995）, *The Handbook of Experimental Economics*, Princeton：Princeton University Press.

Poundstone, W. （1992）, *Prisoner's Dilemma*, New York：Doubleday.

▼
▼
▼

第十二章

263

对博弈论的批判

在第一章，我们明确了博弈论关心的焦点在于：理性人在相互依赖时如何作出决策。在接下来的章节中，我们介绍了很多博弈论概念，也讨论了它们如何应用于多种多样的经济学问题，每一章都表明了博弈论在帮助经济学家发展重要的研究视角和在挑战先前传统观念方面发挥着多么大的作用。不过，针对最近的博弈论模型以及它们在经济学中的应用，也有为数不少的批判被提出。特别是博弈论中工具理性的应用，从经验方面和理论方面都受到了极大的挑战。博弈论在经验方面的不一致，我们已经在第十一章"实验经济学"中进行了讨论。在这里我们承认，虽然对博弈论的展望经常是一片光明，但是博弈论并不能完全被实验证实，其结果就是有人主张要将更多的研究投入到个体在不确定状态下如何作出复杂决策，以及他们如何随着时间的推移认知并协调他们的行动。本章中我们将论证：基于最近博弈论模型的批评的类似结论已被证实。特别地，我们将说明被广泛应用的工具理性假设以及该理性的共同知识为什么被认为不能令人满意，并将引用前面章节分析过的博弈作为佐证。对博弈论的第一个批评是：个体应用工具理性会弄巧成拙的，这意味着，如果个体不以工具理性的方式行事，他们实际上会更好地实现个人偏好。第二个批评是，符合工具理性假设的博弈解常常是不确定性的，当这种情况发生时，非理性方法就要出马去求得一个唯一解。最后一个批评是：当预见结果依赖于"均衡之外会发生什么"的判断时，工具理性的假设常常导致逻辑矛盾。针对这些批评，我们提出可能被采纳的其他假设，它们构成了博弈论最新研究的主要成分。

264

12.1　工具理性可能弄巧成拙

工具理性说个体完全偏好于满足他们个人的选择或需求，也就是说：个人被假定为按个人偏好行事。如果一个代理人的行为与满足其个人偏好的要求不一致，他就被认为是不理性的。这里所谓的"不理性"预先假定了个体抱有错误想法的可能性，这种错误想法最简单地说，就是认为一个人的实际行动是满足其个人偏好的最优选择，正是这种错误想法而不是实际行动本身，才被认为是不理性的。对理性的这种手段—目的（means – end）理解的问题是：它可能弄巧成拙，这意味着在某些环境下，如果一个人偏离工具理性的要求行事，他可能会达到自身利益最大化。这种情况的典型例子是囚徒困境中的两个囚徒符合工具理性的行为应该是两个人都不合作，但是如果合作，他们的情况都会得到改善。鉴于"合作"能带来帕累托改善，一些经济学家坚持说这种策略不应被划分成不理性的。他们认为对理性的其他的定义应该被接受。

我们经常讨论的理性的另一个定义是康德（1788）提出的。康德认为当个体的行动遵循"绝对命令"（categorical imperatives）就是理性的，"绝对命令"是一种规则，这是一种独立按照理性行为的规则。进一步讲，由于个体都能用他们的理性形成同一命令，理性就只能指示所有个体都去做某种行为。当一个行为不可能被所有人作出时，它就不是理性的。比如，假设一个职员正在努力工作与偷懒之间作出选择，在工具理性看来，这种选择的作出仅仅依赖于哪种行为更满足这位职员的个人偏好。在第七章，我们引进诸如偷懒被抓住的概率及其代价等因素来改良一个效率工资模型。在这个模型中，厂商为鼓励职员努力工作而将其工资水平提高到市场出清价格水平之上，结果引起了非自愿失业。康德的理性却认为，"绝对命令"能使得职员们努力工作，这是因为不是所有人都会选择偷懒——由于偷懒行为会使其所在公司破产。基于这种道义要求，被抓住的偷懒职员被认为是非理性的，现在这种基于道义推理而非个人偏好的行为使得博弈最终的结果大不相同。在这个例子中没有效率工资，其均衡中也没有失业，这是因为厂商再也不用激励其职员努力工作了！相似的论述已被用于论证在囚徒困境中合作策略如何成为理性的。

尽管康德的理性可能是相对于工具理性的另外一条极端途径，不过其他一些极端性更小的理性定义也能得出相似的结论。一个极端性更小的理性概念是有限理性（bounded rationality），它最初是由 Simon（1982）提出的。这种理性概念认为，个体拥有有限的计算能力，这种限制的一个结果是：个体将很好地接受程序或行为规则，来帮助他们达到令人满意的结果。对理性的这种观点又一次避免了工具理性在某种状态下弄巧成拙的性质。Axelrod（1980）做的一个实验向我们提供了一个有趣的证明：简单的拇指规则能演化出更复杂的决策规则。

在这个实验中，Axelrod 请博弈论专家运行一个意在考察怎样将重复进行的囚徒困境博弈进行得最好的电脑程序。专家们按循环赛的形式被随意编组成对，在每对之间囚徒困境博弈将重复 200 次，这个程序本身重复五次，然后平均结果将被统计出来。最成功的策略是 Anatol Rapoport 的针锋相对策略。在这个策略基础上，程序开始搞协调战术，并且采取其对手在上一期博弈中采取的策略，这不仅是最成功的策略，而且也是最简单的。Rapoport（1987）评论此结果时写道："'针锋相对'不是'对抗'、不是'一个与其相斗的单独策略'。不过，由于别的程序被设计得对抗他们的对手，使得对抗时其对手的分数减少，同时也包括他们自己的。"这样，最简单的策略演变成了为打赢循环赛明确设计的、更复杂的策略，在这个论据的基础上，我们或许可以说："有时候不理性的行动恰恰是理性的。"或者，为绕开上面这个矛盾的陈述，我们可能希望改变自己对"什么是理性"的看法。

12.2 不确定性

对博弈论模型的第二个经常的批判是：工具理性往往不能预见到一个唯一的行动可能。这种情况发生在博弈有多重均衡的时候，第一种实例发生在合作博弈中，请看图 12.1 所示的例子。

博弈者 2

		A	B
博弈者 1	A	20, 20	0, 0
	B	0, 0	20, 20

图 12.1 一个协调博弈

在这个博弈中有三个纳什均衡。其中两个是纯策略纳什均衡，也就是两个博弈者选择同样策略，另一个是混合策略纳什均衡，这时两个博弈者以 0.5 的概率选择每个策略。从工具理性的标准出发，这个博弈就没有关于两个博弈者会如何进行博弈的唯一解。甚至应用了"理性是共同知识"这一强假设后，最优策略仍然扑朔迷离。一个博弈者会做什么依赖于他或她对于别人会怎么做的预期。在这样一种情况下，选择实现哪个均衡必然依赖于非理性决定。例如，根据 Schelling（1960）的观点，代理人将在均衡焦点上合作的争论经常进行。这里争执的中心是：代理人利用他们正在进行的博弈的一些显著特征来达到协调，使得博弈最终的结果是一个均衡。值得注意的是这些显著特征不能光凭理性确定，因为不确定性的问题也不会出现。相反，实际情况往往是个体接受被他们的传统、先前经验和他们看到的博弈现象所确定的"显著性"。这就意味着，当博弈论专家请"显著性"（salience）帮忙找出博弈的唯一解时，他们应用的是工具理性之外的某些东西。经济学家要完全弄懂为什么代理人会在某一特定点而不是其他点上达成一致，就要看到博弈中诸如制度、文化和历史这些决策赖以作出的因素，这些因素需要被给予更多的关注。在做这些事的过程中，经济学家们会越来越偏离仅仅基于工具理性构建起来的博弈模型，并且引进更多具体的因素去解决问题。

对最近的博弈论模型的另一个批评直接针对一个混合策略纳什均衡的应用。就像我们在第二章中讨论的那样，混合策略纳什均衡是一个较弱的均衡概念。这是因为如果一个博弈者预期对手采取混合策略，那么在组成他或她的混合策略均衡的纯策略对其来说就无差异了。这个特点使经济学家们质疑：要是这样，博弈者干嘛还要坚持其混合策略呢？即使那个混合策略均衡是唯一的，工具理性对博弈者面对他们采取纯策略的对手时采取任意可能的策略组合要求，也让结果变得难以唯一，这进一步成为一个基本的不确定性。Aumann（1987）提出了一个对混合策略的解释，试图解决上述问题。该解释说，混合策略中纯策略的分布不代表博弈者将会做什么，而代表他们对其他博弈者将会做什么的主观信念（subjective beliefs）。因此，均衡要求博弈者的这些信念一致。Aumann引入了海萨尼教义（Harsanyi doctrine）来证实其观点。海萨尼教义指出：如果理性博弈者有相同的信息，他们会必然得出相同的信念。如果这是正确的，不确定性的问题就会消失。因为博弈者的信念仅仅在混合策略纳什均衡中才会被调整成一致。这种观点的问题在于：拥有相同信息的理性个体是否总是得出一致信念还很难说。比如，当这些信念未决时，不同的个体对相同信息也会有不同理解。在这种情况下，不确定性的问题仍然存在，要解决这些问题，我们需要将更多注意力放在个体如何确立他们的最初信念上。

12.3　不一致性

对博弈论的第三个主要批评矛头指向子博弈完美的概念。该批评由 Binmore（1987，1988）首次提出，并引用了罗森纳尔的蜈蚣博弈以为佐证。这个博弈最初在第三章中被讨论，我们在图 12.2 中再次给出它的扩展形式。

用逆向归纳原理可以看出，这个博弈的子博弈完美纳什均衡是博弈者在博弈的开始就选择"下"。Binmore 主张，这种推理是基于反事实的使用，这种使用与"理性是共同知识"这个假设不一致的。为了理解这个批判，我们看博弈的最后一个节点。在这里我们先看如果博弈不再继续进行，博弈者 2 会做什么。从

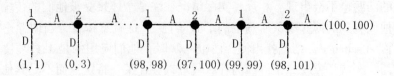

图 12.2 罗森塔尔（Rosenthal）的蜈蚣博弈

得益看来，博弈者 2 有理由被假定采取策略"下"，以"理性"这一共同知识逆向归纳，相同逻辑被应用于前面的所有节点，而且在每个节点我们都能得出相同预期。这种推理的问题是：关于理性的共同知识使得博弈被预期在第一次就结束。它就与如果接下来的节点被达到，博弈者会做什么的假设相悖。按照工具理性，接下来的节点根本不会被达到，所以基于它们的任何推理都不正确。理解这种论辩的另一条途径是确定如果博弈者在第一期没有选择"下"，博弈者 2 会对他抱有什么看法，博弈者 2 这时能够明确相信博弈者 1 是"不理性的"，但是这同假设中"博弈者 2 相信博弈者 1 是理性的"矛盾。这两个事实不可能来协调，这又一次出现逻辑矛盾。

268
以这种观点看来，"理性是共同知识"之假设的问题在于：它将一个虚假的确定性强加于一个本质上不确定的博弈，它排除了任何博弈者选择一个即使合理的策略的可能性。对于如何避免结果的不一致，很多建议曾被提出。第一个就是Setten（1975）提出的，它假设博弈者在实施他们的想法时会犯无序的错误，使得实际行动与意图不一致。在这个被叫做"颤抖的手"（trembling - hand）的假设下，博弈者可能在不违反理性假设的条件下行动偏离，得出的均衡也由此以"颤抖手的完美"（trembling - hand perfection）闻名。虽然这种错误可以被认为在某种特定情况下出现，但它并不是在所有博弈中都存在。

对子博弈完美的一个更激进的背离是：允许代理人相信其他博弈者是不理性的。Kreps 和 Wilson（1982）正是运用了这个被称作理性共同知识的假设，发展了他们的序贯均衡。在他们的模型中，即使所有博弈者都被假定为理性，这个理念也一直在被秉承。像我们在第十一章中讨论的，一个更合理的假设看来应该是一些博弈者实际上是"不理性"的。无论哪条途径被接受，博弈者现在都被认为具有实施"背离均衡行为"的可能性。

除了上述建议，Binmore 还主张，要解决这个问题，我们有必要对理性下一个定义。他尤其呼吁一种程序理性（procedural rationality），程序理性的引进是为了避免确定一个博弈者最优策略所需要的无穷次倒退的观点，即"我知道你知道我知道……"如此无穷下去。博弈者为了避免这种没完没了的映像，必须接受一个强制的停止规则。由于不同的博弈者接受不同的停止规则，对子博弈完美的偏离也就无须被认为与程序理性不一致了。这些论证的结论就是完美理性根本不存在，因为它包含着一个无穷推理的过程。不过程序理性的类型有很多，按不同的停止规则区分出来。

12.4 结 论

本章介绍了针对博弈论模型的三个主要的批评，我们特别论证了工具理性假设，以及工具理性是共同知识的假设，在某种情况下是不能令人满意的。这是因为它们要么弄巧成拙，要么不完全，要么包含不一致性。这些学术批评更加强了我们在第十一章中作出的批评之力量；即并不是所有博弈论的预期都能为实证证明。不过，与其把这些批评看作毁灭性的，不如认为它们能够刺激新的研究产生。确实，这是一个发展的过程，在近些年，博弈论专家已经发展出很多关于理性和均衡的其他概念，其中的一些在本书中已被讨论。能够产生进一步研究巨大潜力的领域正在被呼唤着从基于改良后的工具理性及其假设的模型中产生出来。这个领域会对理性进行重新评价，来引入认知、非确定性、道德因素和有限计算能力等因素。更进一步，我们将会看到更多注意力被集中于关注诸如制度、文化和历史等因素。我们能够预见，博弈论及其经济学应用会走在这些进步的最前沿。

269

进一步阅读

Bianchi, M., and H. Moulin (1991), ‘ *Strategic Interaction in Economics: The Game Theory Alternative*’, in N. De Marchi and M. Blaug (eds.), *Appraising Economic Theories*, Aldershot: Edward Elgar.

Binmore, K. (1992), *Fun and Games: A Text on Game Theory*, Lexington, Mass: Health.

Binmore, K. (1987), ‘Modeling Rational Players: Part I’, *Economics and philosophy*, 3: 179 – 214; repr. in Binmore, K. (1990), *Essays on the Foundations of Game Theory*, Oxford: Blackwell.

Binmore, K. (1988), ‘Modeling Rational Players: Part II’, Economics and philosophy, 4: 9 – 55; repr. in Binmore, K. (1990), *Essays on the Foundations of Game Theory*, Oxford: Blackwell.

Gerrard, B. (1993), *The Economics of Rationality*, London: Rutledge.

Hargreaves Heap, S. P. (1989), *Rationality in Economics*, Oxford: Blackwell.

Hargreaves Heap, S. P. and Y. Varoufakis (1995), *Game Theory: A Critical Introduction*, London: Rutledge.

Sugden, R. (1991), 'Rational Choice: A Survey of Contributions from Economics and Philosophy', *Economic and Philosophy*', Economic Journal, 1 = 01: 751 – 85.

▼
▼
▼

参考文献

Abreu, D. (1986), 'Extremal Equilibria of Oligopolistic Supergames', *Journal of Economic Theory*, 39:191 – 235.

Akerlof. G. A. , and J. L. Yellen (1985), 'A Near – Rational Model of the Business Cyle, with Wage and Price Inertia', *Quarterly Journal of Economics*, 100:823 – 38; repr. in N. G. Mankiw and D. Romer (1991), *New Keynesian Economics*, i, Cambridge, Mass. : MIT Press.

——(1986), *Efficiency Wage Models of the Labour Market*, Cambridge, Mass. : Cambridge University Press.

Alvi, E. (1993), 'Near Rationally/Menu Costs, Strategic Complementarity and Real Rigidity', *Journal of Macroeconomics*, 15:619 – 25.

Andreoni, J. , and J. H. Miller (1993), 'Rational Cooperation in the Finitely Repeated Prisioner's Dilemma: Experimental Evidence', *Economic Journal*, 103:570 – 85.

Aumann, R. J. (1987), '*Correlated Equilibrium as an Expression of Bayesian Ignorance*', York: North – Holland.

Axelrod, R. (1980), 'The Emergence of Cooperation Among Egoists', *American Political Science Review*, 75:306 – 18.

Backus, D. , and J. Driffel (1985), 'Inflation and Reputation', *American Economic Review*, 75:530 – 8.

Bain, J. (1956), *Barriers To New Competition*, Cambridge, Mass. : Harvard University Press.

Ball, L. , N. K. Mankiw, and D. Romer (1988), 'The New Keynesian Economic and the Output – Inflation Trade – off', *Brookings Papers on Economic Activity*, 1:1 – 65; repr. in N. G. Mankiw and D. Romer (1991), *New Keynesian Economics*, i, Cambridge, Mass. : MIT Press.

—and D. Romer (1990), 'Real Rigidities and the Non – Neutrality of Money', *Review of Economic Studies*, 57:183 – 203; repr. in N. G. Mankiw and D. Romer (1991), *New Keynesian Economics*, i, Cambridge, Mass. : MIT Press.

——(1991), ' Sticky Prices as Coordination Failure ', *American Economic Review*, 81:939 – 52.

Barrett, S. (1990), ' The Problem of Global Environmental Protection ', *Oxford Review of Economic Policy*, 6:68 – 79; repr. in D. Helm (1991), *Economic Policy Towards the Environment*, Oxford: Blackwell. Also in T. Jenkinson (1996), *Readings in Micoeconomics*, New York: Oxford University Press.

— (1994), ' Self – Enforcing International Environmental Agreements ', *Oxford Economic Papers*, 46:878 – 94.

Barro, R. J. (1986), ' Reputation in a Monetary Policy ', *Journal of Monetary Economics*, 17:3 – 20.

—and D. A. Gordon (1983), ' Rules, Discretion and Reputation in a Model of Monetary Policy ', *Journal of Political Economy*, 17:101 – 22.

Baumol, W. , J. Panzer, and R. Willing (1982), *Contestable Markets and the Theory of Industry Structure*, New York: Harcourt Brace Jovanovich.

Benoit, J. P. , and V. Krishna (1985), ' Finitely Repeated Games ', *Econometrica*, 53: 890 – 904.

——(1987), ' Dynamic Duopoly: Prices and Quantities ', *Review of Economic Studies*, 54:23 – 26.

Bianchi, M. , and H. Moulin (1991), ' Strategic Interactions in Economics: The Game Theory Alternative ', in N. De Marchi and M Blaug (eds), *Appraising Economic Theories*, Aldershot: Edward Elgar.

Bierman, H. S. , and L. Fernandez (1993), *Game Theory with Economic Applications*, Readings, Mass. : Addison Wesley.

Binmore, K. (1987), ' Modeling Rational Players: Part I ', *Economics and Philosophy*, 3:179 – 214; repr. in K. Binmore (1990), *Essays on the Foudations of Game Theory*, Oxford: Blackwell.

—(1988), ' Modeling Rational Players: Part II ', *Economics and Philosophy*, 4:9 – 55; repr. in K. Binmore (1990), *Essays on the Foudations of Game Theory*, Oxford: Blackwell.

—(1992), *Fun and Games: A Test on Game Theory*, Lexington, Mass. : heath.

Blackburn, K. (1992), ' Credibility and Time Consistency in Monetary Policy ', in K. Dowd and M. K. Lewis (eds), *Current Issues in Financial and Monetary*

Economics, London：Macmillan.

Bladen – Hovell, R. C. (1992), 'International Monetary Policy', in K. Dowd and M. K. Lewis (eds), *Current Issues in Financial and Monetary Economics*, London：Macmillan.

Blanchard, O. J. (1983), 'Price Asychronization and Price Level Inertia', in R. D. Dornbush and M. Simonsen (eds), *Inflation, Debt, and Indexation*, Cambridge, Mass.：MIT Press.

— and N. Kiyotaki (1987), 'Monopolistic Competition and the Effects of Aggregate Demand', *American Economic Review*, 77：647 – 66；repr. in N. G. Mankiw and D. Romer (1991), *New Keynesian Economics*, i, Cambridge, Mass.：MIT Press.

Brander, J. A., and B. J. Spencer (1983), 'International R&D Rivalry and Industrial Strategy', *Review of Economic Studies*, 50：707 – 22.

——(1984), 'Tariff Protection and Imperfect Competition', in H. Kierzkowski (ed.), *Monopolistic Competition and International Trade*, New Tork：Oxford University Press.

——(1985), 'Export Subsidies and International Market Share Rivalry', *Journal of International Economics*, 18：83 – 100.

Bresnahan, T. F. (1981), 'Duopoly Models with Consistent Conjectures', *American Economic Review*, 71：934 – 45.

Buiter, W. H., and R. C. Marston (1985), *International Economic Policy Coordination*, Cambridge, Mass.：Cambridge University Press.

Camerer, C., and K. Weigelt (1988), 'Experimental Tests of the Sequential Equilibrium Reputation Model', *Econometrica*, 56：1 – 36.

Canzoneri, M. B., and P. Minford (1986), 'When Policy Coordination Matters：An Empirical Analysis', *CEPR Discussion Paper* No. 119.

Carraro, C. and D. Siniscalco (1995), 'Policy Coordination for Sustainability：Commitments, Transfers, and Linked Negotiations', in Ⅰ. Goldin and L. A. Winters (eds.), *The Economics of Sustainable Development*, Cambridge：Cambridge University Press.

Chamberlain, E. H. (1933), *The Theory of Monopolistic Competition*, Cambridge, Mass.：Cambridge University Press.

Coleman, A. M. (1983), *Game Theory and Experimental Games*, Oxford：Pergamon Press.

Cooper, R. W., D. V. DeJong, R. Forsythe, and T. W. Ross. (1989), 'Communication in the Battle of the Sexes Game: Some Experimental Results', *Rand Journal of Economics*, 20:568 – 87.

—— and T. W. Ross (1990), 'Selection Criteria in Coordination Games: Some Experimental Results', *American Economic Review*, 80:218 – 33.

——(1991), 'Cooperation without Reputation', *Working Paper*, University of Iowa.

— and A. John (1988), 'Coordinating Coordination Failures in Keynesian Models', *Quarterly Journal of Economics*, 103:441 – 63; repr. in N. G. Mankiw and D. Romer (1991), *New Keynesian Economics* Vol. 2, Cambridge, Mass. : MIT Press.

Cournot, A. (1838), Recherches sur les Principes Mathematiques de la Theorie des Richesses English edn. : N. Bacon (ed.), *Researches into the Mathematical Principles of the Theory of Wealth*, New York: Macmillan 1897.

Currie, D. A. (1990), 'International Policy Coordination', in D. T. Llewellyn and C. Milner (eds.), *Current Issues in International Monetary Economics*, London: Macmillan.

Currie, D. A., and P. Levine (1985), 'Macroeconomic Policy Design in an Interdependent World', in W. H. Buiter and R. C. Marston (eds.), *International Economic Policy Coordination*, Cambridge and New York: Cambridge University Press.

——(1991), 'International Policy Coordination —A Survey', in C. J. Green and D. T. Llewellyn (eds.), *Surveys in Monetary Economics*, i, Oxford: Basil Blackwell; repr. in D. Currie and P. Levine (1993), *Rules, Reputation and Macroeconomic Policy*, Cambridge and New York: Cambridge University Press.

——and N. Vidlis (1987), 'International Cooperation and Reputation in an Empirical Two – Bloc Model', in R. Bryant and R. Portes (eds.), *Global Macroeconomic Policy Conflict and Cooperation*, London: Macmillan.

D'Aspremont, C. A., and J. J. Gabszewicz (1986), 'On the Stability of Collusion', in G. F. Matthewson and J. E. Stiglitz, *New Developments in the Analysis of Market Structure*, New York: Macmillan.

Davis, D. D., and C. A. Holt (1993), *Experimental Economics*, Princeton: Princeton University Press.

Diamond, P. A. (1982), 'Aggregate Demand Management in Search Equilibrium', *Journal of Political Economy*, 90:881 – 94; repr. in N. G. Mankiw and D. Romer (1991), *New Keynesian Economics*, ii, Cambridge, Mass. : MIT Press.

Dixit, A. (1981), 'The Role of Investment in Entry Deterrence', *Economic Journal*,

90:95 – 106.

—(1987), 'Strategic Aspects of Trade Policy', in T. Bewley (ed.), *Advances in Economic Theory:Fifth World Congress*, New York:Cambridge University Press.

—and G. M. Grossman (1986), 'Targeted Export Promotion with Several Oligopolisitic Industries', *Journal of International Economics*, 21:233 – 49.

—and B. J. Nalebuff (1991), *Thinking Strategically:The Competitive Edge in Business,Politics,and Everyday Life*, New York:Norton.

Donsimoni,M. P. ,N. S. Economides,and H. M. Polemarchakis (1986), 'Stable Cartels', *International Economic Review*, 27:317 – 27.

Durlauf,S. N. (1989), 'Locally Interacting System,Coordination Failure,and the Behavior of Aggregate Activity', *Stanford University*, mimeo.

Eaton,J. ,and G. Grossman (1986), 'Optimal Trade and Industrial Policy under Oligopoly', *Quarterly Journal of Economics*, 101:383 – 406.

Eatwell,J. , M. Milgate,and P. Newman (1989), *The New Palgrave:Game Theory*, New York:W. W. Norton.

Farrell,J. ,and E. Maskin (1989), 'Renegotiation in Repeated Games', *Games and Economic Behaviour*, 1:327 – 60.

Field,B. (1994), *Environmental Economics:An Introduction*, New York:McGraw – hill.

Fischer,S. (1977), 'Long Term Contracts,Rational Expectations and the Optimal Money Supply Rule', *Journal of Political Economy*, 85:191 – 205;repr. in N. G. Mankiw and D. Romer(1991), *New Keynesian Economics*, i, Cambridge, Mass. : MIT Press.

Frenkel J. A. ,and K. R. Rochett (1988), 'International Macroeconomic Policy Coordination When Policymakers Do Not Agree on the True Model', *American Economic Review*, 78:318 – 40.

Friedman,J. (1971), 'A Non – cooperative Equilibrium for Supergames', *Review of Economic Studies*, 38:1 – 12.

—(1977), *Oligopoly and the Theory of Games*, Amsterdam:North – Holland.

—(1986), *Game Theory with Applications to Economics*, Oxford:Oxford University Press.

Friedman, M. (1953), 'The Methodology of Positive Economics, in M. Friedman, *Essays in Positive Economics*, Chicago:University of Chicago Press;repr. in B. Caldwell (1984), *Appraisal and Criticism in Economics:A Book of Readings*, Boston:

Allen & Unwin.

— (1968), 'The Role of Monetary Policy', *American Economic Review*, 58:1 – 17.

Fudenberg, D., and E. Maskin (1986), 'The Folk Theorem in Repeated Games with Discounting or with Information', *Econometrica*, 54:533 – 56.

—and Tirole, J. (1986), *Dynamic Models of Oligopoly*, New york: Harwood.

Gerrard, B. (1993), *The Economics of Rationality*, London: Routledge.

Ghosh, A. R., and P. Masson (1988), 'International Policy Coordination in a World with Model Uncertainty', *International Monetary Fund Staff Papers*, 35:230 – 58.

Gibbons, R. J. (1992), *Game Theory for Applied Economists*, Princeton: Princeton University Press.

Gilbert, R. (1989), 'Mobility Barriers and the Value of Incumbency', in R. Schmalensee and R. D. Willig (eds.), *Handbook of Industrial Organization*, i, Elsevier Science Pulishers.

Gordon, R. J. (1981) 'Output Fluctuations and Gradual Price Adjustment', *Journal of Economic Literature*, 19:493 – 530.

— (1990), 'What is New – Keynesian Economics?' *Journal of Economic Literature*, 28:1115 – 71.

Gravelle, H., and R. Rees (1992), *Microeconomics*, London: Longman.

Gray, J. (1976), 'Wage Indexation: A Macroeconomic Approach', *Journal of Monetary Economics*, 2:221 – 35.

Green, E., and R. Porter (1984), 'Noncooperative Collusion under Imperfect Price Information', *Econometrica*, 52:87 – 100.

Guttman, J. M. (1978), 'Understanding Collective Action: Matching Behaviour', *American Economic Review Papers and Proceedings*, 68:251 – 5.

Hallwood, C. P., and R. MacDonald (1994), *International Money and Finance*, Oxford: Blackwell.

Hamada, K. (1974), 'Alternative ExChange Rate Systems and the Interdependence of Monetary Policies', in R. Z. Aliber (ed.), *National Monetary Policies and the International Financial System*, Chicago: University of Chicago Press.

— (1976), 'A Strategic Analysis of Monetary Interdependence', *Journal of Political Economy*, 86:677 – 700.

Hamada, K. (1979), 'Macroeconomic Strategy and Coordination under Alternative Exchange Rates', in R. Dornbush and J. A. Frenkel (eds.), *International Economic Policy: Theory and Evidence*, Baltimore: Jone Hophins University Press.

Hanley,N. ,J. F. Shogren,and B. White (1997) , *Environmental Economics:In Theory and Practice*, London:Macmillan.

Hargreaves Heap,S. (1989) , *Rationality Economics*, Oxford:Blackwell.

— (1992) , *The New Keynesian Macroeconomics:Time Belief and Social Interdependence*, Aldershot:Edward Elgar.

— and Y. Varoufakis (1995) , *Game Theory:A Critical Introduction*, London:Routledge.

Harsanyi,J. (1967,1968) , 'Games with Incomplete Information Played by Bayesian Players Ⅰ, Ⅱ and Ⅲ ' , *Management Science*, 14:159 – 82,302 – 34,and 486 – 503.

Hey,J. (1991) , *Experiments In Economics*, Oxford:Blackwell.

Hicks,J. R. (1937) , 'Mr. Keynes and the 'Classics ':A Suggested Interpretation ' , *Econometrica*, 5:147 – 59.

Hoover,K. D. (1988) , *The New Classical Macroeconomics*, Oxford:Blackwell.

Howitt,P. (1981) , 'Activist Monetary Policy under Rational Expectations, *Journal of Political Economy*, 89:249 – 69.

— and R. P. McAfee (1988) , 'Stability of Equilibria with Externalities ' , *Quarterly Journal of Economics*, 103:261 – 78.

Hughes Hallet,A. J. (1987) , 'The Impact of Interdependence on Economic Policy Design:The Case of the US,EEC,and Japan' , *Economic Modelling*, 10:377 – 96.

— (1989) , 'Macroeconomic Interdependence and the Coordination of Economic Policy' ,in D. Greenaway (ed.) , *Current Issues in Macroeconomics*, London:Macmillan.

Jacquemin,A. ,and M. E. Slade (1989) , 'Cartels,Collusion,and Horizontal Merger' , in R. Schmalensee and R. D. Willing (eds.) , *Handbook of Industrial Organization*, i,Elsevier Science Publishers.

Johnson,H. G. (1954) , ' Optimum Tariffs and Retaliation ' , *Review of Economic Studies*, 21:142 – 53.

Kagel,J. H. and A. E. Roth (1995) , *The Handbook of Experimental Economics*, Princeton:Princeton University Press.

Kandori,M. (1992) , ' Social Norms and Community Enforcement ' , *Review of Economic Studies*, 59:63 – 80.

Kant,I. (1788) , *Critique of Practical Reason*, Trans. And ed. L. W. Beck, *Critique of Practical Reason and Other Writings in Moral Philosophy*, Cambridge University

Press.

Kennan, J. , and R. Riezman (1988), ' Do Big Countries Win TariffWars ?' *International Economic Review*, 29:81 – 5.

Keynes, J. M. (1936), *General Theory of Employment, Interest and Money*, London: Macmillan.

Kiyotaki, N. (1988), ' Nultiple Expectational Equilibria under Monopolistic Competition', *Quarterly Journal of Economics*, 102:695 – 714.

Kreps, D. (1990a), *A Course in Microeconomic Theory*, New York: Harvester Wheat-sheaf.

— (1990b) *Game Theory and Economic Modelling*, Oxford: Clarendon Press.

— P. Migrom, J. Roberts, and R. Wilson (1982), ' Rational Cooperation in the Finitely Repeated Prisoners' Dilemma Game', *Journal of Economic Theory*, 27:245 – 52.

— and R. Wilson (1982a), ' Reputation and Imperfect Information', *Journal of Economic Theory*, 27:253 – 79.

—— (1982b), ' Sequential Equilibria', *Econometrica*, 50:863 – 94.

Krugman, P. R. (1986), *Strategic Trade Policy and the New International Economics*, Cambridge, Mass: MIT Press.

— (1987), ' Is Free Trade Passé?' *Economic Perspectives*, 1:131 – 44.

— (1989), ' Industrial Organization and International Trade', in R. Schmalensee and R. Willig (eds.), *Handbook of Industrial Organization*, ii, Elsevier Science Publishers.

Kuga, K. (1973), ' Tariff Retaliation and Policy Equilibrium', *Journal of International Economics*, 3:351 – 66.

Laussel, D. , and C. Montet (1994), ' Strategic Trade Policies', in D. Greenaway and L. A. Winters (eds.), *Surveys in International Trade*, Oxford: Blackwell.

Leslie, D. (1993), *Advanced Macroeconomics*, London: McGraw – Hill.

Levine. P. (1990), ' Monetary Policy and Credibility', in T. Bandyopadhyay and S. Clutah (eds.), *Current Issues in Monetary Economics*, London: Macmillan.

—and D. Currie (1987), ' Does International Macroeconomic Policy Coordination Pay and is it Sustainable? A Two Country Analysis', *Oxford Economic Papers*, 39: 38 – 74.

Lucas, R. E. (1972), ' Expectations and the Neutrality of Money', *Journal of Economic Theory*, 4:103 – 24.

—(1980), *The Death of Keynesian Economics: Issues and Idea*, Chicago: University of

Chicago Press.

Lyons, B. , and Y. Varoufakis (1989), 'Game Theory, Oligopoly and Bargaining', in J. D. Hey (ed.), *Current Issues in Microecomics*, London: Macmillan.

Mckelvey, R. D. , and T. R. Palfrey (1992), 'An Experimental Study of the Centipede Game', *Econometrica*, 60: 802 – 36.

Maler, G – M. (1991), 'International Environmental Problems', in D. Helm (ed.), *Economic Policy Towards the Environment*, Oxford: Blackwell.

Mankiw. N. G. (1985), 'Small Menu Costs and Large Business Cycles: A Macroeconomic Model of Monopoly', *Quarterly Journal of Economics*, 100: 529 – 37; repr. in N. G. Mankiw and D. Romer (1991), *New Keynesian Economics*, i, Cambridge, Mass. : MIT Press.

—(1992), *Macroeconomics*, New York: Worth Publishers.

Martin, S. (1992), *Advanced Industrial Economics*, Oxford: Blackwell.

Mayer, W. (1981), 'Theoretical Considerations on Negotiated Tariff Adjustments', *Oxford Economic Papers*, 33: 135 – 53.

Milgrom, P. , and J. Roberts. (1982a), 'Limit Pricing and Entry Under Incomplete Information: An Equilibrium Analysis', *Econometrica*, 50: 443 – 59.

——(1982b), 'Predation, Reputation and Entry Deterrence', *Journal of Economic Theory*, 27: 280 – 312.

Miller, M. , and M. Salmon (1985), 'Policy Coordination and the Time Inconsistency of Optimal Policy in Open Economies', *Economic Journal*, Supplement: 124 – 35.

Minford, P. , and M. B. Canzoneri (1987), 'Policy Interdependence: Does Strategic Behaviour Pay?' *CEPR Discussion Paper*, No. 201.

Modigliani, F. (1958), 'New Developments on the Oligopoly Front', *Journal of Political Economy*, 66: 215 – 32.

Murphy K. J. , A. Shleifer, and R. Vishny (1989a), 'Income Distribution, Market Size, and Industrialization', *Quarterly Journal of Economics*, 104: 537 – 67.

——(1989b), 'Industrialization and the Big Push', *Journal of Political Economy*, 96: 1221 – 31.

Muth, J. F. (1961), 'Rational Expectations and the Theory of Price Movements', *Econometrica*, 29: 315 – 35.

Nash, J. (1951), 'Non – Cooperative games', *Annals of Mathematics*, 54: 286 – 95.

Neral, J. , and J. Ochs (1992); 'The Sequential Equilibrium Theory of Reputation Building: A Further Test', *Econometrica*, 60: 1151 – 69.

Nordhaus, W. (1975), 'The Political Business Cycle', *Review of Economic Studies*, 42:169 – 90.

Okun, A. M. (1975), 'Inflation: Its Mechanics and welfare Costs', *Brookings Papers on Economic Activity*, 5:351 – 401; repr. In N. G. Mankiw and D. Romer (1991), *New Keynesian Economics*, ii, Cambridge, Mass. : MIT Press.

—(1981), *Prices and quantities: A Macroeconomic Analysis*, Oxford: Blackwell.

Ordover, J. A. , and G. Saloner (1989), 'Predation, Monopolization, and Antitrust', in R. Schmalensee and R. D. Willig (eds.), *Handbook of Industrial Organization*, i, Elsevier Science Publishers.

Qudiz, G. , and J. Sachs (1984), 'Macroeconomic Policy Coordination Among the Industrial Economies', *Brookings Papers on Economic Activity*, 1:1 – 64.

——(1985), 'International Policy Coordination in Dynamic Macroeconomic Models', in W. H. Buiter and R. C. Marston (eds.), *International Ecnomic Policy Coordination*, Cambridge and New York: Cambridge University Press.

Parkin, M. (1986), 'The Output – Inflation Trade – off when Prices are Costly to Change', *Journal of Political Economy*, 94:200 – 24.

Peel, D. (1989), 'New Classical Macroeconomics', in S. Greenaway (ed.), *Current Issues in Macroeconomics*, London: Macmillan,

Perman, R. , Y. Na, and J. McGilvray (1996), *Natural Resources and Environmental Economics*, London: Longman.

Phelps, E. S. (1992), 'Expectations in Macroeconomics and the Rational Expectations Debates', in A. Vercelli and N. Dimitri (eds.), *Macroeconomics: A Survey of Research Strategies*, Oxford: Oxford University Press.

—and J. Taylor (1977), 'Stablizing Powers of Monetary Policy with Rational Expectations', *Journal of Political Economy*, 85:163 – 90.

Phlips, L. (1995), *Competition Policy: A Game Theoretic Perspective*, Cambridge, Cambridge University Press.

Porter, R. (1983), 'Optimal Cartel Trigger – Price Strategies', *Journal of Economic Theory*, 29:313 – 38.

Poundstone, W. (1992), *Prisoner's Dilemma*, New York: Doubleday.

Radner, R. (1980), 'Collusive Behavior in Oligopolies with Long but Finite Lives', *Journal of Economic Theory*, 22:136 – 56.

Rasmusen, E. (1993), *Games and Information*, Oxford: Blackwell.

Rapoport, A. (1987), 'Prisoner's Dilemma', in J. Eatwell, M. Milgate and P. Newman (eds.), *The New Palgrave Game Theory*, New York: W. W. Norton & Co.

Rees, R. (1993), 'Tacit Collusion', *Oxford Review of Economic Policy*, 9:27 – 40; repr. In T. Jenkinson (1996), *Readings in Microeconomics*, New York: Oxford University Press.

Rogoff, K. (1985), 'Can International Monetary Policy Coordination be Counter – Productive?' *Journal of International Economics*, 18:199 – 217.

Romer, D. (1996), *Advanced Macroeconomics*, New York: McGraw – Hill.

Rosenthal, R. (1981), 'Games of Perpect Information, Predatory Pricing, and the Chain-store Paradox', *Journal of Mathematical Psychology*, 25:92 – 100.

Rotemberg, J., and G. Saloner (1986), 'A Supergame – Theoretic Model of Price Wars during Booms', *American Economic Review*, 76:390 – 407; repr. in N. G. Mankiw and D. Romer (1991), *New Keynesian Economics*, ii, Cambridge, Mass. : MIT Press.

——(1987), 'The Relative Rigidity of Monopoly Pricing', *American Economic Review*, 77:917 – 26.

— and M. Woodford (1991), 'Markups and the Business Cycle', *NBER Macroeconomics Annual*.

Salop, S. C. (1979), 'A Model of the Natural Rate of Unemployment', *American Economic Review*, 69:117 – 25.

Sargent, T. J. (1973), 'Rational Expectation, the Real Rate of Interest, and the Natural Rate of Unemployment', *Brookings Papers on Economic Activity*, 2:429 – 72.

—and N. Wallace (1975), 'Rational Expectation, the Optimal Monetary Instrument and the Optimal Money Supply Rule', *Journal of Political Economy*, 83:241 – 54.

Schaling, E. (1995), *Institutions and Monetary Policy*, Aldershot: Edward Elgar.

Schelling, T. (1960), *The Strategy of Conflict*, Cambridge, Mass. : Harvard University Press.

Selten, R. (1975), 'Re – examination of the Perfectless Concept for Equilibrium Points in Extensive Games', *International Journal of Game Theory*, 4:22 – 55.

—and R. Stoecker (1986), 'End Behavior in Sequences of Finite Prisoner's Dilemma Supergames', *Journal of Economic Behavior and Organization*, 7:47 – 70.

Shafir, E., and A Tversky (1992), 'Thinking Through Uncertainty: Nonconsequential Reasoning and Choice', *Cognitive Psychology*, 24:449 – 74.

Shapiro, C. (1989), 'Theories of Oligopoly Behavior', in R. Schmalensee and R. D. Willig (eds), *Handbook of Industrial Organization*, i, Elsevier Science Publishers.

Shapiro, N. , and J. Stiglitz (1984), ' Equilibrium Unemployment as a Discipline De-
vice' , *American Economic Review*, 74:43 – 44; repr. in N. G. Mankiw and D. Ro-
mer (1991), *New Keynesian Economics*, ii, Cambrige, Mass. ; MIT Press.

Shleifer, A. (1986), ' Implementation Cycles' , *Journal of Political Economy*, 94:
1163 – 90; repr. in N. G. Mankiw and D. Romer (1991), *New Keynesian
Economics*, ii, Cambridge, Mass. ; MIT Press.

—and R. W. Vishny (1988), ' The Efficiency of Investment in the Presence of Aggre-
gate Demand Spillovers' , *Journal of Political Economy*, 96:1221 – 31.

Simon H. A. (1982), *Models of Bounded Rationality*, Cambridge, Mass. ; MIT Press.

Snowdon, B. , H. Vane, and P. Wynarczyk (1994), *A Modern Guide to
Macroeconomics:An Intoduction to Competing Schools of Thought*, Aldershot:
Edward Elgar.

Stiglitz, J. E. (1984), ' Price Rigidities and Market Structure' , *American Economics
Review*, 74:350 – 55; repr. in N. G. Mankiw and D. Romer(1991), *New Keynesian
Economics*, i, Cambridge, Mass. ; MIT Press.

—(1987), ' The Causes and Consequences of the Dependency of Quality on price' ,
Journal of Economic Literature, 25:1 – 48.

Sugden, R. (1991), ' Rational Choice:A Survey of Contributions from Economics and
Philosophy' , *Economic Journal*, 101:751 – 85.

Sylos – Labini, P. (1962), *Oligopoly and Technical Progress*, Cambridge, Mass. ; Har-
vard University Press.

Taylor, J. B (1985), ' International Coordination in the Design of Macroeconomics Poli-
cy Rules' , *European Economic Review*, 28:53 – 82.

Tinbergen, J. (1952), *On The Theory of Economic Policy*, Amsterdam: North – Hol-
land.

Tirole, J. (1988), *The Theory of Industrial Organization*, Cambridge, Mass. ; MIT
Press.

Thursby, M. , and R. Jensen (1983), ' A Conjectural Variations Approach to Strategic
Tariff Equilibria,' *Journal of International Economic*, 14:145 – 61.

Van Huyck, J. B. , R. C. Battalio, and R. O. Beil (1990), ' Tacit Coordination Games,
Strategic Uncertainty, and Coordination Failture' , *American Economic Review*, 80:
234 – 48.

Varian, H. (1992), *Microeconomic Analysis*, New York: Norton.

Venables, A. (1985), ' Trade and Trade Policy with Imperfect Competition: The Case of Identical Products and Free Entry', *Journal of International Economics*, 19:1 – 19.

Vickers, J. (1985), 'Strategic Competition among the Few – Some Recent Developments in the Economics of Industry', *Oxford Review of Economic Policy*, 1:39 – 62; repr. In T. Jenkinson (1996), *Readings in Microeconomics*, New York: Oxford University Press.

Weiss, A. (1980), 'Job Queues and Layoffs in Labour Markets with Flexible Wages', *Journal of Political Economy*, 88:526 – 38.

—(1991), *Efficiency Wages: Models of Unemployment, Layoffs and Wage Dispersion*, Oxford: Clarendon Press.

Wilson, R. (1992), 'Strategic Models of Entry Deterrence', in R. J. Aumann and S. Hart (eds.), *Handbook of Game Theory with Economic Applications*, New York: North – Holland.

▼
▼
▼

索 引

▼
▼
▼

后　　记

　　该书是我在中国社会科学院法学所做博士后时我的合作导师张志铭教授推荐我和朱前鸿博士翻译的，朱博士因公务繁忙中途退出翻译。我的博士后课题正好是法律博弈论方向的——《合同法基本原则的博弈分析》。美国法律文库引进博弈论教材无疑是对新兴的法律博弈论最好的促进，由我来翻译此书是再高兴不过的事了。我想尽快完成翻译，以便有更多的法律人了解博弈论的基本方法及其广泛应用。

　　翻译此书正值我最忙的时期，先是撰写博士后出站报告，出站后在中国政法大学积极开设《法律博弈论》、《法律经济学》和《博弈论导引》等课程。这些工作对于我更好地理解法律博弈论打下了基础，但是却影响了翻译的进程。此时我的学生闫静怡愿意助老师一臂之力。闫静怡天性聪慧，英语基础好，在法律博弈论的学习中刻苦努力。我们的具体分工是：我翻译前言、目录、第一、二、三、四、五、六、七、十二章；闫静怡翻译第八、九、十、十一章和画图；索引部分共同翻译，但由我统一定稿；我们相互校对了对方的译稿。另外我的朋友吴付科博士帮我校对了第六、七章。张志铭教授就翻译中应该注意的问题提出了非常好的建议并就部分章节提出了细致的修改意见。我的研究生宋凯和助手赵兴勐等帮助打印了部分译稿。

　　我要特别感谢的是责任编辑彭江先生和刘海光先生细致的编辑，因为该书公式和图表之多是一般法律人难以想象的。彭江先生和刘海光先生敏锐的洞察力避免了打印过程中的一些错误，并从阅读的流畅角度对一些句子的翻译提出了很好的建议。最后所有翻译由我校对定稿。

　　对于上文提到的各位我由衷地感激！

柯华庆
2005 年 10 月 16 日
于北京北郊军都山下菊然斋

图书在版编目(CIP)数据

博弈论导引及其应用／(美)罗珀著;柯华庆,闫静怡译. —北京:中国政
法大学出版社,2005.11
(美国法律文库)
ISBN 7－5620－2900－8

Ⅰ.博...　Ⅱ.①罗...②柯...③闫...　Ⅲ.对策论－研究
Ⅳ.0225

中国版本图书馆 CIP 数据核字(2006)第 032584 号

....

书　　名　博弈论导引及其应用
出 版 人　李传敢
出版发行　中国政法大学出版社
经　　销　全国各地新华书店
承　　印　固安华明印刷厂
开　　本　787×960　　1/16
印　　张　18.625
字　　数　350 千字
印　　数　0 001－5 000
版　　本　2005 年 12 月第 1 版　　2005 年 12 月第 1 次印刷
书　　号　ISBN 7－5620－2900－8/D·2860
定　　价　26.00 元

社　　址　北京 100088 信箱 8034 分箱　中国政法大学出版社　邮政编码　100088
电　　话　(010)58908325(发行部)　58908335(储运部)
　　　　　　58908285(总编室)　58908334(邮购部)
电子信箱　zf5620@263.net
网　　址　http://www.cuplpress.com　(网络实名:中国政法大学出版社)

☆　☆　☆　☆

本社法律顾问　北京地平线律师事务所